ちくま新書

聖母の美術全史——信

宮下規久朗
Miyashita Kikuro

1578

聖母の美術全史——信仰を育んだイメージ【目次】

はじめに　聖母と美術——なぜ信仰を集めるのか

二〇二〇年四月十二日、フランシスコ教皇が、ヴァチカンのサン・ピエトロ大聖堂で復活祭のミサをあげ、新型コロナウィルスと戦う世界的な連帯を全世界に呼びかけた。この様子はネットで世界中に配信されたが、このとき教皇の傍らに大きな聖母のイコン（聖像画）が掲げられていたのが印象的であった（次頁）。

「サルス・ポプリ・ロマーニ（ローマ民衆の救い）」という名を持つこの絵は、ローマの古刹サンタ・マリア・マッジョーレ聖堂に伝えられたイコンである。六世紀にペストが蔓延したとき、復活祭で教皇グレゴリウス一世がこれを奉じて町を歩いたところ、それによって流行が沈静化したという。何度も模写され、その一つは南蛮文化時代の日本にもたらされている。

古来、たびたび起こっては社会に打撃を与えた疫病（感染症）は、近代以前は有効な対策がなく、人々はひたすらこの災いが過ぎ去るのを神仏に祈るしかなかった。中でもペストは黒死病と呼ばれて恐れられ、十四世紀半ばの大流行は、今回と同じく東洋からもたらされてヨーロッパ全域に広がり、その人口の約三分の一以上を奪った。そのようなとき熱心に信仰された聖母は、人間を神にとりなしてくれ、困難や危急のときにもっとも頼りになる存在であった。ローマのほかにも、コンスタンティノープル、フィレンツェ、ヴェネツィア、バーゼルなどでは、聖母のおかげでペスト禍が止んだという伝承がある。霊験あらたかな聖母の像に手を合わせることは、実際は気休めにすぎないとはいえ、今も多くの人々の拠り所となっている。

　教皇は、聖母の画像が今なお力を持っていることを世界に示したのだ。

†成長する聖母

　聖母マリアといえば、キリスト教になじみのない人でも、何らかのイメージを思い浮かべることができるだろう。イエス・キリストの母で、熱心に信仰を集めている清らかな女性であると。もっとも日本では、近所の教会に行ってみても、多くの場合、聖母の姿はどこにも見出すことはできないだろう。ただし、数は少ないが、カトリック教会と名乗る教会であれば、必ず聖母像がある

復活祭のミサをあげるフランシスコ教皇

はずだ。教会でも、日本で数の多いのはプロテスタント教会で、プロテスタントには聖母信仰はないのである。もっとも世界全体で見れば、プロテスタントはカトリックの三分の一程度の信者しかいない。

聖母マリアは世界でいちばん信仰されている女神であるといってよい。世界のカトリック信者は十二億人以上といわれ、世界の総人口の約六分の一を占めている。その膨大な数の人々が日夜熱心な祈りを捧げているのが聖母マリアである。キリスト教は一神教であり、崇拝の対象は三位一体の神に限定されている。聖母マリアは神ではなく、教義上は信者の代表にして教会の象徴として、聖人と同じく「崇敬」の対象にすぎないのだが、現実には神と同等かそれ以上の信仰を集めている。そのため、十六世紀に起こった宗教改革では、聖書に忠実である原理主義の立場から、聖母信仰は教義に基づかないものとして否定されたのである。

マリアという女性自体は、紀元前後にイスラエルのナザレの地に実在した女性であったであろうが、生没年を含め、その実態はまったくあきらかではない。そもそもマリア（ヘブライ語ではミリアム）という名称自体ありふれたものであり、聖書の中でもマグダラのマリア、ヤコブとヨセフの母マリア、クロパの妻マリア、マルタの姉妹のマリアなども登場し、女性一般の普通名詞のようにみえる。キリストの事績を記したキリスト教の根本教典である新約聖書にも、マリアについてはごくわずかしか触れられていない。四つの福音書のうち、マタイ伝とルカ伝がマリアが処女のまま聖霊によってキリストを産んだと記しており、ルカ伝には受胎告知やマリア賛歌など、聖母に関する記述がもっとも多いが、最古のマルコ伝やヨハネ伝ではその名も記されず、新約聖書の半分を占め、キリスト教のあらゆる教義の原点であるパウロ書簡でも、神の御子が「女から生まれた者」（ガラテア四：四）と記されるのみで、母マリアの働きについては何も語っていない。

実際には、大した働きも目立った点もない平凡な一庶民の主婦にすぎず、無名に近い存在だったにちがいない。それがたまたまイエス・キリストの母であったために、聖霊によって処女のまま妊娠したとか、生まれながらに原罪をもっていなかったとか、没後に昇天したとか、多様な伝説が没後かなりたってから作り上げられ、「神の母」としてどんどん祭り上げられてしまったにすぎない。

しかし、キリスト教が中近東から地中海沿岸を経て西欧、東欧や北欧からロシアへと、広範囲に広がるにつれ、それぞれの土地の伝統的な女神を吸収して同化していき、独特の力を持つ神々しい存在に成長していったのである。聖母はキリスト教の行くところ、どこでもその信仰の中心として様々な女神を習合した。地中海沿岸ではキュベレ、イシス、アルテミス、デメテルといった古代の地母神と、中国では媽祖（まそ）と、日本でも観音菩薩と同化していた。近代社会では、理性の擬人像や自由の女神など、あらゆる女神と習合したのである。キリスト教の拡大に当たって、聖母の画像は言葉や教義よりもはるかに有効な視覚的な布教道具となったといってよい。聖母マリアは、世界の女神を吸収合併して巨大に成長した習合の産物であって、単にキリスト教という枠内だけでとらえられるものではない。ましてや、聖書という限られた文書からは決して理解することはできない。マリア信仰は現代でも衰えることなく続いており、南フランスのルルドは、世界最大の巡礼地となっている。

現代のカトリックでは、かつてほどではないが、聖母の重要性を認めている。現代社会におけるカトリックのあり方を規定し、エキュメニズム（教会一致運動）を探った第二ヴァチカン公会議（一九六二〜六五年）で採択された『教会憲章』第八章で聖母マリアについて規定された。マリアはキリストと密接に結ばれ、神の子の母、父の最愛の娘、聖霊の住む場所であり、信者たちの母であり、教会の象型（ティプス）にして範例（エグゼンプラ）であるという。ただし、聖母は唯一の贖（あがな）い主キリストと決して同列に置かれてはならず、その働きは従属的な役割に止まるとしている。マリアは神の恵みをもっとも受けた人間として、あらゆる信者の模範であり、キリストにもっとも近い位置にいる者である。こうした見解はプロテスタントも共有しており、現在、聖母の位置づけに関してはキリスト教内でそれほど異なることはない。

†聖母信仰と聖像

聖母の姿はキリスト教美術のはじまりとともに表現されている。ローマで初期のキリスト教徒の洞窟墓地カタコンベに描かれ（1-1、1-2）、ビザンツ（東ローマ）帝国でキリストのイコン（聖画像）と同時期に、早くも幼児キリストを抱く聖母の姿を描いたイコンが登場した。そしてそれらは奇跡的な力を持つとされ、聖遺物と同じように大事に祀られてきた。それはイタリアをはじめヨーロッパ全土にもたらされ、やがて聖母も表情豊かになり、死せるわが子キリストを前にして嘆き、やがて受胎告知や聖母被昇天のように聖母の生涯の様々なエピソードが描かれるにいたった。それらはより大きな壁画やモザイク、ステンドグラスにも展開し、彫刻にもなった。

ルネサンス以降、美術表現は自然主義的になって観者を巻き込む力や優美さを備え、聖母はその時代の最先端でもっとも優れた表現の対象となった。一方、古来人々に力をもたらしてきた由緒ある聖像は、たとえ黒く不気味なものであっても素朴な表現であっても変わらぬ信仰の対象となってきた。西洋美術における聖母を論じた美術史家ティモシー・ヴェルドンは、「ヨーロッパ人の歴史的アイデンティティや時代を通した自己イメージは、彼らがどのように聖母を崇敬し、イメージし、描いてきたかということと関係している」と述べる。

宣教師が世界中にもたらした聖母像は各地で独自の発展を遂げ、中南米では今にいたるまで聖母大国となっている。日本では戦国時代の一時期、聖母が大流行したものの、キリスト教が禁じられると徹底的に破壊され尽くした。踏絵となって棄教者が踏まされて摩耗したものもあり、ごくわずかなものは信者が命をかけて守って後世に伝えてきた。

つまり、聖母の美術は、美術表現とともに発展してきたのだが、それだけではない。特定の像が表現の巧拙や芸術的な重要度でなく、その由緒によっていつまでも尊重され、崇敬されてきたのである。しかも、聖母像は世界中で病人を癒したり、像が涙や血を流したりといった奇蹟を起こしてきた。それによって、聖母像は単なる像ではなく、生きているように扱われているところも多い。霊的な力を持つ画像や彫像は、美的な価値とは異なる位相にあり、単なる美術作品に止まらず、信仰の対象として生きているのである。聖母の美術史は、そのために様式発展とは異なる複雑な様相を呈しており、一筋縄ではいかない。

近年の美術史学は、美術館にあるような名作だけでなく、奇蹟を起こす像のような民俗学的な事象についても考察するようになっており、すでに多くの成果を上げている。著名な巨匠の作品よりも、名もない素朴な作品がいつまでも信仰を集め、模倣されるのだ。一方、ラファエロやムリーリョらによる美術史を画するような傑作は、芸術としても聖像としても人気を博し、影響力を持っている。

このように、聖母信仰は聖像と一体化していた。聖母は当初から一貫して像（イメージ）と不可分であり、美術とともに発展してきたといってよい。イメージ抜きの聖母信仰は決して存在しなかったのである。キリスト教の教義の中核にある三位一体の神が抽象的でわかりにくいのと対照的に、またそれとバランスをとるように、美しい聖母像は視覚に訴えてわかりやすく、信者の感情に直接的に響くものであった。美術史家ライシュ＝キースルは、「マリア崇敬は美術に影響を与えたが、しかしまた一方では美術が逆に信仰に影響を及ぼし、信心を形成している」（内藤道雄訳）と述べているが、美麗なイメージがなければ、聖母はこれほど信仰されず、信仰の中心にはなりえなかったであろう。聖母という主題は、美術活動を推進し、芸術性の深化を促したのである。

これから、こうした聖母の美術史を、代表的な主題と作品に沿ってたどっていこう。以下、本書では、「聖像」あるいは「聖母像」と表記する場合、神や聖母を表した絵画も彫刻も含む造形物を指し、「イコン」と表記する場合は特に古い板絵のことを指すことにする。

紙数の都合上、挿絵はいずれも白黒で小さいものになってしまったが、気になる画像があればネットなどで検索してご覧いただければ幸いである。

第１章

聖母像の成立
――イコンと黒い聖母

《ヤスナ・グラの聖母》14世紀　チェンストホーヴァ、ヤスナ・グラ修道院

1 最古の聖母画像

†カタコンベの聖母

聖母への信仰は、その像とともにあった。聖母の像がいつから作られるようになったかはわからない。神の姿を描いたイコンは五世紀にはじまるとされるが、それよりもはるかに古い聖母の絵があった。それはローマ郊外にある地下の共同墓地カタコンベに描かれたものである。カタコンベに埋葬されたのはキリスト教徒ばかりではないが、そこに描かれた壁画は、最初のキリスト教美術であり、四世紀にキリスト教が公認される以前から制作されていた。

ローマの北に延びるサラリア街道沿いにあるプリシッラのカタコンベは、キリスト教公認以前の三世紀後半に遡るもので、そこには、聖母が幼児キリストに授乳する絵が描かれている（1-1）。聖母子の傍らに若い男が立っており、これはマリアの夫ヨセフであろう。ただ、この母子像は、この時代に流行していたエジプトのイシス神である可能性もある。後に述べるように、聖母はイシュタル、イシス、キュベレ、アルテミスといった東方の女神を習合したものであった。これらの女神は彫刻だけでなく、イコンのような板絵にも表されたというが、聖母のイコンはそれらと関係があるとも考えられる。とくに、授乳の聖母という図像は、息子ホルスに授乳するイシスというポピュラーな図像に由来するのはほぼまちがいない。したがって、この壁画もマリアだとは断定できないのである。

上 1-1 《聖母子》3世紀後半 ローマ、プリシッラのカタコンベ

下 1-2 《聖母子》4世紀前半 ローマ、マイウスのカタコンベ

また、ローマのノメンターナ街道に面した四世紀前半のマイウスのカタコンベには、半円形のルネットに、両手を上げて祈る聖母と幼児キリストの上半身が描かれている(1-2)。カタコンベにはこうして両手を上げる「オランス型」のポーズがよく見られる。この画像も、マリアでなく、子どもとともに世を去った母親の肖像であるという解釈もあるが、左右にはXとPというキリストの頭文字のギリシャ語を組

み合わせたもの（キーロー）が記されており、あきらかに聖母子を意味している。髪を結い上げ、薄いベールを被って首飾りや耳飾りをつけたローマの貴婦人のような聖母は、意志の強そうな大きな目でこちらを見つめる。こうしたタイプの聖母像が、時を経てビザンツで後に見るブラケルニオティッサ型あるいはプラティテラ型のイコンに継承された。

カタコンベ壁画とは別に、独立した聖母の画像は紀元六〇〇年頃までにキリストのイコンとほぼ同時期に成立し、九世紀にはその地位が確立していたとされる。これらのイコンはまずビザンツ帝国（東ローマ帝国、ビザンティン帝国）で制作され始め、それがイタリアなどの西欧に伝播したと思われている。ビザンツ帝国は、コンスタンティノープル（コンスタンティノポリス）を首都とし、古代ローマ帝国の東半分を継承し、キリスト教の大帝国として十五世紀まで続いた。中世の西洋美術は、この帝国における美術、つまりビザンツ美術を中心に展開したといってよい。かつてのローマ帝国の首都ローマは、ゲルマン民族が流入して帝国が崩壊した後、人口は激減し、一地方都市に成り下がったが、ローマ教皇が居住し、教会も多く建てられたことから、キリスト教のもう一方の中心ではあり続けた。

†ルカの聖母

現存する聖母のイコン（聖像画）のうち、どれが最古のものかは不明である。しかしすでに六世紀には聖母のイコンはローマやキエフなど、あちこちにあったことがわかっている。現存する最古の聖母イコンの一つは、最古のキリストのイコンと同じく、シナイ山のアギア・エカテリニ修道院に保存されていた六世紀のものである（1-3）。正面を向いた聖母子は聖テオドルスと聖ゲオルギウスにはさまれ、背後には二人の天使がいる。蜜蠟によってすばやく細い筆で描写されているが、この技法は古代ローマの末期に見られる技法である。

重要なのは、キリストの弟子で福音書記者の聖ルカが描いたという伝承である。テオドルス・レクトルの『教会史』（五三〇年）には、五世紀にビザンツ帝国のテオドシウス二世の姉でマルキアヌス帝の后妃プルケリアが帝国の首都コンスタンティノープルに聖母に捧げた教会を三つ建て、それらには聖母のマントや帯などの聖遺物がおさめられ、そのうちの一つオディゴン（ホデゴイ）聖堂にルカの描いた聖母像があると記している。その絵は、テオドシウス帝の后妃エウドキアが四三八年から四三九年にかけてエルサレムに巡礼したとき手に入れて義姉プルケリアに贈ったものだという。この絵が、後にルカが聖母を描いたものだということになり、ルカの聖母という伝説の始まりとなった。

1-3 《聖母子》6世紀　シナイ山、アギア・エカテリニ修道院

このイコンを贈られた后妃プルケリアは聖母を篤く敬い、四三一年にエフェソスの公会議、四五一年にカルケドンの公会議という二回の公会議（各地の教会の代表者が集まって教義や典礼について審議して決定する最高会議）を主催した。エフェソス公会議では、マリアは正式に「神の母（テオトコス、正教会では生神女）」と認定され、ここにおいて、マリアはキリスト教の中に確固とした地位を占めるようになったのである。

ところでなぜ、ルカが聖母を描いたとされたのだろうか。聖母は新約聖書の「ルカによる福音書」に、キリスト出生の経緯が記され、キリストの磔刑を見守った女として登場するが、それ以外の情報はほとんどなかった。この福音書を執筆したルカは医者であり、「ルカによる福音書」のほか、「使徒行伝」の作者ともされる。

このルカがいつしか画家でもあり、幼児キリストを抱く聖母マリアの肖像を描いたという伝承が生まれたのである。実際にはキリストより年下のルカが幼児キリストを見ていることはありえない。ルカが描いたという聖母のイコンは世界にいくつもあったが、もっとも由緒のあるのは前述のようにエルサレムからもたらされた聖母のイコンで、それは八世紀に起こった後述のイコノクラスム（聖像破壊運動）の動乱の中で消失したと思われる。このイコノクラスムの渦中で、複数の神学者が、聖母イコンはルカが描いてマリアが認めたと言明し、その権威を確立したのであった。

†オディギトリア型

その後、いつしかプルケリアが建てたオディゴン聖堂にあったイコンが、ルカの描いたものであって、あらゆるイコンでもっとも権威のあるものとされた。十世紀には毎週の宗教行列に掲示され、皇帝たちにも尊重された。度重なる内戦やヴェネツィアが侵攻した第四回十字軍の動乱のときに別の教会に移されたりしたが、長く一般にも公開されており、大きな崇敬を集めていた。しかし、一四五三年、コンスタンティノープルがオスマン帝国によって陥落したときに寸断されたという。このイコンは何度も首都や民衆の危機を救ったとされ、広く模写されて普及した。たとえば、ブルガリアのソフィア考古学博物館にある十四世紀のモザイクのイコン（1－4）はこの原型に近いものとされる。

こうしたイコンのタイプを、イコンのあった聖堂の名をとって「オディギトリア（ホデゲトリア）型」という。もともとオディゴンとは道案内とかガイドという意味で、そのため「道を指し示す聖母」と訳されたりした。

聖母は、マフォリオンという紺色のケープをまとい、左手で幼児キリストを抱き、厳粛な表情でこちらを見つめている。しばしば聖母のベールや肩に星がついているが、これは聖母の象徴である「ステラ・マリス（海星）」である。マリアは名前自体が海（mar）でもあったが、聖

上1-4 《オディギトリアの聖母》14世紀　ソフィア考古学博物館
下1-5 《路傍の聖母》16世紀　ローマ、イル・ジェズ聖堂

ヒエロニムスはマリアを海のしずく（stilla maris）とよび、それがまちがって伝わり、海の星（stella maris）になったのである。

オディギトリア型のイコンでは、キリストは左手で巻物か書物を持ち、右手を上げて祝福のポーズをとってやはりこちらを見つめる。このタイプが聖母イコンでもっとも古く、また基本的な形となった。ローマには後に見る《サルス・ポプリ・ロマーニ》というイコンがこれに当たる。世界中に布教したイエズス会の総本山イル・ジェズ聖堂の本尊は、《マドンナ・デラ・ストラーダ（路傍の聖母）》というイコン（1－5）だが、これもオディギトリア型の聖母子をルネサンス風の様式で描いたものである。

全身像に応用されたものもあり、そのもっとも有名なものはヴェネツィアの沖にあるトルチェッロ島のモザイクである（1-6）。この島のサンタ・マリア・アッスンタ聖堂は七世紀に建てられたヴェネツィア最古の教会のひとつであり、内陣のアプスには金地に輝く聖母のモザイクがある。アプスにすっと立つこの聖母の姿は簡素にして荘厳であり、きわめて印象的である。これらはモザイクの中心地ラヴェンナから来た職人によって十三世紀に作られたと考えられている。

オディギトリア型は、最初に成立した聖母のイコンの定型だが、これは非常に重要である。まず、聖母は一人でなく、幼児キリストとともにいること。次に全身像でなく半身像であるこ

上 1-6　《聖母子》13 世紀　トルチェッロ島、サンタ・マリア・アッスンタ聖堂内陣
下 1-7　エル・グレコ《聖母子を描く聖ルカ》1560-66 年　アテネ、ベナキ博物館

と。この二点が、以後ずっと聖母の画像に継承された。

最古の聖母子を描いたのが聖ルカであったというのも、聖母イコンの権威と正統性を高めた。ルカが聖母子を描く情景も描かれた。クレタ島でイコンを描いていた初期のエル・グレコ（ドメニコス・テオトコプロス）はその情景を描いており、イーゼルの上にはオディギトリア型の聖母子が見える（1-7）。画面には「ドメニコス描く」というサインも記されているが、画家は聖ルカに重ね合わされているのだろう。実際、この主題はしばしば画家の自画像として表現された。

2　聖母イコンの意味

†「神の母」としての位置づけ

キリスト教にとって聖母の位置づけは、長らく不安定であった。そもそもキリスト教は、最初から教義がしっかり定まっていたわけではなく、聖書自体もキリストの没後三百年以上もたってようやく様々な諸文書が編集されて定められたものにすぎない。聖母マリアの位置づけも長らく不安定であった。古代教会では三〜四世紀以来、マリアのとりなしを願う祈りが捧げられるようになり、四世紀からはイエスの降誕が盛大に祝われるようになると、マリアの役割が強調されるようになった。

キリスト教には父なる神がいてその子キリストがいるが、そうなると親子で神が二人いるように思われる。それを、父なる神、子なるキリスト、そして聖霊の三者が一つの神であるという強引な理屈によってまとめあげたのだ。父、子、聖霊は三つの位格（ペルソナ）を持つが、本質や実体は一つであるというもので、四世紀に整備されたキリスト教の基本的な教説である。

キリストは神でありながら人として生まれた（これを受肉という）という矛盾した存在であった。教会全体で教議を検討する初期の公会議は、まずこうしたキリストの位置づけを決定することが課題であった。最初の公会議で、三二五年にコンスタンティヌス大帝が主催した第一ニカイア公会議では、キリストは父なる神よりも神性が弱い、つまり人性が強いというアリウス（アレイオス）派の説が否定され、父なる神と子のキリストはまったく同質であるというアタナシオス派の説が採用された。三八一年のコンスタンティノープル公会議では、これを踏襲して三位一体論が確定した。

そして、四三一年のエフェソス公会議では、キリストの神性と人性は別々のものとして区別されるべきだとするコンスタンティノープル総主教ネストリオスに対し、アレクサンドリアの総主教キュリロスはキリストにおいて両者は一体化して一つの主体となっていると主張し、その説が採用された。つまり、ネストリオスは、マリアはキリストの人性のみの母であるとしたが、そうではなく、キリストは人として生まれたが神のままであるため、キリストを産んだ母マリアは神の母といえる。こうしてマリアは人の母であるというより、神の母（テオトコス）として認められたのである。マリアの聖性を認めず、神の母でなくキリストの母（クリストトコス）であるとするネストリオスの説は排斥された。キリストとマリアに関するネストリオスの説は異端として破門され、以後その一派は東方に逃れ、ペルシャのササン朝を経て中国では唐時代に景教として流行した。

ただし、このときマリアが「神の母」に認定されたといっても、キリスト教の中でマリアが神格化されたというわけではない。日本を代表するカトリック神学者の岩下壮一氏のたとえによれば、「天才を生んだ母といっても、母が天才を作ったという訳にはならない。生まれた子がたまたま天才であったので、母は必ずしも天才とはきまっていない」。ゆえに、「カトリックはマリアを天主の御母とたたえても、女神だなぞとは思っていない」という。さらに神学者の吉山登氏の解釈によれば、人間マリアが神から選ばれ、イエスをこの世にもたらして神による救いの計画に参加したという意味で「神の母」なのであって、「マリアはイエスの母となることによって、救いの神御自身に最も深く結ばれた人間として考えなければならない」という。

その後、四五一年のカルケドン公会議では、神と人との両性は混合も分離もしないという「両性論」が確定し、ようやくキリストは神でもあり、完全な人間でもあるという教義が確立した。ユスティニアヌス帝が招集した五五三年に開催された第二コンスタンティノープル公会議では、マリアが神の母であることが再確認され、「永遠の処女（アエイパルテノス）」であることが承認された。

子どもを抱くマリアの姿は、マリアがキリストを産んだということ、神が人間の姿をとったという受肉の神秘を強調するものであった。マリア単独の姿であれば、そこに神聖さを認めることは難しいであろう。あくまでマリアは、キリストとともにいるからこそ、神々しいのである。同時に、神であるキリストを、母とともにいる幼児の姿で表現することは、キリストが人間として生まれた、つまり受肉したことをはっきりと示すものであった。受肉によってキリストは人間の肉体を持ち、十字架上で血を流して死んだのだが、この尊い犠牲によってすべての人間の罪は贖われたのである。そのため受肉こそは、人間の救済にとってもっとも重要な前提となった。その受肉の神秘を視覚的にもっとも効果的に表すのが、マリアに抱かれた幼児の姿であったのである。つまり、聖母子はキリストが人間となったという受肉を明示する図像にほかならなかった。また、キリストが受肉して人間になったとはいえ、普通の人間とは異なって無原罪であるとされており、その肉体を準備したマリアの処女性が強調されなければならなくなった。マリアは神でないとはいえ、普通の人間以上に神聖であると考えられ、マリアも無原罪であるという、後の論争になる考えにつながった。

†半身像の意味

聖母子の画像がつねに半身像であるということはどうだろうか。それはローマ時代に流行した肖像画と同じ形式であった。古代ローマでは、皇帝だけでなく、富裕な市民も先祖や家父長の肖像画や胸像を邸宅に飾る習慣があった。つまり、肖像画の形式を採用することで、聖母子が実在のモデルから写されたことを示したのである。そして、キリストには他の人間と同じように幼少期が実在したことを示すことで、キリストの人間性を強調したのである。

聖母のイコンと同時期に成立したキリストのイコンは、キリストの顔のみを描いた正方形の布であった。このキリストの肖像は、キリストが生前に顔を拭った布に転写された「聖顔」を起源としている。これにはよく知られた二系統の逸話がある。一つ目は、シリアのエデッサの王アブガルが病を癒してもらうために使者を送って生前のキリストを招聘したところ、キリストは行けない代わりに顔に布を当て、そこに顔がついたものを使者に渡したという逸話。王は持ち帰られたその布に祈ったところ病が癒えたという。この聖顔布をマンディリオンという。もう一つの逸話では、キリストが十字架を背負ってゴルゴダの丘に向かう途中、一人の少女が歩み出てハンカチでキリストの顔を拭ったところ、そこにキリストの顔がついたという。この布をスダリウム、またはヴェロニカという。キリストの画像は、そのため首から上の顔だけの肖像であった。それは、キリストの顔から直接写し取られたため、人の手を経ていないこと（アケイロポイエートス）が重要だとされた。そして、こうしたキリストの肖像は、キリストと接触した真正の聖顔布に由来することを示すものであった。

これに対し、幼児キリストを抱く聖母マリアの像は、福音書記者ルカが描いた肖像画に由来するものであるという点が重視された。キリストの顔も聖母のイコンも、けっして絵空事や空想の産物ではなく、正しい由来を持っており、正統性こそが重要であった。そのため、それらは忠実に模倣することが求められ、画家の創意工夫や技巧などは必要なかったのである。

†ビザンツのイコノクラスム

こうしてビザンツ帝国ではイコンが数多く作られ、その崇敬が定着したが、これは本来キリスト教の禁ずる偶像崇拝ではないかという嫌疑が提起された。また、新興のイスラム教はビザンツ帝国と戦って力で圧倒したが、偶像を厳しく禁じていた。七二六年、皇帝レオン三世によって聖像禁止令（イコノクラスム）が公布され、帝国内の膨大な聖像が破壊された。旧約聖書のモーセの十戒には、「あなたはいかなる像も造ってはならない」（出エジプト二〇：四）と明記されていた。イコンはこれに違反する偶像に当たるとし、禁止したのである。これに対し、ダマスコスのヨアンネスは、『聖像破壊論者駁論』において、神に対するキリスト、神に対する人間のように、イメージとはあるものとの類似や模倣であり、規範であるとの理論から、神が美術に描かれる必然性を論証してイコンを擁護した。また、ストゥディオスのテオドルスは、キリストのイコンは神の似姿であり、キリストの受肉を表現したものであって、イコンに祈る人は、物質的な画面に対してでなく、その原型に対して祈るのだという聖像擁護論を主張した。帝国を二分する激しい論争になったが、このとき、古代末期から中世初期の貴重なキリスト教美術が徹底的に破壊されてしまった。

こうした動乱の後、七八七年、女帝イリニが教皇ハドリアヌス一世の承認とともに招集した第二ニカイア公会議では、イコン崇敬の正統性が認められ、「聖にして汚れなき神の母」のイコンも認められた。その後レオン五世の下で再びイコンが否定されるが、最終的には八四三年、摂政テオドラの下で最終的にイコンが復活したのであった。以後、ビザンツ帝国、それを継承したロシアでのギリシャ正教会の信仰や典礼はつねにイコンとともにあった。

3　ロシアの聖母イコン

†エレウサ型

オディギトリア型のイコンは、聖母も幼児キリストも厳格な表情でこちらを見つめるものであったが、そこには親子の情愛や母の優しさは見られない。イコノクラスムの動乱後の十一世紀末頃、母子の情を表す「エレウサ型」が現れる。慈愛や慈悲を意味するギリシャ語「エレオス」に由来する。幼児キリストはオディギトリア型とは違って聖母の左におり、無邪気に聖母に手を伸ばして頰を寄せる。聖母は憂いを含んだ表情でわが子を見つめるが、これはキリストの将来の受難を知っているからだとされる。どのような経緯で現れたか不明だが、これは人気を博したと思われ、多くのイコンが作られた。

中でも、ロシアにある《ウラディーミルの聖母》（1－8）はこのタイプを代表する名品である。十二世紀初頭にコンスタンティノープル大司教からキエフに贈られ、ヴィシゴロドのキエフ大公の館にあったが、一一六一年にモスクワ近郊のウラディーミル大聖堂に移された。以後、奇蹟を起こすイコンとして巡礼の対象となった。十四世紀にモスクワに移され、その加護によってモスクワはティムールやモンゴルの侵攻から救われたという。その後クレムリンのウスペンスキー大聖堂に安置されていたが、ロシア革命後はトレチャコフ美術館に移された。信仰の対象であったものが、宗教色を抜かれてロシア美術史上の名作という価値に固定されたのである。聖母の憂いを含んだ表情と無邪気な幼児キリストの表情の対比が見事であり、文様化された衣文の表現とともに高い技術を示している。《ウラディーミルの聖母》は、「ロシアの魂」と呼ばれ、世界最高のイコンとされる。十二世紀の当初の部分は聖母とキリストの顔にしか残っていないというが、微妙な陰影を施された聖母の悲しげな表情は、他のイコンの追随を許さぬ深い美を感じさせる。一九九九年、トレチャコフ美術館にあるこの画像は美術館の敷地内に隣

上 1-8 《ウラディーミルの聖母》12世紀初頭 モスクワ、トレチャコフ美術館
下 1-9 《ウラディーミルの聖母》に祈る人

接する教会に移され、本来の信仰の対象として復帰した。その前にはたえまなく信者が来ては口づけし、跪いて熱心に祈っていた（1－9）。優れたイコンは歴史的な美術作品であるだけでなく、今なお人々の思いを受けいれ、まさに生きているのを感じることができる。

もう一つの有名なエレウサ型イコンも、やはりロシアにある。《フェオドロフスカヤの聖母》（1－10）である。このイコンは《聖テオドロスの聖母》とも呼ばれ、もともとヴォルガ河左岸のゴロジェッツの修道院に伝わっていたが、この町がモンゴルの侵攻で破壊されたときに消失した。一二九三年、コストロマのヴァシリー皇太子が森の中でこのイコンを発見し、それはコストロマの聖母被昇天教会に安置された。火災に遭っても奇跡的に無事であったという。十七世紀のロマノフ朝の始祖ミハイル・ロマノフはこの地のイパティエフ修道院で育ち、皇帝就任

上 1-10 《フェオドロフスカヤの聖母》12 世紀　コストロマ、ボゴヤヴレンスキー聖堂
下 1-11 《カンブレーの聖母》1340 年頃　カンブレー大聖堂

の際、このイコンの模写をモスクワに持って行った。それ以来、このイコンはロマノフ家の守護神として篤い崇敬を受けてきた。二十世紀にはこのイコンはすっかり黒ずんでしまい、「ロシアの黒い聖母」とも呼ばれるようになった。一説では、これが黒ずんで模写が不可能になったことは、ロマノフ家の終焉を予告するものであったという。他の有名なイコンと異なり、このイコンは黒ずんで傷みが激しかったため、博物館には送られず、今もコストロマのボゴヤヴレンスキー聖堂に飾られている。

母子の情を示すエレウサ型のイコンは、ビザンツやロシアだけでなく西方にも普及した。十四世紀にシエナで制作されたと思われる《カンブレーの聖母》(1-11)は、ルカが描いたものに基づいており、奇蹟を起こすと言われた。十五世紀からブルゴーニュ公国のカンブレー大聖堂で聖遺物のように崇敬され、初期ネーデルラント絵画に大きな影響を及ぼした。

†ロシアとイコン

ロシアはイコンの国であるといってよい。ロシアは十世紀末にビザンツ帝国からキリスト教を取り入れて以来、ロシア正教を奉じるキリスト教国であった。しかしソ連時代にキリスト教は弾圧され、スターリンやフルシチョフの指示で多くの教会が破壊された。ソ連崩壊後、キリスト教は再び勢いを取り戻し、以前にもまして信仰が燃え盛っているのを、私はロシアを旅行して目の当たりにした。

ロシア正教はイコンを重視し、教会内部はどこもキリストや聖母や聖人のイコンで埋め尽くされている。信者たちはイコンの前にロウソクを供え、十字を切り、口づけして熱心に祈っている。ロシア人と美術との密接な関係は、こうしたイコンの文化を通じて育まれたものであろう。

十八世紀以降、首都サンクトペテルブルクから西洋の美術が流入すると、それに影響されてロシア美術は一変したように見える。しかし、十九世紀にはヨーロッパとは一線を画した力強い写実主義を、二十世紀には世界で初めて抽象絵画を生み出した原動力となっているのは、イコンの伝統であった。レーピンやスリコフら、十九世紀にロシアの現実や歴史を描いた移動派の巨匠たちも若い頃にイコンを描いていたし、二十世紀のタトリンやゴンチャローヴァもイコン画家として出発した。カンディンスキーやシャガール、ヤウレンスキーらもイコンの素朴な表現に霊感を得た。また、最初の抽象画家の一人マレーヴィチはイコンのうちに西洋の伝統的な写実様式よりも高度の真実や自然を見出し、一九一五年にはじめて自作の抽象絵画を展示した際、イコノスタシ

1-12　マレーヴィチの展示風景「最後の未来派絵画展〈0、10〉展」1915年、ペトログラード

ス（教会の聖所と至聖所を区切るイコンに覆われた壁、聖障）を模倣するように壁面を絵で埋め尽くし、イコンを置く「聖なる角」とよばれる部屋の隅に黒い正方形の絵を設置した（1－12）。

また、ロシア文学者の内村剛介氏は、ベルジャエフの説を引いて、ロシアでは聖母崇拝はキリストへの信仰を覆い隠すほどであるとした。それはロシアの「土」に対する愛着と崇拝と結びついており、「母なる大地」と「聖なる母」が、ロシア民族の歴史の過程で融合したからであると述べている。また、ロシアには十一～十二世紀頃から「聖母の黙示録」という、マリアが地獄めぐりをして人々の苦しみに涙する話が伝えられて人気を博したという。

1-13 《カザンの聖母》に並ぶ人々
サンクトペテルブルク、カザン大聖堂

そのようなロシアで、聖母のイコンに熱烈な信仰が集まるのは自然なことであった。前述のモスクワの《ウラディーミルの聖母》とともにロシアイコンの双璧といってもよいのがサンクトペテルブルクにある《カザンの聖母》である。いずれも奇跡的な力を持つとされ、古来ロシア人を何度も救ってきたと信じられ、複製画となってロシアの多くの家庭に飾られている。《カザンの聖母》は、正方形に近いイコンで、聖母と幼児キリストの顔の部分以外は銀のカバーで覆われている。二十世紀初頭に盗難に遭ったとされるが、サンクトペテルブルクのカザン大聖堂にあるものは本物であると信じられ、今でも篤い信仰を集めている。イコンの前では一日中、信者の列が途絶えることなく、順番にイコンに口づけして祈っている。私も列に並んで礼拝してきた(1-13)。

†ブラケルニオティッサ型

イコンの成立したビザンツ帝国では、前に述べたオディギトリア型とエレウサ型のほか、様々なタイプのイコンが生まれた。その中に聖母が立像で両手を広げているものがある。これはオランスといい、祈りのポーズである。祈りのポーズは、手を合わせるものが一般的だが、かつては両腕を広げ、掌を天に向けるこのポーズが普通であった。最初に見たカタコンベの聖母もそうであったが、聖母が祈るのは、人間を神にとりなすためであり、聖母の代願者としての役割を強調するものであった。コンスタンティノープルのブラケルネ聖堂にあったというイコンから、「ブラケルニオティッサ型」とよばれる。このブラケルネ聖堂は、エルサレムにあった聖母の遺体を包んでいた白い布を収めており、そこにあったイコンもルカが描いたものと伝えられたが、明らかにオディゴン修道院にあったものとは別のタイプである。

だが、手を広げると幼児キリストを抱くことができない。そのため聖母の胸に円形枠(メダイョン）がとられ、その中に幼児キリストの上半身がのぞくものがある。これを「プラティテラ型」という。やはりトレチャコフ美術館にある《偉大なるパナギアの聖母》（1‐14）と呼ばれるイコンがその代表で、十二世紀末から十三世紀初頭のものだと思われる。パナギアとは、こうしたタイプの聖母のイコンという意味のほか、首から掛ける聖像のことも指す。このイコンはもともとヤロスラヴリの修道院に伝わり、現在はトレチャコフ美術館に展示されている。

1-14 《偉大なるパナギアの聖母》12-13世紀　モスクワ、トレチャコフ美術館

ビザンツ帝国の聖堂では、聖堂奥の内陣の半円形の天井に、上半身のキリストが祝福を与える姿（パンクラトール）があり、その下に両手を広げて祈る聖母の姿が、モザイクなどで表現され、キリストにとりなす聖母という役割が明らかになっている。

†ニコポイア型

同じコンスタンティノープルのブラケルネ聖堂には、このブラケルニオティッサ型の聖母のイコンのほか、「ニコポイア型」のイコンもあった。これは、聖母が豪華な玉座に坐り、光背に囲まれたキリストを抱くもので、勝利を意味するニコポイアと呼ばれた。一世紀にわたるイコノクラスムの動乱の後、イコン崇敬が高揚し、「勝利の聖母」「玉座の聖母」とも呼ばれるこのタイプが流行した。「勝利の聖母」は元来ユスティニアヌス帝が聖母像によって戦争に勝利したことに由来する。また、もともと聖母は、言葉（ロゴス）あるいは神智が肉となった場、つまりキリストが受肉した場を示す「上智の座」とも呼ばれ、それを造形化したのが玉座であった。そこから、聖母が玉座あるいは王座に坐っている図像が生まれたのである。

コンスタンティノープルの最大の教会であるアヤ・ソフィア聖堂は、六世紀に建立され、オスマン帝国占領後はモスクに変えられ、モザイクは漆喰で塗りこめられたが、二十世紀に復元され、中央の大アプスには、玉座に坐る聖母の大きなモザイク（1-15）がよみがえった。

1-15　《勝利の聖母子》870年頃
イスタンブール、アヤ・ソフィア聖堂

ニコポイア型の聖母は西方では「天の女王（マリア・レギナ）」とも呼ばれ、ローマでさかんに造形化された。やがてそれは「エクレシア」という教会の擬人像の女性と重ねられるようになった。エクレシアはキリストの妻であり、キリスト教徒の母とされた。エクレシアと対比されて表現されたのが「シナゴーグ」であり、これはユダヤ教会や旧約聖書を象徴する女性であり、しばしば目隠しをした姿で表現された。ただし、エクレシアとシナゴーグは単に善悪の対比でなく、ゴシック期にはシナゴーグはエクレシアによって導かれる存在として姉妹のように並んで表現された。エクレシアはキリストの花嫁であるので、それと同一視された聖母マリアもキリストの花嫁と見なされるという奇妙な現象が生じたのである。

4　ローマの聖母イコン

†サルス・ポプリ・ロマーニ

キリストの顔も聖母のイコンも、ただ一つの真正の原画が存在するわけではなく、複数の画像があちこちに併存しており、それぞれがその由緒を主張していた。「ルカの聖母」と称する聖母のイコンは、コンスタンティノープルだけでなく、キエフ、スモレンスク、ローマなどあちこちの町にもあった。

ローマはコンスタンティノープルと同じく、早くから聖母への信仰が篤く、先に見たように初期キリスト教時代のカタコンベにすでに聖母の姿が描かれた。五世紀にはエフェソス公会議でマリアが神の母とされたことに呼応して、教皇シクストゥス三世によって聖母に捧げられた大きな教会、サンタ・マリア・マッジョーレ聖堂が建立された。冒頭に述べた《サルス・ポプリ・ロマーニ》(1-16)と呼ばれる大きなイコンはこの教会に安置されており、やはりルカが描いたとされ、「ルカの聖母」とも呼ばれてきた。五九〇年にローマでペストが流行したとき、教皇グレゴリウス一世がこのイコンを奉じて宗教行列を行い、それによって町の空気が浄化されてペストが止んだという。それゆえ、九世紀から「ローマ民衆の救い」という意味の名称で呼ばれるようになったのである。基本的にはオディギトリア型だが、キリストは正面ではなく聖母の方を見ており、二人はエレウサ型のような温かみを感じさせる。

1-16 《サルス・ポプリ・ロマーニ》6世紀? ローマ、サンタ・マリア・マッジョーレ聖堂

このサンタ・マリア・マッジョーレ聖堂では十三世紀から、このイコンを大理石の枠に収め、キリストが生まれたベツレヘムの飼葉桶の断片という、この教会でもっとも重要な聖遺物の向かいに掲げていた。そのようにして、聖母の肖像画の正統性とその出産という出来事の現実味を印象づけていたのである。板に描かれたこのイコンの大きさは高さが一メートル以上もあり、何度も補修され、何層にも塗り重ねられている。

もっとも古い層は六世紀に遡るが、十二、十三世紀に全面的に手が加えられたという。

七、八世紀にはローマで東方系修道院が力を伸ばし、聖地エルサレムに由来するイコンやビザンツのイコンの窓口となった。八世紀から一世紀にわたったビザンツ帝国でのイコノクラスムの時代、大量のイコンが西方に流れたが、ローマの古いイコンの多くもそのときもたらされたものかもしれない。また十三世紀初頭の第四次十字軍でコンスタンティノープルが占領されたときにも、西欧に多くの画像が流入し、影響を与えた。

そして、ローマでもコンスタンティノープルのように、由緒ある聖堂に一点ずつ聖母のイコンを奉じる習慣が定着する。七世紀末からこれらのイコンを巡ってサンタ・マリア・マッジョーレ聖堂にいたる祭礼行列が始まった。そのとき、教皇の居住するラテラノ宮殿の教皇用礼拝堂（サンクタ・サンクトールム）に安置された銀のカバーに覆われたキリストのイコンが運ばれ、サンタ・マリア・マッジョーレ聖堂で聖母のイコン《サルス・ポプリ・ロマーニ》と対面したという。聖母のイコンとキリストのイコンが組み合わされることによって、人間の罪を贖い主キリストにとりなすという聖母の役割が強調されるのである。

†ローマの古いイコン

ローマに残るもっとも古い聖母のイコンは、当初はサンタ・マリア・デラ・アンティカ聖堂に伝えられ、その後はサンタ・マリア・ノーヴァ聖堂（現サンタ・フランチェスカ・ロマーナ聖堂）にあるものである（1-17）。当初のものが残っているのは聖母の顔の部分だけで、幼児キリストのポーズは後に想像で補われている。

右1-17　《聖母子》7世紀　ローマ、サンタ・フランチェスカ・ロマーナ聖堂
左1-18　《サン・シストの聖母》7-8世紀　ローマ、サンタ・マリア・デル・ロザリオ大聖堂

聖母の顔の部分だけでもかなり大きく、聖母と布に蜜蠟で描かれており、それが板に貼り付けられている。この顔貌の描写は、先に見たシナイ山の聖母イコン（1-3）と同じく、古代ローマ時代にエジプトでさかんであったミイラ肖像画の技法に近く、制作時期の古さを示している。

ビザンツには先に述べたいくつかのタイプに加え、聖母が両手を上げて、キリストに人間の救済をとりなす「ハギオトリティッサ型」というものがあり、そのイコンはコンスタンティノープルのカルコプラティアの聖母聖堂にあった。ローマのサン・シスト聖堂にあった《サン・シストの聖母》

(1―18)と呼ばれているイコンはこのタイプであり、ビザンツからローマにもたらされたとされる。背後は金で覆われ、聖母の右手は多くの信者が触ったために剝落し、後の時代に金箔で覆われていた。ここには幼児キリストはいないが、キリストのイコンと組み合わせて飾られることによって、十字架上のキリストにとりなす姿を表していたことも考えられる。この聖母は、毎週金曜日(十字架に架かったため聖金曜日とよばれる)に顔が青ざめると言われていた。このイコンの起源は七世紀か八世紀に遡ると思われ、ドミニコ会士が管理してきたが、彼らはこのイコンを一五七九年、サンティ・ドメニコ・エ・シスト聖堂に移し、一九三一年以降はサンタ・マリア・デル・ロザリオ大聖堂の付属修道院に保管されている。ローマでは十二世紀にこのイコンを写した《アラチェーリの聖母》(4―2)がサンタ・マリア・イン・アラチェーリ聖堂に伝えられたが、こちらはライバルのフランシスコ会が管理し、サン・シスト聖堂のオリジナルのイコン以上に大きな崇敬を集めてきた。このイコンは、修道女に語りかけるといった奇蹟を起こし、一三四八年のペスト大流行の際に祭礼行列で掲げられた。

また、ローマ時代にあらゆる神の神殿であったパンテオンは、六〇九年に教皇ボニファティウス四世によってあらゆる殉教者に捧げられたキリスト教会に変えられたが、そこにも《パンテオンの聖母》(1―19)と呼ばれる古い聖母イコンが飾られている。これも七世紀初頭に遡り、素朴な画風を見せるが、やはり《サルス・ポプリ・ロマーニ》と同じくオディギトリア型の聖

右1-19 《パンテオンの聖母》7世紀　ローマ、パンテオン
左1-20 《聖母子と天使たち》9世紀　ローマ、サンタ・マリア・イン・ドムニカ聖堂アプス

母子である。

ビザンツの影響によるローマの聖母崇敬は、聖母被昇天の日など、聖母にまつわる祝日や祭礼として残っているが、ローマに伝えられたこれらのイコンはビザンツのそれと同じほど古いものである。ただ、ビザンツでもイタリアでも、いずれも六世紀を遡るイコンは現存していない。イコン自体はもっと早くに描かれていたと考えられるが、初期のイコンのほとんどはイコノクラスムや戦乱で消失したため、その実態はわかっていない。また、中世からルネサンスにかけての西洋では、ビザンツなど東方のイコンが珍重され、大事に祀られるようになった。しかし、ビザンツ風のイコンでも、実際は東方貿易の中心地であったヴェネツィアで制作されたものが多かったという。あえて古拙な様式で表現された画像は、当世風のものよりもありがたみを感じさせたのである。

ローマではこうしたイコンのほか、モザイクで聖母が表現された。とくに九世紀の教皇パスカリス一世は聖母を篤く崇敬し、サンタ・プラッセーデ聖堂、サンタ・チェチリア・イン・トラステヴェレ聖堂など多くの教会をビザンツ様式のモザイクで装飾させた。サンタ・マリア・イン・ドムニカ聖堂のアプスのモザイク（1－20）は、中央に勝利の聖母子が玉座に坐り、多くの天使たちに囲まれている。聖母の玉座の下には教皇が跪いて聖母の足を支えている。

5　黒い聖母

†様々な黒い聖母

先に見た《フェオドロフスカヤの聖母》（1－10）のほか、ヨーロッパには「黒い聖母」と呼ばれる像がある。聖母子の顔が黒い彫像やイコンのことで、フランスの中央高地を中心に、イタリアやドイツなどヨーロッパ全土に存在し、四百五十体ほどあると言われる。フランスのロカマドール、ル・ピュイ、シャルトル、スペインのモンセラート、ドイツのアルトエッティンク、スイスのアインジーデルン、ポーランドのチェンストホーヴァ、イタリアのロレートなどの聖母が有名で、いずれも聖母像が奇蹟を起こしたという伝承があり、巡礼地としてにぎわってきた。特定の時代に限らず、十二世紀のロマネスクの頃から十五世紀あたりまで幅広く、その様式も多様であるが、五十センチから一メートル弱までの木彫彫刻が多い。黒い顔も、漆黒のものから褐色のものまで様々である。本来は黒くなかった像が長年の汚れと蠟燭の煤で黒くなったものもあれば、火災で焼けたり銀箔の酸化作用のせいで黒ずんだりしてしまったもの、あえて顔や手を黒く塗ったものや、後の時代に新たに黒く塗り直されたものもある。それらはいずれも霊験あらたかであり、これを蔵する土地や教会はいずれもその存在を誇っている。

フランスの中央高地の険しい岩山をうがったノートルダム聖堂にあるロカマドールのものは黒い聖母でももっとも有名で、またもっとも畏怖の念を与えるものである。細長い体の聖母と幼児キリスト（1-21）は、他の聖母像とはまったく異なり、キリスト教美術というよりはアフリカの黒人彫刻やジャコメッティの造形すら思わせる。

やはり中央高地の岩の上に位置するル・ピュイは、サンティアゴ・デ・コンポステーラへの巡礼路の出発点の一つであり、第一回十字軍が出発した地だが、黒い聖母の町として古来有名である。聖母像（1-22）は岩山の頂上にあるサン・ミシェル・デギーユ礼拝堂に安置されている。十字軍に赴いた聖王ルイ九世がエジプトから持ち帰って寄進したという伝承があったが、フランス革命の際にジャコバン党員によって焼却され、現在のものはその後に作られたもので

上右 1-21　《ロカマドールの聖母》9-12 世紀　ロカマドール、ノートルダム聖堂
下右 1-22　《ル・ピュイの聖母》ル・ピュイ、サン・ミシェル・デギーユ礼拝堂
上左 1-23　《モンセラートの聖母》12 世紀　モンセラート修道院付属大聖堂
下左 1-24　サラチェーニ《ロレートの聖母》1600 年頃　ローマ、サン・ベルナルド・アレ・テルメ聖堂

ある。しかし焼却の直前に博物学者フォジャ・ド・サン・フォンによってスケッチされたものは漆黒の聖母子であり、サン・フォンはこれをイシス像だと考えている。この聖母像は中世から有名であったが、その肌の色はあまり重視されてこなかった。ところがカトリック改革期以降、主にイエズス会が黒い聖母であることを宣伝したのである。

カタルーニャ地方のバルセロナ郊外の奇岩の上にあるモンセラートも名高い巡礼地だが、その本尊も黒い聖母である。王冠を抱いた聖母子の木像（1−23）で、八世紀にイスラム教徒から守るために山中に隠され、九世紀に羊飼いによって発見されたという伝承がある。現在の像は十二世紀のものだが、イエズス会の創始者ロヨラをはじめ、王侯貴族から庶民まで、膨大な巡礼者を受け入れ、信仰されてきた。聖母が右手で持つ球体を触るとご利益があるとされ、いつも大勢の巡礼者が列を作っては触り、接吻している。

イタリアの巡礼地ロレートの「聖なる家」にも黒い聖母が安置されてきた（4−39）。一二九四年、ナザレにあったキリストとマリアの家が飛来したというこの地は、第四章でも見るように、十六世紀以降巡礼地として整備され、今にいたるまでイタリアでもっとも多くの巡礼者を集めている。サラチェーニが描いたように、この聖母（1−24）はマリアと幼児キリストが同じマントに包まれた姿であり、受肉を表す図像であった。しかし、この聖母が黒くなったのはランプの油や蠟燭の煙のせいであり、かつては黒くなかったようである。この像は十八世紀末

1-25 《アルトエッティンクの黒い聖母》1290年頃　アルトエッティンク、恩寵礼拝堂

にナポレオン軍に略奪され、返却後、一九二一年の火災で焼失した。その後、ヴァチカン庭園に植えられていたレバノン杉によって作られて現在まで安置されている像は黒光りする黒い聖母である。

ドイツのバイエルン地方のアルトエッティンクも、霊験あらたかな黒い聖母によってドイツ最大の巡礼地となっている。その歴史はそれほど古くはなく、十五世紀に川で溺れ死んだ子どもが聖母像の前でよみがえったことから一大巡礼地となり、皇帝や王侯から庶民まで広く信仰を集めた。八角形の聖堂に安置されているのは一二九〇年頃作られた高さ六十五センチほどの立像（1-25）であり、王笏を持ってキリストを抱いている。膨大な蠟燭や捧げものに囲まれ、いつも近寄れないほどの信者がひしめいている。第五章で見るように、この聖堂の外壁には大量のエクス・ヴォート（奉納画）が集積している。

ポーランドのチェンストホーヴァの《ヤスナ・グラの聖母》（本章扉）は彫刻ではなく、画像、つまりイコンである。十四世紀にシエナで制作されたものだというが、伝承ではルカが描いたもので、エルサレムからコンスタンティノープルに運ばれ、ロシアを経て一三八二年に国王ヴワディスラフがこのヤスナ・グラ修道院に寄進した。一四三〇年にフス派によって顔を傷つけられ、ちょうど涙の痕のように目の下に二本の線がついている。十五世紀から巡礼地となり、十七世紀の三十年戦争のとき、スウェーデン軍の侵攻から町を無傷で守ったとして名声が高まった。その後も十八世紀の三国によるポーランド分割、二十世紀のナチスの侵略、ソ連の支配など、ポーランドの苦難の歴史につねに寄り添い、民衆を守ってきたとされる。このイコンは単なる聖母像というよりは、独立運動や民主化運動のシンボルとして、ポーランド国民のアイデンティティになっている。ポーランド出身の教皇ヨハネ・パウロ二世もこの像に篤い信仰を寄せており、在位中に二度も公式訪問をした。

†なぜ黒いのか

西洋では、基本的に黒には闇や悪、罪や不正などネガティブな意味があり、悪魔の色であって、単独のキリスト像には黒いものがないにもかかわらず、なぜ黒い聖母がかくも多く存在し、いずれも信仰を集めているのだろうか。この問題は多くの人をひきつけ、膨大な研究がなされてきて日本語でもその多くが読めるが、決定的と呼べるものはないようだ。以下、先学の研究を参照して私なりにまとめてみよう。

旧約聖書の雅歌は、乙女が恋人への思いを歌う相聞歌だが、一人称の乙女は聖母の予型だとされた。その中に、「エルサレムの娘たちよ。私は黒いけれども美しい」（一：五）という一節があり、これが聖母を黒くする根拠とされることもある。チェコの《ブレズニーチェの聖母》もチェンストホーヴァのものと同じく黒い聖母の画像だが、聖母の光輪に「私は黒いけれども美しい」という文字が記されており、雅歌の一節を黒い聖母と結びつけている。

また、旧約聖書列王記上や歴代誌下に記されたシバの女王に由来するという説も提唱された。大量の貢物をもってソロモンの知恵を試しに来たというシバの女王はエジプトやエチオピアの女王であり、黒い肌をしていたとされる。雅歌の一節もシバの女王のことであるとする古い解釈もあった。

あるいは単に、ヨーロッパの人間にとって、イスラエルは東方であり、そこの人間の肌は褐色だと思われていたというのが聖母を黒く塗った要因であるとする説もある。

だがそれよりも、聖母マリアがキリスト教以前の古代宗教の女神と習合したものであるとする説が有力である。キリスト教が支配する以前の地中海沿岸では、アルテミス、デメテル、キュベレ、イシス、イシュタルといった地母神への信仰が普及しており、これらの像が転用されたものが当初の黒い聖母であったと思われるのだ。新約聖書の使徒行伝第十九節にもあるが、パウロが布教した小アジアのエフェソスには、アルテミスの巨像のある大きな神殿があり、そ

上1-26 《アルテミス》1世紀　エフェソス、考古学博物館
下1-27 《キュベレ》50年　ロサンジェルス、ポール・ゲッティ美術館

の巡礼地として非常ににぎわっていた。この像は黒い石で作られていたとされ、たくさんの乳房を持つ豊穣の女神として広く信仰を集めていた。この巨像は失われたが、それをとどめる像がいくつも伝わっている（1-26）。パウロの一行は、神殿の模型を作っていたデメトリオスという銀細工師がパウロを糾弾した騒動に巻き込まれるが、それはアルテミス神と銀細工の神像の権威をパウロが否定したことへの反発に端を発する。この四百年後、この地で行われた公会議で正式にマリアが神の母（テオトコス）と規定されたのは、アルテミスに代わってマリアこそが地中海の女神であると宣言したものと見ることができる。

キュベレは小アジアのフリギアの地母神（1-27）で、息子であるアッティ

1-28 《イシスとホルス》紀元前680-640年　ボルティモア、ウォルターズ美術館

スとともに表現されることもある。古代のギリシャやローマにその信仰が広がり、ローマではマグナ・マーテル（大いなる母）と呼ばれ、紀元前六世紀にはマルセイユに伝わったという。第二次ポエニ戦争での勝利はキュベレによるものとされ、ローマにはそれを祀った神殿が建てられた。当初の像は黒い石でできていたという。そして、聖母に捧げられたローマ最初の教会であるサンタ・マリア・マッジョーレ聖堂はエスクイリヌスの丘にあったこのキュベレ神殿の跡地に建てられたのである。キュベレ信仰はカエサルの軍団とともにガリア地方にも広がっていた。

イシスは、紀元前二十四世紀のエジプト古王国時代に遡るエジプト神話の女神で、アレクサンドロス大王の遠征とともに東地中海に伝わり、紀元前一世紀からローマで流行して西洋全土にその信仰が広がった。冥界の神オシリスの妻で天空の神ホルスの母であったが、処女のままホルスを産んだとされる。ホルスを抱くイシスの像（1-28）は、次章に見る「授乳の聖母（ウィルゴ・ラクタンス）」の原型となったと思われる。二世紀の古代ローマのアプレイウスによる有名な小説『黄金のロバ』では、イシスこそ、キュベレ、アルテミス、アフロディテ、ペルセポネ、ユノなどあらゆる女神の特徴をあわせ持った大地母神であると述べられ、主人公を救う重要な役割を担わせている。つまり、これらの女神はそれぞれ出自や性格を異にするとはいえ、互換性があり、はっきり区別されずに信仰されていたことが推察される。ローマの古刹サンタ・マリア・ソプラ・ミネルヴァ聖堂は、もともとミネルヴァ神殿の上に建てられたものだが、その傍らにはカリグラ帝が建てたイシス神殿があったという。つまりここには、イシス、ミネルヴァ、聖母への変遷が示されているのだ。

この聖堂の前にはパンテオンがある。パンテオンはローマのすべての神を祀っていた神殿であったが、円形の建物をそのまま残し、六〇九年に聖母とすべての聖人に捧げられたサンタ・マリア・ロトンダという教会に変えられた。その時点で、ローマの様々な神や女神はキリスト教化されたと言えよう。そして、イシスやキュベレやアルテミスなどそれまで大きな力を持っていた地母神たちは、聖母マリアに集約されたのである。

†地母神信仰の伝統

こうした名の知れた地母神も、より古い先史時代の信仰を継承したものである。後期旧石器時代には有名な《ヴィレンドルフのヴィーナス》(約二万年前)のように、性的特徴を誇張した裸婦像が広範囲にわたって出土している。その後、新石器時代の農耕社会になってもインドから地中海にかけて土や石の裸婦の土偶が多く発見されており、特定の地母神に比定できるものも増えてくる。中には胸に小児を抱いた像もしばしば見られる。インドのシャクティ（性力）信仰のように宇宙の源としての地母神が他の神々に波及することもあった。女神が小さな男神を抱くのはエジプトのイシスとホルス以外にも、小アジアのキュベレとアッティス、フェニキアのアシュトレトとタムムズ、クレタのレアとゼウス、ギリシャのガイアとウラノス、カルタゴのタニトとその息子などがあり、みな処女受胎によって小さい男神を産み、その男神によって神々とあらゆる生命を産んだ。文化人類学者、石田英一郎は主著『桃太郎の母』でこうした系譜を説き、このように結論づけた。

しかしわが不死の大母神は、決して滅び去らなかった。キリスト教が勝利を占めた後にも処女マリアは父なくして生れた嬰児キリストを抱いたまま、ふたたび宗教的礼拝の対象となった。ひとり嬰児キリストのみにとどまらない。殺されたキリストの屍体を抱いて嘆く聖母の像――《ピエタ》――も、キリスト復活の信仰と祭礼も、そのよって来る根源は、遠くまた深いものがあるのである。

石田氏は、エトルリアやサルディニアの聖地の遺跡から発見された青銅像に、あきらかに成人した男性の遺体を抱く母親の像があることから、そこにピエタの原型を見ている。

また、フランスの中央高地の黒い聖母のある教会は、ル・ピュイをはじめとしてほとんどがキリスト教以前からのケルト人によるドルイド教の聖地に建っており、その地で信仰されてきた地母神が習合して聖母になったものと思われる。黒は肥沃な土の色であった。黒い聖母像の縁起の多くに、地中や樹木の中から発見されたという由来が見られることからも、それらがキリスト教の聖職者や教会から一度は排除されたものが再発見された、あるいはもともと樹木信仰の対象として作られたものであったと推察される。また、黒い聖母のある地の多くには泉もあり、泉や樹木へのケルトのアニミズム的な信仰の名残をとどめているようである。もっともケルトのアニミズムやドルイド教については文字も造形物もほとんど残っていないので、すべて確たる根拠はない。

だが、古代地中海や西欧の宗教がいずれも古くは地母神を祀っており、しかもそれらを造形化することが多かったこと、そしてそれらを規定する明確な経典もテキストもなかったことから、キリスト教化したときにこうした女神が大した抵抗もなしにそのままマリアに移行したと考えられるのである。大地の色であった黒い女神像はおそらくその名残であって、もともと別の女神像だったのか、新たに聖母として作られたのかは判然としない。もっともそれはローマ文化も教会の力も微弱だったガリアの地ならではのことであった。一方、ローマでは多くの古代の女神が破壊されたと思われ、そのため、黒い聖母は残っていない。また、ビザンツ世界にも黒い聖母が存在しないことも、黒い聖母の地母神起源を推定させる。

さらに、次章で述べるように、キリスト教美術では立体的な彫像は偶像と見なされやすいことから長らく忌避され、ゴシック期にいたるまで、コンクの有名な聖フィデス像などを例外として、独立した彫刻はほとんど制作されなかった。しかも、ロマネスク期には聖母信仰はそれほどさかんでなく、聖母のみが造形化されることは少なかった。しかし、黒い聖母は、このロマネスク期から数多く存在している。このことも、この造形がキリスト教以前の古代宗教に由来することを示唆しているようである。

†黒い聖母への視線

各地の黒い聖母は、地域で大事に祀られ、民衆の熱心な祈りの対象となってきた。しかし、そこに異教的な匂いを感じることも容易であった。そのため、後の章で見る十六世紀の宗教改革に伴うイコノクラスム（聖像破壊運動）や、さらに十八世紀末に起こったフランス革命においても多くの黒い聖母が破壊されてしまった。もっとも黒い聖母は異教的に見えるだけでなく、そこに美術的な価値があまり認められなかったためでもある。第三章で見るように、ルネサンス以降、キリスト教美術は信仰の対象としてだけでなく、美術作品として尊重されるようになった。しかし、古代とルネサンス以降を基準とする視点からは、中世の美術は長らく劣ったものと見なされ、作品の保存や保護にも注意が払われてこなかった。十九世紀末から、ゴシック美術こそが地中海世界の影響ではないガリアやゲルマンの美意識を表出したものとして評価されるようになり、続いてロマネスク美術も素朴な信仰心の造形として評価されるようになる。しかし、黒い聖母は、はっきりとした制作時期がわからないものがほとんどであり、中世美術の様式発展の中には位置づけられないものがほとんどである。その由来はいずれも怪しいものであり、古いと伝えられながらも途中で作り直されたものも多い。

これらの聖母像のうちには単に汚れたり焼けたりして黒くなったものもあるであろうが、各地の黒い聖母の評判が高まるにつれ、黒い方がいっそう由緒があるように見え、権威があると思われるようになったのであろう。スイスのアインジーデルンの黒い聖母は、もともとは肌色であったのが蠟燭の油煙で黒ずんでそのままになっていたことが報告されているが、黒くなった聖母像をあえてそのままにしたり、さらに黒く塗ったりしたこともあったようである。実際、十七世紀までは、これらの聖母像を写した画像では、黒い聖母も白く表現されることが多かったが、十八世紀以降、各地の黒い聖母はそのまま黒く表現されるようになった。黒い肌の聖母は、現在もそうであるように、かえってその不気味さのゆえに畏怖の念を抱かせるという効果もあったと思われる。

黒い聖母は、聖母像の本来持っている信仰の対象としての性格と、美術作品としての性格のうち、前者の要素ばかりが突出した存在であるといえよう。それゆえ、黒い聖母はつねに民俗学的な興味の対象ではあっても、美術史の中では重要視されず、言及されることは少ないが、聖母信仰について考える上ではきわめて重要である。

こうした黒い聖母について考えることは、西洋でなぜかくも聖母信仰が強固に継続してきたかを解き明かす示唆を与えてくれるようだ。つまり、聖母は西洋の古層である様々な古代宗教の複数の地母神を継承し、習合したものにほかならず、狭いキリスト教のみの枠内、ましてやさらにずっと後に成立した新約聖書からの理解によってとらえることはとうてい不可能なのだ。キリスト教は、日本の仏教と同じく、長い時間をかけてその地の古い宗教を習合して徐々に形成された宗教であり、聖書のみで原理主義的にとらえることのできない広がりや奥深い歴史を持っている。聖母信仰もそれによって考えるべきものである。

このことはまた、聖母信仰が偶像崇拝的な起源を持つことを物語っている。聖母についてのテキストは聖書にほとんどなく、その生涯も考えも曖昧であるにもかかわらず、その彫像や画像が奇跡を起こすという伝承が世界中に膨大に伝わっている。それはとりもなおさず、聖母信仰が具体的な像とともにあり、具体的な像抜きには成立しないものであることを示しているようである。ビザンツの古いイコンも西欧の黒い聖母も奇跡的な力を持つとされたが、像自体の力が聖母への信仰を強めてきたのだ。もちろん、後の時代には聖母を称える詩文や聖母について考える聖母神学が次々に登場することになるが、聖母信仰は本来はそうしたテキストや明確な教義のない、きわめて即物的・視覚的で異教的な偶像崇拝から始まり、拡大してきたといえよう。それゆえ聖母は造形芸術との親和性が高く、美術の歩みとともに発展することになったのである。

第 2 章

中世の聖母
——涙と乳

バルナバ・ダ・モデナ《慈悲の聖母》1375-76年　ジェノヴァ、サンタ・マリア・デイ・セルヴィ聖堂

1　イコンとナラティブ

†聖母伝

聖母のイコンの多くは聖母マリアと幼児キリストの二人の上半身が描かれるものであり、そこには動きや物語はなく、不動で永遠性を感じさせるものであった。しかし、聖母崇敬が高まるにつれ、単なる聖母子だけでなく、そこに物語性や時間性が加えられた画像が作られるようになった。つまり、マリアの生涯の情景を示す画像が制作されるようになったのである。

イコンは時間や物語を超越し、永遠の姿をとどめているようだが、生涯の一場面のように物語性や時間性を含んだものをナラティブ（説話表現）という。キリスト教美術は概ねイコンからナラティブへ発展してきたといえるが、キリストや聖母などの画像や彫刻にはイコン的な性格がつねに要請された。絵画であれ彫刻であれ、物語性や時間性を排したイコン的な像をアンダハツビルト（祈念像）という。第一章に見た黒い聖母もすべてそうである。イコンがその性質をたもって拡大したものがアンダハツビルトといってよいだろう。宗教美術はいずれもイコンとナラティブに分かれるといってよい。仏教美術では、仏像や尊像、曼荼羅はイコンあるいはアンダハツビルトであり、仏伝図や縁起絵はナラティブである。

一九五三年に美学者の矢崎美盛氏が刊行した『アヴェマリア』は、西洋美術史における聖母について解説した古典的な著作だが、その冒頭で、聖母の美術を崇拝的なものと歴史的なものに区別し、前者を中心に扱うと述べている。本書では、崇拝的なものを祈念像、歴史的なものをナラティブと呼び、やはり前者を中心に見ていきたい。

キリスト教美術のもっとも重要なナラティブは受難伝であり、やがて聖母伝や聖人伝、教会や修道院の縁起や様々な奇蹟譚が登場した。聖母伝といっても、実際にはマリアがどのような女性で、どのような生涯をたどったかはあきらかではない。キリストの生涯についてもっとも信頼できる新約聖書の福音書には、ほとんど登場しないからである。ヨハネ伝には、マリアという名前は記されていないが、ガリラヤのカナで、イエスとともに「イエスの母」が婚礼に参加し、ワインがなくなったときにイエスが水をワインに変えたという「カナの婚礼」の奇蹟を行ったという記述がある。これはキリストが最初に公に見せた奇蹟であり、御公現（エピファニー）の一つとされる。

例外的にマリアについて詳しく述べたルカ伝には、マリアが天使の来訪を受けてキリストの誕生を告げられる受胎告知の記事があり、その後にマリアが親類のエリサベツのもとを訪れて唱えた、「わが心、主をあがめ、わが霊は、わが救い主なる神を喜びまつる。そのはしための卑しきをもかえりみたまえばなり」に始まるマリア賛歌とよばれる有名な祈りが記されている。

新約聖書の外典である『ヤコブ原福音書』はマリアを主人公とし、聖書には記されていないマリアの少女時代のことを伝えている。福音書の約百年後、二世紀半ばに成立したとされる文書だが、西洋のマリア観の原点となった。マリアの両親ヨアキムとアンナの物語に始まり、彼らが老齢でやっと授かった娘マリアが三歳で神殿に仕えたこと、十二歳のとき男やもめだった大工のヨセフと結婚したこと、ベツレヘムに向かう途中、荒野の洞窟でキリストを出産したことなどが記されている。このほか、七世紀初めの『偽マタイ福音書』で聖家族のエジプト逃避のことが詳しく記された。さらに一二六七年頃にジェノヴァのドミニコ会士ヤコブス・デ・ヴォラギネによって執筆された『黄金伝説（レゲンダ・アウレア）』は百人以上の聖人の伝記を集めたもので、西欧中に広く普及し、そこに記された聖母伝も表現されるようになった。

マリアの出産は、キリストの受肉というキリスト教にとって決定的な出来事なので、もっとも強調されるエピソードである。また、イエスの誕生直後に東方から博士たち（マギとよばれる占星術師）が来て黄金・乳香・没薬を献上した話は、マタイ伝にも記されているが、キリストが公衆に認知されたこと、つまり御公現の最初のものであった。このとき、マリアは幼児キリストを抱いてマギを迎えたと思われるが、このときの姿が幼児キリストを抱く聖母マリアとして独立して表されるようになったと考えることもできる。

また、新約聖書のヨハネ伝には、キリストが十字架上で死んだとき、マグダラのマリアや他の女性たちとともに「イエスの母がいた」という。その他の福音書には、磔刑のときはマグダラのマリアやヤコブとヨセフの母のマリア、サロメなど、ガリラヤからイエスに付き従ってきた女たちが見ていたとしか記されていない。だが、ヨハネ伝の記述から、キリストの母のマリアが磔刑のときに立ち会ってその死を見届け、十字架から遺体を降ろして埋葬するまで伴ったと思われてきた。このことから、聖母マリアがキリストの遺骸を前にして嘆く、ピエタや哀悼とよばれる図像が生まれた。

前章で、エレウサ型の聖母が悲しげな表情をしているのは、将来の受難を思って憂いているためだと書いたが、聖母は自分がキリストの受難に立ち会って嘆くことを予告していたのである。ルカ伝によれば、キリストが生まれてまもなく、マリアとヨセフはイエスを聖別してもらうためにエルサレムの神殿に彼を連れていった。祭司のシメオンはマリアに、この子のためにその魂を剣で刺しぬかれるであろうと予言した。つまりこの時点でイエスの将来の受難が予告され、マリアはそれを知らされたのである。幼児キリストを見つめる聖母がつねに憂いを帯びているのはそのためである。

聖母はキリストの生誕と死、つまり受肉と受難というもっとも大きな出来事と結びついており、このいずれかに関する主題がもっとも多く表現された。受胎告知やマギの礼拝は前者、ピエタは後者である。

また、新約聖書の使徒行伝には、キリスト昇天後にマリアは使徒たちとともに祈りに専心し、五十日後の五旬節の祭日に、彼らの上に聖霊が下ったという「聖霊降臨」があったという記述がある。それ以外の、先述の外典に記された、聖母とヨセフとの結婚といったキリスト生誕以前の出来事や、キリスト死後の、聖母の死や聖母被昇天や聖母戴冠といった情景は、聖母崇敬の高まりとともに表現されるようになったのである。詳しくは第三章で見るが、マリアの死と被昇天（自らの力ではなくキリストによって昇天できたこと）については、五世紀の偽書に記され、中世後期に普及した。聖母の死は、六世紀からビザンツで、お眠り（コイメーシス、ドルミティオ）、あるいは遷化（トランジティオ）とよばれ、八月十五日に起こったとされ、主要な宗教的祝典（生神女就寝祭）に加えられた。死後、聖母は被昇天（アスムプティオ）し、神に戴冠（コロナティオ）を受けたとされ、その情景は十一世紀頃から表現されるようになる。

†最古の聖母伝壁画

前章で見たように、聖母は四三一年のエフェソス公会議で神の母（テオトコス）とされたことから大々的に信仰されるようになった。そのとき、ローマで最初に聖母に捧げられたサンタ・マリア・マッジョーレ聖堂が建立されたが、その勝利門（内陣とアプスの間にある門）には聖母伝のうち、「受胎告知」や「マギの礼拝」のもっとも古い図像がモザイクで表されていて貴重である。この聖堂にはアプス（後陣）にも十三世紀にヤコポ・トリーティによって壮麗な「聖母戴冠」のモザイクが制作された。

2-1 《受胎告知》432-43年　ローマ、サンタ・マリア・マッジョーレ聖堂

《受胎告知》（2-1）では、マリアはローマの皇后のような衣装で玉座につき、たくさんの天使たちに囲まれている。受胎を告知する大天使ガブリエルはその上を飛んでいる。この場面の下に位置する「マギの礼拝」では、幼児キリストが四人の天使のひかえる玉座に一人でついていてマギの来訪を迎えようとしており、マリアはその傍らに坐っている。いずれも、その後にさかんになるこの主題の一般的な図像と大きく異なっているが、神の母として高揚した聖母を大々的に称揚する意図がうかがわれる。これ以降、聖母はキリスト伝の重要な一部として描かれるようになったのである。

聖母伝が連作として表現されるのは、中世後期になってからであった。十四世紀初頭には、ヨーロッパの東西で重要な聖母伝連作が一挙に登場した。パドヴァのジョットのスクロヴェーニ礼拝堂フレスコ画、シエナのドゥッチョの《マエスタ》のような多翼祭壇画、ローマのカヴァリーニによるサンタ・マリア・イン・トラステヴェレ聖堂内陣やコンスタンティノープルのコーラ修道院(カリエ・ジャミイ)のモザイク壁画などである。それ以降、こうした連作は珍しいものではなくなった。十五世紀末のフィレンツェのギルランダイオによるサンタ・マリア・ノヴェッラ聖堂トルナブオーニ礼拝堂のフレスコ画連作やミュンヘンにあるメムリンクの板絵《聖母の七つの喜び》、十六世紀初頭のデューラーによる銅版画連作などが名高い。

2 受胎告知

†受胎告知という主題

聖母の生涯のうち、あるいは聖母のナラティブでもっともよく表現されたのは「受胎告知」である。この主題は、前述のように受肉に関わるため、キリスト教でもっとも重要なテーマであり、古来多くの画家が描いてきた。また、聖母が主人公となる聖母伝のうち、唯一聖書に記されている逸話であることからも重視される。

ある日、マリアに大天使ガブリエルがやって来て、「おめでとうめぐまれた方」と話しかけ、彼女が聖霊によって、神の子を身ごもったことを告げる。マリアは最初戸惑うが、やがて「私は主のはしためです。お言葉どおり、この身になりますように」と天使の言葉を受け入れる（ルカ一：二十六～三十八）。

「受胎告知」は、キリストの誕生日を九カ月遡った三月二十五日であるとされてきた。この日はちょうど冬が終わり、春の息吹が感じられる早春の祭りの日に当たっていた。キリスト教以前から祝われてきた春の祭りが、「受胎告知」の日となったのである。「受胎告知」は、キリストの誕生（受肉）から受難にいたる一連の物語の最初に位置するものであり、キリスト教の入門的位置にあった。それはまさに冬が終わり、春を告げるような喜ばしい主題であった。

フィレンツェ市民にもっとも親しまれた「受胎告知」は、サンティッシマ・アヌンツィアータ聖堂、つまり「聖なる受胎告知の聖堂」にある。ここにある《受胎告知》（2-2）は作者不明のおそらく十四世紀半ばの壁画だが、特別な崇敬を集めている。ある信心深い画僧が「受胎告知」の絵を描き始めたものの、聖母の顔をどうしても描くことができず、疲れ果てて居眠りをして起きたら、マリアの顔が完成していたという伝承があり、天使が描いたと信じられてきた。そのため、この絵の聖母には特別なご利益があると思われ、出産や安産の守護神のように

2-2 《受胎告知》14 世紀　フィレンツェ、サンティッシマ・アヌンツィアータ聖堂

信仰を集めてきた。十四世紀以降、多くの模写が制作されている。左上の父なる神から、聖母の胸に向かって聖霊を表す白い鳩が飛んでくる。聖母の被る王冠や首飾りは後の時代に絵の上から付けくわえられたものである。天使が描いたというマリアの顔は清らかだ。十五世紀半ばにはピエロ・ディ・メディチの命でこの壁画の前に建築家ミケロッツォによる立派なタベルナクルム（天蓋）が設置され、かつては無数の蠟製の人形などのエクス・ヴォート（奉納物）が周囲を埋め尽くしていた。この受胎告知の聖母は、フィレンツェで十九世紀にいたるまで都市の守護聖人のようにもっとも篤い崇敬を集めた。

†受胎告知の五段階

「受胎告知」は、聖母マリアと大天使ガブリエルという二人だけのシンプルな画面だが、二人の身振りによって、受胎告知のどの段階にあるのかがわかる。このことは美術史家マイケル・バクサンドールが『ルネサンス絵画の社会史』で紹介してよく知られるようになった。十五世紀末のフィレンツェの説教者フラ・ロベルト・カラッチョロ・ダ・レッチェは、ルカ伝に記された受胎告知を五つの場面に分類した。まず唐突にやって来た天使に「おめでとうめぐまれた方」と言われる聖母の「戸惑い」、そして「このあいさつは何のことかと考え込んだ」という「省察」、そして、子どもが生まれ、イエスと名付けろと告げられ、「どうしてそのようなことがありえましょうか。わたしは男の人を知らないのに」と天使に尋ねる「問い」、そして「神にできないことは何一つない」と言われ、ついに「お言葉どおり、この身になりますように」と言った「受け入れ」。聖書には書いていないが、その後聖母は静かに祈ったという「祈り」。以上の五段階であり、「受胎告知」の主題は、こうした聖母の揺れ動く感情の起伏を区別して表現するものであった。

上2-3　ロット《受胎告知》1534年頃　レカナーティ市立美術館
下2-4　エル・グレコ《受胎告知》1590-1603年　倉敷、大原美術館

ロレンツォ・ロットの《受胎告知》(2-3) は、天使が来たばかりの情景である。天使の到来に驚いた聖母が、手を上げて肩をそむけて逃げようとしている「戸惑い」の情景。その背後で、悪魔を表す猫があわてて逃げ出そうとしている。猫は悪魔の象徴であった。聖母は、天使が来ても何のことかわからず、突然の来訪者に対し、驚きと恐怖の混ざった感情を示している。大原美術館にあるエル・グレコによる《受胎告知》(2-4) は戦前から日本で親しまれてきた。ここでは、マリアは少し手を上げて天使を見つめる。これは、「問い」を示すもの。

フィレンツェの画僧ベアト・アンジェリコが描いたもの (2-5) は、受胎告知でもっとも

上 2-5 ベアト・アンジェリコ《受胎告知》1445年頃 フィレンツェ、サン・マルコ美術館
下 2-6 同《受胎告知》1433-34年 コルトーナ司教区美術館

人気のあるイメージとなっているが、ここでは天使も聖母も胸の前で腕を交差させている。これは、両者が納得した「受け入れ」を示している。つまり、表現された身振りによって、ロットの絵では受胎告知の最初の場面であることがわかり、ベアト・アンジェリコの絵は最終段階にあることがわかるのである。この作品は、現在サン・マルコ美術館として知られるサン・マルコ修道院の壁画であり、この修道院で修道生活を送った画僧ベアト・アンジェリコの傑作である。庭には早春を示す小さな白い花が咲き、その背後に板塀が見えるが、それによって、この庭はマリアの処女性を表す「閉ざされた庭（ホルトゥス・コンクルスス）」となっている。

また、ベアト・アンジェリコが描いたコルトーナにある同じ主題の板絵（2-6）には、背後にアダムとエヴァの姿が描き込まれている。彼らは、自ら犯した罪によって楽園を追われ、以後人間はずっとこの罪を背負い込むことになった。キリストはこの原罪を贖い、人間を救うために地上に人間として生まれたことから、受胎告知は人類救済の知らせとなった。原罪を思い出させ、それと画中で対比させることによって、キリストの誕生を告げる受胎告知の意義を浮かび上がらせたのだ。

同じ頃のネーデルラントでは、油彩画の技術が開発され、克明な細部描写が可能となった。ニューヨークのクロイスターズにあるロベール・カンパンの《メロード祭壇画》（2-7）は、中央に受胎告知、左右に寄進者夫婦とヨセフのパネルのある三連祭壇画である。受胎告知は、

上2-7　カンパン《受胎告知（メロード祭壇画）》1427年頃　ニューヨーク、クロイスターズ

右2-8　ファン・エイク《受胎告知》1435年頃　ワシントン、ナショナル・ギャラリー

当時のネーデルラントの室内の様子が細部まで描かれ、小さい画面だが引き込まれる。卓上の白百合、清らかな水を表す吊るされたやかん、汚れを清めるタオル、暖炉の火よけなど、実は聖母の象徴で埋め尽くされている。聖母が読む本とテーブルの上の本は、新約と旧約の二冊の聖書を表しているが、旧約聖書の傍らにある蠟燭は消えたばかりであり、暖炉の上の蠟燭は点灯を待っている。これは、キリストの誕生とともに旧約の世が終わり、新約の世が始まることを暗示する。左の窓か

らは十字架をかついだ小さな幼児キリストが飛んできているが、こうした表現はこの時期以降見られなくなる。

カンパンとともに北方ルネサンスを創始した巨匠ヤン・ファン・エイクは、大作《ヘントの祭壇画》でも受胎告知の聖母と天使を別々のパネルに描いたが、ワシントンにある《受胎告知》(2-8)は小品ながら忘れがたい名作だ。教会内部が舞台となっているが、これは聖母が教会の象形とされたためである。ゴシック式の天井の高い教会空間で、ステンドグラスが見える。後にも述べるが、光を透過するガラスは、神から聖霊を受けてキリストを出産したマリアを示しており、ステンドグラスを透過して色のついた光は、神が人間となること、つまり受肉

上 2-9 《一角獣狩りのある受胎告知》1500-10年頃　エアフルト、クルツィス聖堂
下 2-10　シュトース《天使の挨拶》1517-18年頃　ニュルンベルク、ザンクト・ローレンツ聖堂

を表すものである。

少し異色のものでは、「一角獣狩り」と結合した受胎告知（2-9）がある。一角獣は処女にしか捕らえられないとされることから聖母の象徴であった。十五世紀から十六世紀にかけて主にドイツで描かれたのは、狩人から逃れた一角獣が乙女のもとに逃げ込んでいるもので、猟犬を率いて角笛を吹く狩人は大天使ガブリエル、「閉ざされた庭」を表す柵の中の乙女は聖母マリアであり、乙女の膝に寄る一角獣はキリストを象徴する。

天使と聖母のみのナラティブである受胎告知は彫刻の主題にも適していた。この主題でもっとも有名な彫刻は、ドイツ・ルネサンスの巨匠ファイト・シュトースの《天使の挨拶（受胎告知）》（2-10）として知られている木彫作品である。ニュルンベルクのザンクト・ローレンツ聖堂の内陣に吊り下げられたロザリオの円環に、等身大の天使と聖母が向かい合って立っている。後に見る「ロザリオの聖母」と受胎告知を融合させたもので、宗教改革後しばらく隠されていたが、今も多くの市民に親しまれている。

†祈念像としての受胎告知

シチリアに生まれ各地で活躍したアントネッロ・ダ・メッシーナの有名な《受胎告知》（2-11）は、聖母のみが描かれ、もう一人の主人公である天使が登場しない。聖母は画面の外を見つめ、不意に来訪した天使に気づいてわずかに手を上げている。ミュンヘンにあるアントネッロのもう一点の同主題作品（2-12）では、聖母は両腕を胸で交差させ、天使の言葉を受け入れようとしており、パレルモ作品より物語の時間が経過した情景である。いずれの作品でも、天使は観者の位置にいるはずであり、観者が天使の役割を果たすことになるのだ。作品に向き合った観者は、聖母に告知する天使の位置に自らが立っていると感じ、画中の空間に参入することになる。登場すべき人物をあえて描かず、画面外の空間に存在を想定させ、観者の位置に重ね合わせることによって、観者を画中の出来事に関与させるこうした趣向を私は「不在効果」と名づけた。いわば画中の主要人物の一人を欠くことによる欠落感、喪失感が観者の感情を画中の情景に誘い込むのである。

上2-11　アントネッロ《受胎告知》1476年頃　パレルモ、シチリア州立美術館
下2-12　同《受胎告知》1476年頃　ミュンヘン、アルテ・ピナコテーク

2-13　グエルチーノ《受胎告知》1646年　ピエーヴェ・ディ・チェント、サンタ・マリア・マッジョーレ聖堂

アントネッロのミュンヘンの作品は、イタリアのフェルモにある聖母イコンの影響であるとドイツの美術史家ハンス・ベルティンクは指摘する。このイコンは東方からもたらされたものと思われ、ビザンツ風の額がついている。幼児キリストの姿はなく、聖母は両手を交差しているため、受胎告知の聖母とされた。実際にはキリストの遺体を前にする「ピエタ」であった可能性が高いというが、イタリアでは受胎告知の聖母として受容され、それがアントネッロに天使のいない聖母の着想を与えたのであろう。アントネッロの作品は、受胎告知というナラティブを描きながら、聖母のみを描いたイコンのような祈念像になっているのだ。

受胎告知は本来、ナラティブであったが、とくに人気のあった主題であり、受肉の瞬間を扱った重要な主題であったため、聖母伝の一部という以上に単独の祭壇画の主題となり、祈念像に近くなることがあった。十七世紀ボローニャ派のグエルチーノは、聖母が中央で本を読み、天使が父なる神の方を向いている特異な受胎告知（2-13）を描いたが、これは受胎告知の中でも「天使の派遣」という最初の場面を扱っている。だが、画面下半分は、「書物の聖母」として聖母の単独の姿として見ることができる。この絵はピエーヴェ・ディ・チェントという小さな町の礼拝堂の主祭壇画として描かれたため、聖母の祈念像としても成立するものにしたのであろう。

3 嘆きの聖母

†「悲しみの人」の成立

聖書には、ルカ伝とマタイ伝のキリスト誕生、つまり受肉にまつわる記事にマリアが登場するが、受難にまつわるテーマにも聖母は関係する。福音書のうち、ヨハネ伝のみにキリストが十字架上で死んだときに「イエスの母」がいたと記されていることはすでに述べたが、十字架にかけられたイエスは、「母とそのそばにいる愛する弟子を見て、母に、「女よ、見なさい。あなたの子です」と言われた。それから弟子に言われた。「見なさい、あなたの母です。」その時から この弟子はイエスの母を自分の家に引き取った。」(ヨハネ一九:二十六〜二十七)

弟子はヨハネのことだとされ、この記述から、十字架の下にたたずむ聖母というイメージが生まれ、受難の情景に聖母は欠かせないものとなった。卒倒してヨハネに支えられていることもある。さらに聖書には記述がないが、十字架から降ろされたキリストの遺体の前で嘆く聖母の姿も流行する。この情景はピエタまたは哀悼と呼ばれ、ドイツ語でヴェスパービルトという。十字架降下やキリストの埋葬というナラティブの一場面であるが、聖母とキリストに焦点をしぼった祈念像も生まれた。以下、それらがいかに成立したかを見ておこう。

中世後期、キリストの死を嘆く聖母や、受難のキリストや死せるキリストの半身像が流行した。キリストと聖母が二連画(ディプティク)になっているものも多い。それは、嘆きや苦しみを観者に訴えかける効果があった。イコン的な祈念像でありながら、受難という物語性を感じさせるもので、悲しみに満ちた表情や痛ましい体を示す上半身のみを表現している。中世後期に現れたこうした祈念像を、美術史家シクステン・リングボムは「劇的クローズアップ」あるいは「胸像形式のナラティブ」と呼び、教会内だけでない信者の個人的祈禱がさかんになるとともに需要が増えたとしている。画像そのものに祈るのではなく、画像は信者の心のうちにいきいきと聖なるイメージを想像させる手段とされ、聖職者や神学者たちもその利用を推奨した。

また、十二世紀から聖画像や彫像をめぐる奇蹟が報告されるようになり、十三世紀には書物にまとめられた。聖母やキリストの像が動いたり話したり涙や血を流したりといった奇蹟である。これも、画像がリアリティをもったことや、それを用いた私的礼拝がさかんになったことに関係すると思われる。第四章で詳しく見るが、信者が聖なる存在を目にする幻視（ヴィジョン）もこうした画像から生じたのである。

このような図像がどのように成立したのかはあきらかではないが、十一世紀後半にビザンツで生まれたとされる。嘆く聖母と死せるキリストの組み合わせでもっとも早いものは、ギリシャ北部のカストリアのビザンティン美術館にある板絵（2-14）で、十二世紀後半のものである。二連画ではなく、同じ板の表と裏に描かれている。聖母は、それを通じてキリストが生まれたという受肉を示し、死せるキリストは、贖罪のために犠牲となったという受難を示す。この二者の組み合わせは、キリスト教のもっとも重要な教義を示すものにほかならない。幼児キリストを抱く聖母は、先に見たエレウサ型のイコンと同じく、わが子キリストの死を予見して悲痛な表情をしており、キリストは十字架を背にして頭を垂れて目を閉じている。その上部には「栄光の王」という銘文がついている。磔刑のキリストの全身像でなく、この上

2-14 《聖母子》および《悲しみの人》12世紀後半
カストリア、ビザンティン美術館

半身のみでキリストの十字架上の死を示しているのだ。

こうした死せるキリストを「イマーゴ・ピエタシス」または「悲しみの人（マン・オブ・ソロウズ、シュメルツェンスマン）」という。そしてこれと対をなす聖母を「悲しみの聖母」や「嘆きの聖母（マーテル・ドロローサ）」という。また、十三世紀に生まれた嘆きの聖母の頌歌の冒頭の歌詞から「（十字架の下で）たたずむ聖母」という意味の「スターバト・マーテル」ともいう。多くは紫の衣をまとう。聖母の悲しみは、キリストの受難（パッション）に対して、共同受難（コンパッション）という。

2-15《ピエタ》1164年　ネレズィ、聖パンテレイモン修道院

ビザンツではこの図像が生まれた十一世紀後半から十二世紀に、キリスト受難伝のうち、十字架から降ろされたキリストの遺骸を抱いて嘆き悲しむ聖母が表現されるようになった。同じカストリアにあるアギイ・アナルギリ聖堂のフレスコ壁画や、マケドニアのスコピエ近郊のネレズィの聖パンテレイモン修道院にあるフレスコ壁画（2-15）がその代表で、ナラティブの中で聖母の激しい悲しみが表現されるようになった。つまり、この時期、新約聖書には記述のない、キリスト没後の人々の悲しみを表現するピエタまたは哀悼

という主題が成立したのである。こうした傾向が、嘆きの聖母と死せるキリストのイコンの成立を促したと思われる。前章で見た、憂いを含んだ表情を示す《ウラディーミルの聖母》（1−8）をはじめとするエレウサ型の聖母イコンもこの時期から描かれるようになった。

「悲しみの人」の図像は十三世紀にビザンツから西欧に伝わった。一二〇四年に第四回十字軍がコンスタンティノープルを占領したことにより、大量のビザンツ美術がイタリアに流入し、十二世紀のビザンツで発展したピエタの感情表現も伝わった。とくにヴェネツィアと中部イタリアの美術にその影響が強い。現在ロンドンのナショナル・ギャラリーにある《ストックレーの二連画》（2−16）は、十三世紀後半にウンブリア地方で制作されたものだと思われ、ボローニャにある《ボルゴの磔刑》と同じ作者だとされている。同じく、この二連画も注文主はフランシスコ会だと思われるが、同会は前述の十字軍の後に東方に進出し、ビザンツの影響を受容していた。ただし、聖母はカストリアの両面画の聖母（2−14）のような悲痛な表情をしていない。

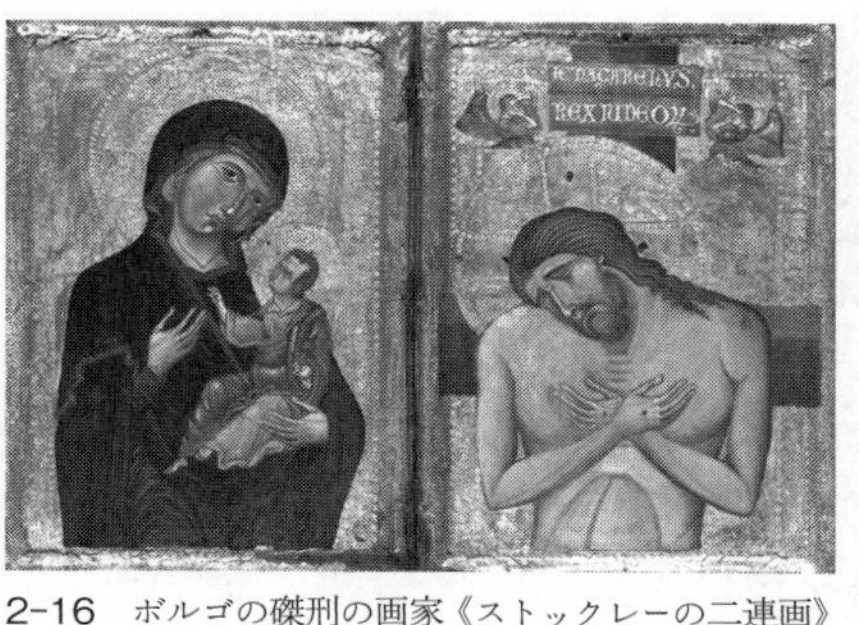

2-16　ボルゴの磔刑の画家《ストックレーの二連画》
13世紀後半　ロンドン、ナショナル・ギャラリー

十三世紀のピサなどトスカーナ地方やペルージャやアッ

右2-17　ジュンタ・ピサーノ《磔刑》1240年代　ボローニャ、サン・ドメニコ聖堂
左2-18　《悲しみの人》1300年頃　ローマ、サンタ・クローチェ・イン・ジェルザレンメ聖堂

シジなどウンブリア地方では、磔刑のキリストを表す大きな十字架型の板絵が生まれたが、キリストの両手の先に小さく、嘆く聖母とヨハネの姿が描き込まれた。ジュンタ・ピサーノの磔刑図（2-17）がその典型である。こうした大きな板絵は教会を飾るものであったが、個人礼拝用に嘆きの聖母とキリストの上半身の板絵を組み合わせるものが成立したと思われる。ナショナル・ギャラリーの二連画の作者もジュンタ・ピサーノ門下だと思われる。やがて聖母のパネルは、子を抱く聖母ではなく、磔刑像にあったのと同じようなキリストの死を前に嘆く聖母になる。つまり聖母子と悲しみの人の組み合わせではなく、「嘆きの聖母」と「悲しみの人」の組み合わせになるのである。

一三〇〇年頃にビザンツ帝国のおそらくシナイ山で作られたモザイク（2-18）がローマのサン

タ・クローチェ・イン・ジェルザレンメ聖堂に伝えられ、これが一三五〇年の聖年で公開されたことによって「悲しみの人」が西洋中に知られるようになった。後にイスラエル・ファン・メッケネムらによって版画化されて大きな影響力を持った。

そして、死せるキリストの半身像、つまり「悲しみの人」は、第四章でも見る「グレゴリウスのミサ」という主題で重要な役割を果たした。六世紀末の教皇大グレゴリウスのミサの際に受難のキリストの姿が現れたという話だが、この絵は、聖グレゴリウスが自ら見たキリストの姿を描かせた真正のイコンだとされた。祭壇の上で聖餅（ホスティア）がキリストの体に変化するという聖餐の秘蹟に関連して、「悲しみの人」はキリストの肉体を表現するものであった。「悲しみの人」はこのような重要性から、次章で述べる多翼祭壇画に組み込まれ、その中央上部や下部にはめこまれることもあった。キリストが棺桶から立ち上がり、あるいは坐っており、周囲に天使がおり、受難具（アルマ・クリスティ）が描かれることもあった。

この画像は一三五〇年の聖年以来、その前で祈ると一万四千年の贖宥（しょくゆう）が与えられるとされたため、ローマへの巡礼者にとって大きな目標の一つとなった。贖宥とは罪の贖いを一定期間免除するという恩恵であり、具体的には没後、罪を清めるために魂が煉獄にいる時間を短くする効果であった。信徒たちは煉獄にいる期間を少しでも短くしようと様々な方法で贖宥を求めたのである。ローマやエルサレムへの巡礼や教会への寄進や救貧とともに、決められた画像の前で祈禱するという信心業もその一つであり、ローマの古い聖母イコンの多くにはこうした贖宥が付与された。中世末のネーデルラントでは画像の前で悔悛し、祈禱することでそれが得られるという贖宥システムが発展した。教会内のキリストや聖母の特定の像は、贖宥を得られる手段として信者にとって特別の意味を持ったのである。

†「嘆きの聖母」からピエタへ

十四世紀から十五世紀には「嘆きの聖母」と「悲しみの人」の二連画、あるいはキリストをはさんで聖母とヨハネなどの聖人を配する三連画（トリプティク）が流行した。十四世紀シエナ派の画家シモーネ・マルティーニの二連画（2-19）はその先駆である。ここではまだ聖母は子を抱くエレウサ型の聖母子である。十五世紀北方ルネサンスの画家ディルク・バウツはこの形式を創始したとされ、その二連画（2-20）は繰り返し模写された。そのうちの一つは東京の国立西洋美術館に収蔵されている。

こうした祈念像は個人の礼拝用に制作されたものであり、信者が近くから礼拝するものだが、キリストや聖母には涙が描かれ、感情に訴えかける。もともと、涙を流す聖母はロヒール・ファン・デル・ウェイデンによってリアルに描かれたことから流行したとされる。有名な《十字架降下》（2-21）がその典型で、そこでは十字架からキリストの遺体を降ろす九人の群像のうち聖母やマグダラのマリア、聖ヨハネなど六人が涙を流している。聖母は泣きぬれた青白い顔をして卒倒しているが、その姿勢も表情も十字架から降ろされるキリストに似ており、聖母がキリストとともに受難を感じる共同受難を表しているとされる。これ以降、ロヒールに学んだハンス・メムリンクらによって、涙を流す聖母がネーデルラントで流行した。この作品はルーヴェンの弓射手組合の注文で描かれ（そのためキリストの姿がクロスボウのようになっているという説がある）、ルーヴェンのノートルダム・フオーリ・レ・ムーラ礼拝堂に設置されていたが、十

上2-19　シモーネ・マルティーニ　二連画　1327年頃　フィレンツェ、ホーン美術館
中2-20　バウツ《聖母とキリストの二連画》　1470-75年　ロンドン、ナショナル・ギャラリー
下2-21　ロヒール・ファン・デル・ウェイデン《十字架降下》1435年頃　マドリード、プラド美術館

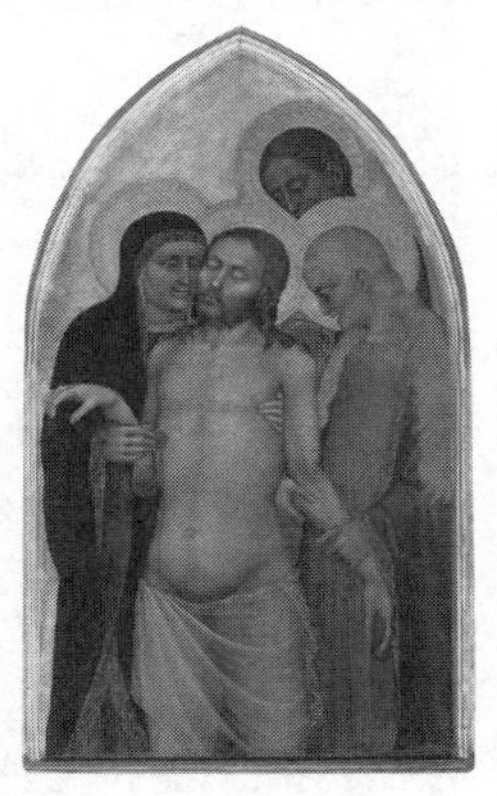

上右2-22 《ホーン・ピエタ》14世紀半ば フィレンツェ、ホーン美術館
下2-23 ジョヴァンニ・ダ・ミラノ《ピエタ》1365年 フィレンツェ、アカデミア美術館
上左2-24 ジョヴァンニ・ベッリーニ《ピエタ》1460年頃 ミラノ、ブレラ美術館

六世紀後半にフェリペ二世がスペイン王宮に持ち帰ると、比類のない絵画として称賛され、何度も模写され、スペイン美術にも多大な影響を与えてきた。北方の絵画は、イタリア絵画で重視された身振りよりも、涙のような細部表現によって観者の瞑想を促すものであった。ディルク・バウツによる「嘆きの聖母」と「悲しみの人」の二連画では、キリストも涙を流しているが、涙を流すキリストは珍しいものとなった。

また、ネーデルラントやその影響の強かったスペインとちがって、イタリアでは涙を流す聖母はそれほど普及しなかった。

フィレンツェのホーン美術館にある《ホーン・ピエタ》（2-22）は、十四世紀半ばのビザンツのものとされるが、「悲しみの人」の背後に聖母像を挿入したものである。イタリアでも十四世紀半ばから、ジョヴァンニ・ダ・ミラノの作品（2-23）のように聖母とキリストを同一の画面に収めるものが登場する。ヴェネツィアのジョヴァンニ・ベッリーニによって何点か描かれたピエタ（2-24）もそれで、聖母がキリストの遺骸を抱くピエタや哀悼の情景だが、奇妙なことに死んだはずのキリストは直立している。これは死せるキリストが「悲しみの人」の半身像に由来するためであり、聖母とキリストの二連画を一つの画面に統一したためである。この不自然さをカバーするために、天使や聖人、あるいは父なる神が遺体を支える図像もあった。

右2-25　《ボンのピエタ》1325年頃　ボン、ライン州立美術館
左2-26　ミケランジェロ《ピエタ》1498-1500年　ヴァチカン、サン・ピエトロ大聖堂

しかし、やがてこうした不自然さが解消され、聖

母がキリストの遺体を膝に乗せるピエタが定着することになる。成人の男性の遺体を膝に乗せるのは実際には困難だが、これは聖母の膝の上で眠る幼児キリストから発展したものだと考えられる。眠る幼児キリストは将来の受難を暗示していたため、両者は類似の主題であったといえる。この図像は十四世紀初頭にまずドイツで彫像として生まれた。十四世紀半ばの《ボンのピエタ》（2-25）はこうしたピエタ像（ヴェスパービルト）の代表である。この木彫像は、解剖学的な正確さを無視しているが、頭を後ろにのけぞらしたキリストの遺体から噴出する血の表現や聖母のけわしいまでの悲嘆の表情によって際立っている。

一五〇〇年に完成してサン・ピエトロ大聖堂に置かれているミケランジェロの大理石像（2-26）はもっともよく知られ、それはピエタの代名詞になった。聖母は若すぎるように見えるが、それは聖母が永遠の処女であることを表現するためであった。この像は《ボンのピエタ》とよく対比される。ミケランジェロはこうしたゴシックのピエタ像を理想化してイタリアに移入したのである。ミケランジェロのルネサンス的な静穏な古典主義に対して、ドイツ・ゴシックの激しい表現主義との対比をこれほど顕著に示すものはない。それはイタリアに代表される地中海的な理想主義とゲルマン的な表現主義の対比といってもよい。芸術作品として見ればミケランジェロの《ピエタ》の方が完成度が高い名作だといえるが、実際に子どもを失った母親の感情をより明瞭に表現しているのは《ボンのピエタ》の方である。この像は二十世紀に起こるドイツ表現主義を予告し、二十世紀以降ますます評価を高めている。

ミケランジェロは、この後四体のピエタを手がけるがいずれも未完成で残された。フィレンツェの大聖堂付属博物館にある《バンディーニ（ドゥオーモ）のピエタ》はミケランジェロが自らの墓廟に設置するために着手したものであり、キリストの遺体を背後から作者の分身であるニコデモ、両側から聖母とマグダラのマリアが支えている。フィレンツェのアカデミア美術館にある《パレストリーナのピエタ》はキリストを背後から聖母とマグダラのマリアが支えている。ミラノにある遺作《ロンダニーニのピエタ》は、キリストは立ったまま聖母のみに支えられている。二人の体は湾曲して引き伸ばされており、最初のピエタの古典的な均衡とはかけ離れて、ゴシック彫刻に近づいたようである。

2-27　セバスティアーノ・デル・ピオンボ《ピエタ》1517年　ヴィテルボ市立美術館

ヴェネツィア出身でローマで活躍したセバスティアーノ・デル・ピオンボの《ピエタ》（2-27）は、ローマ近郊のヴィテルボのサン・フランチェスコ聖堂のために描かれたもので、制作に際してはミケランジェロが直接指導したと思われ、ミケランジェロの構想をよく表している。古典的な人体表現によるキリストの遺体を前にした聖母が、月の見える天を仰いで手を合わせており、荘重で悲劇的な雰囲気が漂う。

こうしたピエタ像は、ナラティブでありながら祈念像にもなっており、聖母に関する主題のうちでももっとも広く普及し、様々な名作を生み出してきた。「嘆きの聖母」という主題は、ピエタだけでなく、キリストなしの単独のテーマにもなり、涙を流して手を合わせる聖母の上半身が十六世紀から十七世紀には表現された。ティツィアーノやムリーリョの作品が名高い。聖母の清心には七つの悲しみがあるとされ（エジプト逃避、神殿奉献、博士との論争、十字架の道行き、磔刑、十字架降下、キリストの埋葬）、それを表す七本の剣が胸に刺さっている図像もカトリック改革期以降登場した。聖母に刺さる剣は、幼児キリストをエルサレムの神殿に奉献したとき、シメオンがマリアに「剣があなたの心さえも刺し貫くでしょう」と予言したこと（ルカ二：三十五）による。また、後に見る「ロザリオの聖母」では、聖母は五つの悲しみがあるとされた。

幼児を抱いていない聖母マリアの半身像や胸像は、泣いていなくとも「悲しみの聖母」と呼ばれることがあった。第六章で見る日本の南蛮美術の名品（6-24）もそうである。

聖母のわが子への深い愛情と子を失った激しい悲嘆を表すピエタや「嘆きの聖母」という主題は、神学的には、聖母とキリストとのつながりを表して受肉を強調するものであった。しかし、それらが今にいたるまで世界中で人気を博してきたのは、同じように子どもを失った母親の悲痛な気持ちを代弁するイメージであったからにほかならない。とくに中世後期にこの主題が普及したのは、疫病や戦乱で社会に死が氾濫したためであろう。幼児死亡率が今とは比較にならないほど高かった時代、子を失う悲しみは誰にでも訪れうるものであった。聖母マリアが大きな共感を呼んで親しまれたのは、世の中の母親がみな体験するような子を産み育てる喜びだけでなく、子を失うという人間の経験でもっとも深い悲しみをも経験したからであるといってよい。聖母は称賛や尊敬の対象であるだけでなく、同情と共感の対象にもなったのである。

4　絵画から彫刻へ

✝彫刻の忌避

西洋の中世では長らく丸彫り彫刻（壁から自立した彫刻）が作られなかった。聖書は神の像、つまり偶像を作ることや拝むことを禁じていたからである。しかし、前述のように人の手を経ずに成立したキリストの顔の画像（マンディリオン、ヴェロニカ）やルカが描いた聖母子のイコンは、人となった神の証拠にして、神を見る窓として容認された。

こうしたイコンに対し、神の姿をかたどった彫刻は、異教の偶像とかわるところがないと危険視されたのである。前章で述べたように、八世紀のビザンツ帝国のイコノクラスムは、聖像が忌まわしい偶像であるという疑いが高まったことから起こっている。そのときイコン擁護者は、イコンは神の受肉を証明するものであり、原型の似姿にすぎないとした。だが、立体的で実体を伴う彫刻は、そのものが神の偶像であると思われやすい。そのため中世においては、彫刻は建築に付随した人像円柱や物語場面を表す浮彫りや、聖遺物容器としての彫刻に限られたのである。ビザンツではイコノクラスム終結後も彫像が作られることがなかった。

西欧では、建造物に付随した彫刻が徐々にその独立性を高め、十三世紀にようやく丸彫り彫刻が現れ始めた。後期ゴシックになると、建築は石彫彫刻の背後に退き、彫刻の主舞台は自立した木彫祭壇に移っていく。しかし西洋美術の流れでは、その後も絵画の方が主流を占め、彫刻の方が地味に見えるのは、中世の偶像への忌避に由来するのである。

†ゴシックの聖母崇敬

中世末は政治・経済の面でも文化の面でも大変動の時代であった。都市が勃興し、大学が増え、民衆的な宗教運動が湧き起こった。ゴシックはこうした時代相を反映した中世の爛熟した美術様式であり、一一四四年にパリ近郊のサン・ドニ修道院が改築されたときに始まるとされる。熱烈な宗教的情熱と愛国心によってゴシックを生み出したサン・ドニ修道院長シュジェールは、わが国の鎌倉時代に積極的に新様式を推進した東大寺大勧進職の俊乗坊重源に比肩できよう。フランスではこれ以後、大聖堂建設ラッシュが起こり、十二世紀後半から十三世紀後半までに八十もの大聖堂が建てられた。

こうした運動の中心になったクリュニー修道会は、とくに聖母マリアを称揚した。クリュニー会を経てカンタベリー大司教になったアンセルムスはスコラ哲学の礎を築いた神学者で、「聖母博士」と呼ばれ、聖母を神学的に位置づけた。「神の母」としての聖母の栄光を力強く称えた「聖母マリアへの祈り」は後世に絶大な影響を及ぼした。

王侯貴族と結びついて贅沢になったクリュニー会を批判して改革を起こしたシトー会は、すべての教会を聖母に捧げた。シトー会の理論的指導者となったクレルヴォーのベルナルドゥスは聖母を賛美してやまず、聖母は天国の門を叩き、神と人間を仲介すると説いた。そもそも聖母は教会（エクレシア）の象徴であり、さらに教会はキリストの花嫁であるとされたことから、聖母はキリストの花嫁として、しばしば白無垢の花嫁衣装で表された。

優美で装飾的なゴシック様式は、聖堂の建築様式としてパリを中心とするイル・ド・フランス地方からドイツ、スペイン、イギリスなど西欧全域に波及した。その多くがノートル・ダム、つまり聖母に捧げられた教会であった。聖母を「われらの婦人」という意味のノートル・ダムと呼ぶようになったのは十一世紀のフランスである。十字軍による宗教的熱情の高まりと高貴な女性を崇拝する騎士道精神から、聖母を女王として崇める風潮が盛り上がったのである。

これ以前、十世紀から十一世紀に西ヨーロッパに広まったロマネスク美術の聖堂には、前章で述べた黒い聖母のほかは聖母の姿はほとんど見られなかった。ロマネスク美術は地方の聖堂を舞台とし、主に修道士が主導していたのに対し、ゴシックは都市の経済的な繁栄を背景として、都市の宮廷や共同体が発注者となり、制作者も世俗の専門家が中心となった。そのため技術的な発達が顕著となり、尖頭アーチで上昇観を強調し、天井を交差リブ・ヴォールト（肋骨交差穹窿）で組み立て、壁をフライング・バットレス（飛梁）で支えることによって、開口部を大きくとった薄い壁による高層のゴシック建築が可能となった。絵画や彫刻においては写実主義の傾向が強まった。

ゴシック美術は建築に付随するものであり、彫刻やステンドグラスは広大な聖堂空間を荘厳するためのものであった。ゴシック聖堂に見られる大きなバラ窓のバラは聖母の象徴であり、ステンドグラスにも聖母が登場した（2－28）。光を透過しても形を変えないガラスは、神を産みながら処女性を保った聖母にたとえられ、またステンドグラスを通過した光が色に染まることは、聖母を通過したキリストが人となる、つまり受肉を意味するとされた。

聖堂の扉口には預言者や聖人を彫った人像柱が設置されたが、それらは彫刻であると同時に建築の一部として機能していた。扉の上のティンパヌム（半円形の部分）には「最後の審判」や「聖母の戴冠」などの浮彫りが表現された。「最後の審判」には、中央の審判者キリストの傍らにマリアがおり、罪人をとりなしている。

右2-28　《シャルトルの聖母》12世紀　シャルトル大聖堂
左2-29　《受胎告知》と《ご訪問》1225-45年頃　ランス大聖堂西扉中央口

彫刻は建築に付随していたため、聖堂の大型化に応じて彫刻の置かれる場もはるかに多くなり、重要な役割を果たすようになった。十二世紀半ばのシャルトル大聖堂西扉口の人像円柱も、柱でありながらほとんどそこから独立した丸彫り彫刻に近くなっている。フランス東北部シャンパーニュ地方のランス大聖堂には十三世紀前半に制作された膨大な彫刻が見られ、まさにゴシック彫刻の殿堂である。西正面の中央入り口にある人像円柱は、人物たちが会話しているさまを表現し、自由なポーズと繊細な感情表現によって、建築を支えるという機能から解放されて自立した彫刻となっている。《受胎告知》と《ご訪問》（2－29）は、あきらかに彫刻家の手が異なっているが、天使の笑顔のように豊かな表情やポーズによって生気を感じさせる。

イタリアのピサの洗礼堂には一二六〇年頃に作られたニコラ・ピサーノによる説教壇がある。この記念碑的な六角形の説教壇は、中世イタリアにおける古代復興の嚆矢として名高い。欄干にはキリストの生涯を表した五点の大きなパネルがある。《マギの礼拝》（2－30）では、人物たちは荘重な雰囲気を持ち、古代の石棺を研究した成果を示している。聖母は古代の神のように見え、浮彫りでありながら丸彫りに近い堂々たる人物像となっている。こうした古代風の造形は、次の世紀のルネサンスを予告するものであった。

2-30　ニコラ・ピサーノ《マギの礼拝（ピサ説教壇）》1260年頃　ピサ洗礼堂

†国際ゴシック様式の聖母

平面のイコンから始まった聖母像は、ゴシック聖堂の中でこうして立体的な彫刻となったのである。中世の終わり頃の一四〇〇年頃、ヨーロッパではシエナから始まった国際ゴシック様式が流行したが、優美なこの様式はドイツでは柔軟様式（ヴァイヒャーシュティール）と呼ばれ

右 2-31 《クルマウの聖母》1390-1400 年頃　ウィーン、美術史美術館
左 2-32 ロッホナー《バラ園の聖母》1440-42 年　ケルン、ヴァルラフ・リヒャルツ美術館

る。彫刻では、「シェーネ・マドンナ（美しき聖母）」と呼ばれるタイプが流行し、神聖ローマ皇帝カレル四世の宮廷のあったプラハを中心としてドイツ全土で制作された（2-31）。微笑を浮かべた聖母がS字形に身をよじらせ、幼児キリストを抱いて立つ彩色された木彫の全身像である。聖母は王冠を被ることが多く、マントや衣装の衣文が流麗である。こうした聖母像は、教会や宮殿だけでなく、個人の邸宅にも飾られ、聖俗の両面にわたって親しまれた。

ドイツの柔軟様式を代表する画家シュテファン・ロッホナーは、忘れがたい聖母画像を遺した。この画家はケルンで活躍し、ファン・エイクに代表されるネーデルラントの新たな絵画様式の影響を受けつつ、素朴な信仰心を感じさせる《バラ園の聖母》（2-32）を描いた。バラは

右2-33　ロッホナー《三王祭壇画（ドムビルト）》15世紀前半　ケルン大聖堂
左2-34　《アルブレヒト祭壇画》1437年　クロイスターノイブルク、セバスティアヌス礼拝堂

百合とともに聖母の象徴だが、原罪以前は棘がなかったと思われていた。同時に、舞台となっている「閉ざされた庭（ホルトゥス・コンクルスス）」は聖母のもっとも代表的な象徴である。聖母の背後にあるバラ垣や聖母の被る王冠やブローチ（一角獣がついている）の繊細な描写が金地の背景と組み合わせられ、ルネサンスの合理的な空間にはなっていないが、装飾的で華麗な効果をあげ、今でもクリスマスカードで人気のある画像になっている。

ケルンは、キリストを拝みに来た三王（マギ）の遺体という聖遺物を誇っており、町の守護聖人としているが、大聖堂内にはロッホナーの《三王祭壇画（ドムビルト）》（2-33）と呼ばれる三連祭壇画が飾られている。聖母を中心に、マギやウルスラやテーバイ軍団など、ケルンに聖遺物のある聖人たちが並んでいる。当初この絵は市参事会礼拝堂にあり、約百年後、一五二

〇年にオランダに向かう途中でケルンに寄ったデューラーがわざわざ代金を払って見たことがその日記からわかる。

聖母崇敬の高まりをよく示すものに、ウィーン郊外のクロスターノイブルクにある《アルブレヒト祭壇画》(2-34)がある。作者不明だが、一四三七年にアルブレヒト二世の命でカルメル会修道院のために制作された多翼祭壇画で、聖母とそれを囲む人々と聖母伝からなる連作である。天使や殉教者とともにいる聖母のほか、珍しいのは兵士とともにいる甲冑姿の聖母である。

これほど明確でなくても、当時、異端との戦闘における「勝利の聖母」という主題も好まれた。アンドレア・マンテーニャが描いた《勝利の聖母》(2-35)は、彼のパトロンのマントヴァ侯爵フランチェスコ二世・ゴンザーガが、一四九五年、イタリアに攻め入ったフ

2-35　マンテーニャ《勝利の聖母》
1496年　パリ、ルーヴル美術館

ランス王シャルル八世の軍にフォルノーヴォの戦いで勝利した記念に制作されたものである。この絵は、新たに建設されて「勝利の聖母」と名づけられたサンタ・マリア・デラ・ヴィットーリア聖堂の祭壇画となった。聖母の左右には武人聖人である大天使ミカエルと聖ゲオルギウスが立ち、聖母は跪くゴンザーガ侯に右手を伸ばして祝福している。

中世の聖母子のイコンの多くは画像自体の由緒によって尊重され、人間味や美しさは重視されなかったが、聖母崇敬が全盛期を迎えた中世後期には、聖母の美しさや荘厳さが追求され、あたかもそこに存在するかのような等身大の立体像が各地に置かれるようになったのである。それが、ルネサンス美術でさらに発展するが、十六世紀にはこうした過剰な聖母崇敬が宗教改革によって否定されるにいたる。

5　慈悲の聖母

†ペストの生み出した図像

本書の冒頭に書いたように、中世の終わり頃、一三四八年に東方からもたらされたペストは、約四十年間にわたって猛威を振るい、ヨーロッパの人口の三分の一以上を奪い去った。中世の繁栄を謳歌していた西欧は食糧危機に見舞われ、銀行が次々に破綻し、それまで美術の中心地であったフィレンツェやシエナやヴェネツィアも都市の機能が停止し、都市の人口は半分近くに激減した。有力な注文者だけでなく、優れた芸術家も相次いで命を落とす。農村は荒れ、商工業は停止し、社会が停滞したが、その一方、激しい恐怖と悔悛の情にかられ、救いを求める人々や死を予期した者やその遺族が教会や修道院に多くの財産を寄進したため、教会や修道会の力が強化された。

アメリカの美術史家ミラード・ミースの古典的な研究によれば、このときの異常な額の寄進により、とくにフィレンツェには未曾有の富が蓄積され、多くの教会や修道院で大規模な宗教美術の振興を促すことになった。葬礼にもかつて以上に大金が注がれ、個人礼拝堂のための祭壇画の需要も増大した。それによって禁欲的で厳格な美術が主流となったという。オルカーニャやブッファルマッコの描いた恐るべき「死の勝利」や終末論的な「最後の審判」の壁画は、死と地獄におののくこの時代の雰囲気をよく表している。快楽を戒め、来世を希求する悲観的で厭世的な思想と造形表現が一世を風靡した中で、人々は以前にもまして聖母や聖人に神へのとりなしと救いを求めたのである。

とくに熱心に信仰されたのは、ペストの守護聖人たちであった。聖セバスティアヌスは三世紀のローマの軍人で、矢で射抜かれて処刑されても死ななかったことから、ペストの守護聖人となった。黒死病と呼ばれたペストは、人々を懲らしめるために天から放たれた矢にたとえられたからである。もう一人の守護聖人の聖ロクスは、十四世紀、フランスからローマに巡礼に来てペストに感染したが、回復して患者の救済に尽くした。彼は多くの場合、腿にあるペストの感染跡を示している。

さらに、悪魔を退治する大天使ミカエルも、日本における鍾馗(しょうき)のように病魔退散のシンボルとして信仰された。この天使は、前述の六世紀のローマでのペスト流行が終息したとき、サンタンジェロ城の頂上に現れ、剣を鞘に収めた姿を教皇グレゴリウスが見たと『黄金伝説』に伝えられる。

†慈悲の聖母

こうした聖人や天使よりもつねに大きな崇敬を集めたのは聖母であった。そしてこの時期に生まれたのが「慈悲（ミゼリコルディア）の聖母」である。聖母が大きなマントを広げ、跪いて祈る人々を覆っている。聖母は人々よりもずっと大きく、しばしば王冠を被っている。「慈悲の聖母」のうちでもとくに「ペストの聖母」と呼ばれるタイプがある。そこでは上から降り注ぐ矢を聖母のマントが跳ね返しており、囲われた人々を保護している。聖母は、この悪疫の雨から信者を保護してくれるものだと考えられていた。ペストが神の意思による懲罰の矢であっても、聖母はその意思に反し、聖母を信仰する者を守ると思われたのである。つまり、ペストの主導者である神に祈ることはできないため、聖母や守護聖人に神へのとりなしを祈るほかなかったのである。

一三七〇年代にジェノヴァを襲ったペストから逃れるために同地の信心会がバルナバ・ダ・モデナに注文した作品（本章扉）では、聖母は大きくマントを広げ、天使が放つ矢から信徒たちを守っている。ドメニコ会士が跪いて聖母の右足を両手で包んでいる。聖母のマントの上には折れた矢が滑り落ちており、聖母の守護が堅固であることを示している。聖母のマントの外では矢に当たった人々が折り重なっているが、聖母を信仰しない者は容赦なく死ぬことを物語

2-36　ボンフィーリ《慈悲の聖母》1464年　ペルージャ、サン・フランチェスコ・アル・プラート聖堂

っている。

ベネデット・ボンフィーリの作品（2-36）は、一四六二年にペルージャでペストが流行したときに同地の信心会から幟旗（のぼりばた）として注文された。聖母の上にキリストが矢を放っているが、聖母はキリストよりはるかに大きく描かれ、マントを広げて教父や聖人たちとともに信者を守っている。聖母の両肩には折れた矢が刺さっている。下方にはペストで荒廃したペルージャの町と、悪魔の姿をしたペストの擬人像と戦う天使がいる。ペストを神が命じたものだとすれば、これは矛盾するのだが、下方は聖母の慈悲によってペストが駆逐される情景だと見ることができよう。

聖母がマントを広げて人を包むこの図像はローマ帝国の皇帝のコインに由来する。トラヤヌス帝やマルクス・アウレリウス帝のコインは、表面には固定の横顔、裏面には、大きな女性が皇帝らを衣で覆うピエタスやコンコルディアが彫られていた。それが「慈悲の聖母」となったのだが、これはビザンツでは見られず、イタリアを中心に西欧で十三世紀から十六世紀に見られる。一二三〇年頃、ケルンのシトー会士ハイスターバッハのカエサリウスによる『奇蹟対話』に記されている幻視がこの図像の始まりであるとされるが、フランシスコ会やドミニコ会の中で普及していった。

フランシスコ会やドミニコ会は托鉢修道会といって、それまでの修道会のように人里離れた山谷で活動するのでなく、都市部で社会的な活動をして市民たちと密接なつながりを持つものであった。この二つの修道会はライバル同士であり、いずれも十三世紀に勃興し、あいついで主要な都市に進出し、聖堂を建設した。また、「慈悲の聖母」を守護聖人とする在俗のミゼリコルディア信心会も各都市に生まれ、彼らは病院や孤児院の運営といった慈善活動を行い、祭壇画を注文した。こうした祭壇画では、聖母のマントの内側の人々のうちにそのメンバーの肖像が描かれることが多い。

†シエナ

現存するもっとも古い「慈悲の聖母」の作例は、一二八〇年にシエナのフランシスコ会のためにドゥッチョが描いた《フランシスコ会士の聖母》(2-37)とされる。左下で跪拝(きはい)する三人のフランシスコ会士を、聖母は右手でマントの片側を広げて迎え入れている。聖母は幼児キリストを抱き、天使の支える玉座についている。右端の修道士は聖母の足に接吻しようとしてい

上2-37　ドゥッチョ《フランシスコ会士の聖母》1280年　シエナ国立絵画館
下2-38　同《マエスタ》1308-11年　シエナ大聖堂付属美術館

る。皇帝や教皇など高貴な者の足に接吻するのは、最高級の敬意と謙譲を示す身振りであったが、聖母の画像にもしばしばそれが見られる。

シエナは中世に繁栄した都市国家で、聖母を守護聖人としていた。長らくフィレンツェと覇を競い、一二六〇年にモンタペルティの戦いでフィレンツェに勝利したことによって、聖母崇敬が過熱したのである。この決戦の前日、天に暗い部分が現れて陣営を覆ったが、これは聖母のマントの影であったと解釈された。こうして「慈悲の聖母」のマントは、彼らにとっては特別な意味を持ったのである。ドゥッチョは、このモンタペルティの戦いの戦勝五十周年を記念する大作《マエスタ（荘厳の聖母）》（2-38）をシエナ大聖堂に飾るために制作した。一三一一年、この絵が完成したとき、「シエナのすべての男たちが作品を担ぎ、すべての女性と子どもたちは静かにそのあとに続いた。人々は聖なる神の子の母と聖人たちに対して、シエナの町が永遠に不幸、裏切り、そして敵から守られるようにと祈った」という。中央のパネルには玉座につく聖母子を天使や聖人たちが取り囲んでいる。玉座の基壇には、「神聖なる神の子の母よ、シエナの町に、そしてここにあなた方を描いたドゥッチョに平和をもたらしたまえ」という銘文が記されている。プレデッラには聖母伝と預言者像、裏面にはキリスト受難伝のパネルがついており、一部は散逸して世界中の美術館に飾られている。それらは同時代のジョットのスクロヴェーニ礼拝堂壁画とともに、ビザンツの様式（マニエラ・グレカ）がより自然なナラティブ表現に変化したことを示しており、その後のシエナ絵画に多大な影響を与えた。

このドゥッチョに学んだシモーネ・マルティーニはシエナ派を代表する画家となり、一三一五年、シエナの市庁舎（パラッツォ・プッブリコ）の壁面に《マエスタ》を描いた。聖母の町シエナには、信仰の中心である大聖堂と政治の中心である市庁舎の双方に《マエスタ》が見られるのである。彼はドゥッチョ以上に優美な表現を追求し、晩年は教皇庁のあったアヴィニョンで活躍して、シエナ派の優雅で装飾的な様式をヨーロッパ中に広めた。シモーネは、一三〇八年から一〇年頃《慈悲の聖母》（2-39）を描いた。聖母が単独で立ち、マントを左右に広げて

2-39　シモーネ・マルティーニ《慈悲の聖母》1308-10年頃　シエナ国立絵画館

すっぽりと信者を覆うという図像となっている。

†フィレンツェ

フィレンツェのミゼリコルディア信心会は病人の世話や死体の処理、捨てられた孤児の養育などの活動をしており、後に病人や巡礼者の世話をしていたビガッロ信心会と結合した。この信心会には、ペストの大流行によって莫大な資産が集まり、一三五二年、それによって新しい祈禱所を建設している。建物の壁面には、《ビガッロの聖母》(2-40)と呼ばれる「慈悲の聖母」が描かれている。作者はわからないが、この会のために三連祭壇画を描いたベルナルド・ダッディの工房によるものと考えられている。立って手を合わせる聖母の周囲に、やはり信者が男女に分かれて祈っている。聖母は高位聖職者のように司教冠を被り、祭服をまとっている。そのマントは閉じており、人々を包んではいないが、いくつもの丸いメダイヨンがあり、その中にはそれぞれこの団体の行っている慈善行為が描かれている。それは聖書でキリストが語った「慈悲の七つの行い」であり、「飢えた者に食べさせる」「渇

2-40　ベルナルド・ダッディ派《ビガッロの聖母》1340年頃　フィレンツェ、ビガッロ博物館

いた者に飲ませる」「旅人に宿を提供する」「裸の者に着せる」「病人を見舞う」「囚人を訪れる」「死者を葬る」である。聖母の足下にはフィレンツェの町が広がっている。その中央に、これが描かれた場所に近い洗礼堂が見えるが、フィレンツェのランドマークである大聖堂の赤いドームはまだない。この聖母は、フィレンツェという町とその市民たちの守護神として描かれているのだ。

ベルナルド・ダッディはジョット亡き後のフィレンツェの中心的な画家であり、《オルサンミケーレの聖母》(2-41)も制作した。十三世紀、穀物市場の回廊の柱に描かれた聖母壁画が病人や身体障碍者を癒す奇蹟を起こすと評判となり、この像を中心とした聖母マリア信心会が生まれる。十四世紀初頭、この建物は火災に遭い、新たに聖母の板絵が制作されたが、一三四七年には新たにそれに代わる板絵がダッディに注文された。奇蹟を起こす当初の画像から三代目であり、原型とはおそらく隔たったもの

2-41　ダッディ《オルサンミケーレの聖母》1347年／オルカーニャ《大聖龕》1352-59年　フィレンツェ、オルサンミケーレ聖堂

であろうが、この板絵も「オルサンミケーレの聖母」として篤い信仰を集めた。奇蹟とは必ずしもそのオリジナルの像に限定されず、描き直された像にも同じ力が宿るというのは、普遍的に見られる現象である。一三五二年、ペストの大災禍からの復興を祈願して、画家にして彫刻家のオルカーニャにこの板絵を収納する壮麗な《大聖龕（タベルナクルム）》が依頼された。ちょうどこのときペストが大流行して救いを求める人々の信仰が高まり、ビガッロ信心会と同じく、オルサンミケーレの聖母信心会にも多額の奉納金や喜捨が集まっていたため、それを用いて大理石や貴石、ブロンズやモザイクによるこの豪華絢爛たる《大聖龕》を作らせたのである。聖母像を描いたベルナルド・ダッディもおそらくこのペストで命を落とし、遺作の一つとなった。

このタベルナクルムには、ダッディによる聖母子の板絵を中心に、頂上にペストの守護聖人である大天使ミカエルが剣を持って立っており、背面にはオルカーニャによる《聖母の死と被昇天》の浮彫り彫刻があり、大きな悲劇に直面した人々が聖母に託した切実な思いが込められている。一三六五年、フィレンツェ共和国政府は「オルサンミケーレの聖母」を町の仲介者、つまり公的な守護者に認定し、翌年にはオルサンミケーレ聖堂という教会に改築した。ここはすべてのギルドが集まる集会所となり、外壁の壁龕にはドナテッロ、ギベルティ、ヴェロッキオらルネサンスを代表する彫刻家によってそれぞれのギルドの守護聖人像が設置された。しかし十五世紀半ばには、「オルサンミケーレの聖母」は先に述べたサンティッシマ・アヌンツィアータ聖堂の《受胎告知》の聖母（2－2）にその地位を譲ることになる。

†ヴェネツィア

フィレンツェやシエナとともに中世に繁栄した都市国家ヴェネツィアも聖母崇敬の熱心な地域であった。伝説上、ヴェネツィアは四二一年三月二十五日に建国されたことになっている。この日は受胎告知の日であったため、ヴェネツィアは聖母の都市となり、聖母のイメージはつねにこの町のそれと重なることになった。また、イタリアでも東方に位置するヴェネツィアは古来もっともビザンツ帝国とのかかわりが強い都市であり、ビザンツ美術の様式が直接流入していた。サン・マルコ大聖堂には十一世紀の《ニコポイアの聖母》をはじめとするビザンツの貴重なイコンが飾られ、人々の崇敬を集めていた。

ヴェネツィア絵画の祖パオロ・ヴェネツィアーノが十四世紀初頭に描いた作品（2－42）は、先に見たドゥッチョの作品のように聖母が片側のマントを広げて信者を迎え入れている。幼児キリストは青いマンドルラ（舟形光背）のような楕円形のうちにいる。このような図像は、ビザンツのプラティテラ型のイコン（1－14）に由来するが、こうしたイコンは十三世紀初頭に十字軍によって数多くヴェネツィアにもたらされていた。パオロ・ヴェネツィアーノはイコン

上右2-42　パオロ・ヴェネツィアーノ《聖母と二人の信者》1325年頃　ヴェネツィア、アカデミア美術館
上左2-43　ヤコベッロ・デル・フィオーレ《慈悲の聖母》1415年頃　同上
中2-44　バルトロメオ・ヴィヴァリーニ《慈悲の聖母の三連祭壇画》1473年　ヴェネツィア、サンタ・マリア・フォルモーザ聖堂
下2-45　バルトロメオ・ボン《慈悲の聖母》1448年頃　ロンドン、ヴィクトリア・アンド・アルバート美術館

やモザイクに見られるビザンツ美術の華やかな装飾性や優美さを取り入れ、その後の色彩豊かなヴェネツィア派の礎となったのである。

十五世紀初頭に活躍したヤコベッロ・デル・フィオーレは、当時の国際ゴシック様式の流れを汲み、優美な聖母像を描いた。一四一五年頃に制作された《慈悲の聖母》（2-43）は、洗礼者ヨハネと福音書記者ヨハネのパネルにはさまれている。王冠を被った聖母の衣装や背景は金で覆われる一方、地には草花が描写されており、華美で細密な国際ゴシック様式の典型を示す。マントを広げる聖母の胸には楕円形のメダイヨンがあり、幼児キリストが坐って祝福している。

ヴェネツィアは十五世紀になるとフィレンツェや北イタリアのルネサンス様式を取り入れるが、ムラーノ島出身のヴィヴァリーニ一族はベッリーニ一族とともにこうした役割を果たした。その一人バルトロメオ・ヴィヴァリーニは、兄アントニオの確立したゴシック式の多翼祭壇画を、マンテーニャの影響によってルネサンス風に改変した。一四七三年のサンタ・マリア・フォルモーザ聖堂の《慈悲の聖母の三連祭壇画》（2-44）ではフィレンツェ派的な簡素な空間を表現している。「慈悲の聖母」の足元には、注文主の司祭と神父や教区民たちが跪いて祈っている。同時代のジョヴァンニ・ベッリーニよりも古様で、明確な線描とともに鮮やかな色彩が自己主張し、三画面を統一する光や空間上の工夫は見られないものの、白い大理石の枠と調和する色彩効果が目を引く。現在も親しまれているヴェネツィアの代表的な聖母である。

十五世紀のヴェネツィアを代表する建築家・彫刻家のバルトロメオ・ボンはその弟とともに大運河沿いに建つカ・ドーロの建設やドゥカーレ宮殿の布告門を作ったことで知られるが、ヴェネツィアのミゼリコルディア信心会の建物の入り口の上に《慈悲の聖母》(2-45)の浮彫りを制作している。ここでも聖母の胸に円形の枠に入った幼児キリストがいる。ヴェネツィアにはあちこちの街角に十五世紀から十六世紀の「慈悲の聖母」の浮彫りが見られ、この図像が親しまれていたのがわかる。

†「慈悲の聖母」の発展と終焉

彫刻でユニークなものに、「シュラインマドンナ」と呼ばれる開閉式の聖母彫刻がある(2-46)。十四世紀末にプロイセン地方で作られたものは、聖母の前面を開くと、左右に聖母に祈る信者たちが描かれ、聖母の腕に囲われているように見える。聖母の腹には父なる神がキリストの十字架を支える三位一体の彫刻がある(聖霊の鳩は消失)。父、子、聖霊からなる三位一体に聖母は含まれないが、聖母自身が三位一体を含み込んでいる、つまり父なる神から発せられた聖霊によって子のキリストを宿した聖母は三位一体の象徴であったためである。

アレッツォにあるアンドレア・デラ・ロッビアによる陶製の祭壇彫刻(2-47)でも、上部の父なる神の手の間に聖霊を表す鳩がおり、その下の聖母がキリストを抱くことによって、三

右2-46　《シュラインマドンナ》1390年　ニュルンベルク、ゲルマン国立博物館
左2-47　アンドレア・デラ・ロッビア《慈悲の聖母》15世紀　アレッツォ、サンタ・マリア・イン・グラーディ聖堂

位一体が表されている。

ピエロ・デラ・フランチェスカの《サンセポルクロ祭壇画》（2－48）は、「慈悲の聖母」のうちでもっともよく知られたものであろう。画家の故郷サンセポルクロのミゼリコルディア信心会が一四四五年に注文し、約二十年後に完成した多翼祭壇画で、中央部分が「慈悲の聖母」である。聖母は金地の背景に堂々と立ち、大きく広げたマントの中に八人の男女を包んでいる。単純明快な構図だが、信者の位置やポーズによって奥行きが生まれ、左右対称の中央の聖母の姿とともに比類のない安定感が生まれている。数学者でもあったこの画家は、中世の古い信仰心よりも、幾何学的なまでに明快で知的な画面構成を追求したのだが、

2-48 ピエロ・デラ・フランチェスカ《サンセポルクロ祭壇画》1445-64年頃 サンセポルクロ市立美術館

結果的に、この上なく厳粛な聖母の新たなイコンを生み出したのだ。

しかし、ルネサンスの合理主義は、正確な人物のプロポーションを要求し、聖母が巨大な「慈悲の聖母」は容認されなくなっていく。そこで、より自然に見えるような工夫がなされた。フィレンツェのドミニコ会士で画家であったフラ・バルトロメオは、ラファエロやレオナルドの影響を受け、盛期ルネサンスの代表的な画家となった。晩年の一五一五年にルッカのサン・ロマーノ聖堂のために描いた《慈悲の聖母》（2-49）は、上空で両腕を広げるキリストに聖母が右手を上げている。二人の天使が聖母の青いマントを持ち上げ、高段に立つ聖母の下の階段に貧者や寡婦、孤児といった民衆が集まって聖母とキリストを仰ぎ見ている。彼らは聖母のマントで覆われているわけではなく、聖母のマントは「慈悲の聖母」という主題に必要なモチーフの一要素に縮小している。

ハンス・ホルバインの名作《マイヤーの聖母》（2-50）も、「慈悲の聖母」を合理主義的に見せた作品である。バーゼル市長ヤコプ・マイヤーの注文により、彼と家族が慈悲の聖母とともに描かれている。この絵が制作された時点で生きていたのは左端のマイヤーと右端にいる二番目の妻とその前の娘だけであった。奥にいる前妻、マイヤーの前にいる二人の息子は亡くなっていた。この作品は注文者マイヤーにとって、自分たちの家族の安寧とともに、先に亡くなった前の妻や息子たちの冥福を願って奉納するものであった。「慈悲の聖母」の図像ではある

上 2-49　フラ・バルトロメオ《慈悲の聖母》1515年　ルッカ、ヴィラ・グイニージ美術館
下 2-50　ホルバイン《マイヤーの聖母》1526-28年　シュウェービッシュハル、ヨハンホール

右2-51　フェルナンデス《航海者の聖母》1530年代　セビーリャ、王室通商院
左2-52　ギルランダイオ《慈悲の聖母》1427年頃　フィレンツェ、オニサンティ聖堂

が、聖母とマイヤーは同じ大きさとなっており、その配置もふくめて自然である。

　アレホ・フェルナンデスの《航海者の聖母》（2-51）は、セビーリャの王室通商院の礼拝堂を飾るために制作されたもので、聖母が海洋の上にマントを広げ、航海者や船や貨物の安全を保護している。マントの下には右に皇帝カール五世やアラゴンのフェルナンド二世、アメリゴ・ヴェスプッチら、左端に白髪のコロンブス、コロンブスとともに新大陸に航海したピンソン兄弟がおり、奥には改宗したアメリカ先住民が並んでいる。新大陸を獲得したスペインの航海者と王室を称える祭壇画である。ちなみに、アメリカという名のもとになったアメリゴ・ヴェスプッチはフィレンツェ出身で、その一族はフィレンツェのオニサンティ聖堂に礼拝堂を持ち、そこにドメニコ・ギルランダイオによる《慈悲の聖母》(2-52)を描かせた。そこでは聖母のマントの下の右にまだ少年であったアメリゴの姿も見える。彼は没後に再び「慈悲の聖母」のマントの下に描かれるという運命をたどったのであった。

聖母が弱い民衆たちを保護するこの主題は、やがて「民衆の聖母」という図像に発展するが、そこでは聖母のマントは消失することになる。アレッツォのミゼリコルディア信心会が聖堂に飾るためにフェデリコ・バロッチに注文した《民衆の聖母(マドンナ・デル・ポポロ)》(2-53)はその代表である。画面下部では、盲目の手回しオルガン弾きや足の悪い物乞い、子沢山の寡婦など、多くの貧者がおり、その上に聖母が彼らを示しながらキリストにとりなしている。それまで聖母の大きなマントによって覆われていた民衆が画面下半分を占めている。聖母は民衆と同じ地に立つのではなく、キリストの傍らにいる。次章の「聖会話」で述べるように、十六世紀末から聖母子が雲に乗って中空に浮かぶようになるが、その先駆的な例である。

十七世紀にもフランシスコ・デ・スルバランが、ラス・クエバスのカルトゥジオ会修道院のために描いた《ラス・クエバスの聖母》(2-54)のような「慈悲の聖母」の名作が生まれたが、徐々に少なくなり、やがて消滅した。

アメリカのサン・アントニオのサン・フェルナンド大聖堂にある《カンデラリアの聖母》(2-55)には、豪華な衣装がつけられており、長く垂れ下がっている。戴冠した聖母のマント

上右 2-53　バロッチ《民衆の聖母》1575-79年　フィレンツェ、ウフィツィ美術館
下 2-54　スルバラン《ラス・クエバスの聖母》1655年頃　セビーリャ市立美術館
上左 2-55　《カンデラリアの聖母》サン・アントニオ（テキサス）、サン・フェルナンド大聖堂

が、像を超えて信者のいる空間にはみ出していることで、信者を神にとりなす聖母の役割が強調されていると見ることができる。信者はこの像に近づき、実際にこのマントの下に身を寄せることで、聖母の庇護にあずかる感覚を得ることができるのである。この庇護のマントは、観音像の長い裳裾や衆生を救い上げる羂索（けんさく）にも似た役割を持ち、ありがたみを感じさせるといえよう。

6　授乳の聖母

†「授乳の聖母」の誕生

中世後期、聖母マリアは天の女王にして人々の危急を救う庇護者として祭り上げられる一方で、人間的な母親としての姿も強調されるようになる。それが、幼児キリストに授乳する「授乳の聖母（ウィルゴ・ラクタンス）」や、地面や低いクッションに腰を下ろす「謙譲の聖母」であり、両者が合わさることも多い。いずれも、もともとは「キリスト降誕」のナラティブ表現から独立して成立したものである。「謙譲の聖母」は十四世紀前半にシエナの画家シモーネ・マルティーニ周辺で生まれ、低い椅子に坐る聖母が授乳する図像が十五世紀初頭まで西洋中で人気を博した。

聖書にはイエスの幼少期のことは記されていない。聖母の授乳については六世紀の大グレゴリウスによって言及されたが、中世後期以前やビザンツの作例はない。それが十二世紀のシトー会で復活し、十四世紀からいくつかの詩文に登場する。十四世紀初めのイタリアでフランシスコ会士によって記されたとされる『キリストの生涯についての瞑想』では、聖母子の人間的な情愛が強調され、「マリアはこの上なき喜びをもって幼児に乳を与えた」と記されているが、その頃から授乳する聖母が表現されるようになった。聖母は片胸をはだけ、幼児キリストがそれにしゃぶりついている図像である。

前章で見た三世紀のカタコンベの壁画（1-1）にはすでに「授乳の聖母」が見られる。母が子に授乳する像は、前の章で見たエジプト発祥の地母神イシスの像によく見られるものであり、息子ホルスに乳を与えるイシスの像は数多く残っている。「授乳の聖母」の図像にはイシスのような聖母以前の地母神の図像が影響した可能性が高い。九世紀にエジプトのファイユームで作られた写本には、「授乳の聖母」が見られるが、右腕を水平に上げる厳格なポーズは、多くの「イシスとホルス」の像に近い。十四世紀になってこの図像がにわかにさかんになったのは、この時代が疫病と飢饉に満ちており、授乳という養いのイメージが求められたということも考えられよう。

†乳と血

キリストが乳を飲むことは、神が完全に人間となった、つまり受肉を表すものであった。新生児が飲む乳は生命の象徴であり、「乳と蜜」が流れるのが旧約聖書の約束の地であった。聖とができる。マリアの乳によって成人したキリストは十字架上で血を流すことによって人間の罪を贖ったからである。信者は聖餐式でキリストの血としてのワインをいただくことで、そのことを確認する。キリストの血は、そもそもキリストを育てたマリアの乳によって生まれたといってもよいため、マリアの乳はキリストの血に当たるものと考えられた。そのため、マリアがキリストに与えた乳は、罪人を贖う血となり、マリアはキリストという贖い主に協力し、救済に参加したのである。このような思想によって、「授乳の聖母」は、キリストの受肉だけでなく、聖母による神の救済へのとりなしの力を示すものとなった。聖母が成人となったキリストに自らの胸と乳房を示す図像も、十四世紀初頭の『人間救済の鑑』などに見られ、聖母のとりなしを表していた。

マリアの乳はキリストの血とともに、もっとも重要な聖遺物として各地に残されている。宗教改革者カルヴァンは、それがあまりにどこにでもあるので、「聖母が牝牛か一生乳母でなかったらこれほど多くの乳は出せないはずだ」と皮肉を交えて批判している。

「授乳の聖母」にはしばしば、エヴァの姿が描き込まれている。エヴァは、悪魔にそそのかされて知恵の木の実を食べてアダムにも食べさせた。人間を原罪に落とした女であり、マリアと対比されているのである。それを贖ったキリストが第二のアダムであり、マリアは第二のエヴァであるとされた。

十四世紀から十五世紀にかけてイタリアのマルケ地方で活躍したオルブッチョ・ディ・チッカレッロによる作品（2-56）では、授乳の聖母の下に、エヴァが横たわって蛇から知恵の木の実を受け取っている。先に見た「受胎告知」にもアダムとエヴァの楽園追放の情景が挿入されているものがあった（2-6）が、それと同じく、エヴァによる堕罪を表すことによってキリストによる贖罪の意義を強調するものである。キリストの受肉を証明したマリアと同時に、エヴァはこうした救済計画の発端を作った張本人として登場していると見ることができる。聖母とエヴァという二人の対照的な役割が一枚の画面に示されているのだ。

上2-56　チッカレッロ《授乳の聖母》1400年頃　クリーヴランド美術館
下2-57　ファン・エイク《ルッカの聖母》1436年　フランクフルト、シュテーデル美術館

十五世紀前半にファン・エイクが描いた《ルッカの聖母》（2-57）は、非常に狭い部屋で聖母が左手で片胸を支え、幼児キリストに吸わせている。聖母は豪華な椅子に坐っており、「勝利の聖母」のタイプと組み合わされていると見ることができる。

フランス最初の重要な画家であるジャン・フーケの《ムランの聖母》（2-58）では、聖母が左胸をあらわにしているが、幼児キリストは乳を吸っていない。聖母のモデルはフランス王シャルル七世の愛妾アニエス・ソレルだと言われているが、この絵を注文したのは王の廷臣で財務長官エティエンヌ・シュヴァリエであった。この絵は二連画で、左側にはシュヴァリエが守護聖人の聖ステパノとともに聖母を拝する絵がついていた。聖母の乳房は幾何学的なほど完全

上 2-58　フーケ《ムランの聖母》1450 年頃　アントウェルペン王立美術館
下 2-59　レオナルド《リッタの聖母》1490 年頃　サンクトペテルブルク、エルミタージュ美術館

な球体となっており、聖母の青白い肌や胸に比して細すぎる腰、赤と青で塗り分けられた背後の天使とともに非現実的な雰囲気を漂わせる。

これとは異なり、十五世紀末にレオナルド・ダ・ヴィンチが描いた《リッタの聖母》(2-59)は「授乳の聖母」の図像の典型である。幼児キリストは右手で聖母の胸を押さえて乳を吸いながら左手でヒワを握っているが、ヒワは受難の象徴であった。

「授乳の聖母」はこうした名作に代表されるように、ルネサンス期に大いに栄えた。しかし十六世紀後半にカトリック改革が起こると、ヌードに厳しい目が向けられるようになり、聖母が乳房を見せるこうした図像は好ましくないとされて衰退する。その代わり、第四章で見るように、聖ベルナルドゥスが聖母の乳を飲む幻視の情景などが描かれるようになった。

†出産の聖母

やはりカトリック改革以降姿を消す比較的珍しい図像に、「出産の聖母(マドンナ・デル・パルト)」がある。キリスト生誕の情景ではなく、キリストを出産する聖母の祈念像である。お腹の大きな聖母が一人で立ち、片手で腹に触れている図像で、十四世紀にトスカーナ地方で生まれたと思われる。もっとも有名なのは、ピエロ・デラ・フランチェスカが十五世紀半ばにアレッツォ近郊のモンテルキの小さな礼拝堂の壁面に描いたもの(2-60)で、聖母が堂々と立ち、左右の天使が天幕を持ち上げている。先に見た《サンセポルクロ祭壇画》(2-48)と同じく、ピエロ特有の幾何学的といってよいほどの厳密で安定した構成である。この絵は十九世紀末に美術史家に発見されたが、長らく、この土地で懐妊や安産のために参拝されていたという。

先に見たフィレンツェのサンティッシマ・アヌンツィアータ聖堂の《受胎告知》(2-2)もそうであったが、聖母像には安産や懐妊の願いのためのよく知られた祈念像がいくつかある。ローマ時代に信仰されていたディアナは月の女神であり、潮や出産を司るとされていた。聖母はその役割を引き継ぎ、月を象徴とし、安産のために信仰される存在となったのである。

上2-60　ピエロ・デラ・フランチェスカ《出産の聖母》1459-67年頃　モンテルキ、マドンナ・デル・パルト美術館
下2-61　サンソヴィーノ《出産の聖母》1512年　ローマ、サンタゴスティーノ聖堂

ローマのナヴォーナ広場にほど近いサンタゴスティーノ聖堂の入り口近くにある、十六世紀の彫刻家ヤコポ・サンソヴィーノによる大理石の聖母像（2-61）がその代表である。フィレンツェ出身の彫刻家・建築家サンソヴィーノは盛期ルネサンスの古典主義をヴェネツィアに導入して数々の重要な建築と彫刻を残したことで知られるが、この彫刻は彼がローマで触れた古代彫刻の影響を聖母子像に大胆に示した作品として美術史的に重要である。

この聖母もいつしか安産祈願の対象となり、「出産の聖母」と呼ばれるようになった。さらにいつしか銀の帯をつけられた。聖母の帯は、被昇天のときに使徒トマスに落としたことで知られているが、ここでは妊娠紐のようなものと認識された。今日でも毎日のように、多くの女性が訪れてはこの像の前で熱心に懐妊や安産を祈願している。聖母の左足には多くの参拝者が触れ、接吻するため、銀の覆いがつけられている。実際、この像は奇跡を起こすと信じられ、その周囲の壁には子どもを授かって無事に出産した女性たちによる感謝を示したエクス・ヴォート（奉納画）が貼りめぐらされている。百年前のこの像の写真が残っているが、それを見ると、聖母にも幼児にも大きな王冠が被せられ、体全部を覆い隠すほどの膨大なネックレスが掛けられているのに加え、無数のエクス・ヴォートも周囲に貼り付いていたのがわかる。現在でも像の前には献金箱と像の写真をあしらったカードが置いてあり、ちょうど日本の水天宮のお守りのように、このカードを贈答することもさかんである。つまり、サンソヴィーノの彫刻は、ローマの盛期ルネサンスを代表する彫刻作品であると同時に、ローマの市民社会においては生き続ける安産の神として今も機能しているのである。

第 3 章

ルネサンスの聖母
——「美術の時代」の始まりと危機

ラファエロ・サンツィオ《サン・シストの聖母》1513-14年　ドレスデン美術館

1　聖会話

†聖会話の成立

「慈悲の聖母」は、西欧で中世末の十四世紀に生まれて流行し、ルネサンス期になると徐々に減少して十六世紀半ばに衰退した。これよりやや遅れて十五世紀のルネサンス期に生まれ、やはり徐々に減少して十七世紀に衰退したのが「聖会話（サクラ・コンヴェルサツィオーネ）」という主題である。聖母子を中心として、複数の聖人が並び立つ図像であり、時代も地域も異なる彼らが画中で聖なる会話をしているように見えることからその名がついた。聖母子と聖人がこのように同じ空間にいる作品はどのように生まれたのであろうか。

「聖会話」の発祥は中世の後期、十四世紀頃に生まれた多翼祭壇画（ポリプティク）に遡る。これは、教会内部の礼拝堂の、祭壇の前に設置する大きな絵画で、いくつかのパネルを組み合わせて構成するものである。前の章で見たドゥッチョの《マエスタ》（2-38）もそうであったが、通常は中央の大きな画面を中心に横にいくつかのパネルを連ね、その下には横長のプレデッラと呼ばれる小さな画面がつく。チマーザという上部の画面がつくこともある。中央の画面でもっとも多かったのが聖母子像であり、左右にその教会や注文主、地域に関係する聖人像が並置された。下部のプレデッラには、その聖人にまつわる物語場面が表現されることが多く、上部のチマーザには「死せるキリスト（悲しみの人）」が表現されることが多かった。木彫の額縁には緻密な装飾が施され、金で装飾されることも多かった。先に見たヤコベッロ・デル・フィオーレの《慈悲の聖母》（2-43）もピエロ・デラ・フランチェスカの《サンセポルクロ祭壇画》（2-48）もこうした多翼祭壇画である。

北方では開閉式のものも多く、また彫刻を取り込むこともあった。こうした木製の大がかりの多翼祭壇画はゴシック時代に始まり、イタリアでは絵画が主流で、ドイツでは木彫彫刻によるものが十五世紀から十六世紀にかけて流行した。ファン・エイクの《ヘントの祭壇画》、グリューネヴァルトの《イーゼンハイム祭壇画》、リーメンシュナイダーの《聖血祭壇》など、北方ルネサンスを代表する名作の多くはこうした形態をとっている。

十四世紀から十五世紀のヴェネツィアでは、木製の多翼祭壇画の制作がさかんであり、前に見たヴィヴァリーニ一族の工房では、画家のほか、木工細工職人や塗装職人などをかかえて生産し、それらはヴェネツィアの植民地であったダルマチア地方（現在のクロアチアなど）にも輸出された。

やがて、左右のパネルに分かれていた聖人たちも中央の聖母子の画面に含めた一枚の大きなパネル（これをパーラという）に描かれるようになった。その結果、時代と地域を異にする聖人たちが左右から聖母子を囲む「聖会話」が成立したのである。

その最初のものはヴェネツィア出身にしてフィレンツェで活躍した画家ドメニコ・ヴェネツィアーノが一四四五年頃に描いた《サンタ・ルチア祭壇画》（3－1）である。聖母子の左右に二人ずつ聖人が立っており、それぞれ別のポーズをしている。背景の建築的な構造や床の模様は遠近法によってとらえられ、左上から差す光は聖母の背後に影を作り出している。大きな空間に人物を無理なく収めるために、正確な遠近法と光の表現が必要とされたのである。逆に言

上3-1　ドメニコ・ヴェネツィアーノ《サンタ・ルチア祭壇画》1445年頃　フィレンツェ、ウフィツィ美術館
下3-2　ピエロ・デラ・フランチェスカ《モンテフェルトロ祭壇画》1472-74年頃　ミラノ、ブレラ美術館

えば、十五世紀のフィレンツェで幾何学的な遠近法と明暗法が発達したがゆえに、広大な空間に群像を配置する聖会話の表現が可能となったといえよう。

先に見たピエロ・デラ・フランチェスカはこのドメニコ・ヴェネツィアーノに学んだとされるが、晩年に描いた《モンテフェルトロ祭壇画》(3-2)は聖会話図となっている。聖人や天使が居並んで聖母子を囲み、右下で注文主のウルビーノ公が跪拝している。幼児キリストは聖母の膝で眠っているが、これは将来のキリストの死の予告であり、首に掛けた珊瑚も受難の象徴である。多翼祭壇画には、聖母子の上部に「死せるキリスト」のパネルを置くことがあったが、単一のパネルでは幼児キリストにその意味を担わせるようになったのである。

†ベッリーニの聖会話

この聖会話の祭壇画がもっとも流行したのは十五世紀後半のヴェネツィアであった。一四六五年にバルトロメオ・ヴィヴァリーニが描いた《ナポリ祭壇画》(3-3)はその最初の作例である。ここでは、四人の聖人が聖母子の左右に立ち並ぶが、中空に別の四人の聖人の上半身が浮かんでいる。

その少し後、アントネッロ・ダ・メッシーナがヴェネツィアに滞在し、現在は中央部分しか残っていない《サン・カッシアーノ祭壇画》(3-4)を制作した。これは、聖会話を油彩による大画面で描いたものであった。それまでのヴェネツィア絵画のほとんどは板にテンペラ絵具で描かれていたが、アントネッロはネーデルラントで完成された油彩技法に習熟しており、テンペラでは表現できない写実的な細部描写や陰影表現を示した。

その影響を受けたジョヴァンニ・ベッリーニはいくつもの聖会話図を制作した。もっとも早い作例は、サンティ・ジョヴァンニ・エ・パオロ聖堂にあった《シエナの聖カタリナ祭壇画》で、惜しくも一八六七年に火災で焼失してしまった。この後ベッリーニは多くの聖会話図を制作し、それによってこの主題はヴェネツィアでもっとも人気のある祭壇画の形式となった。

上3-3　バルトロメオ・ヴィヴァリーニ《ナポリ祭壇画》1465年　ナポリ、カポディモンテ美術館
下3-4　アントネッロ《サン・カッシアーノ祭壇画》1475-76年　ウィーン、美術史美術館

サン・ジョッベ聖堂にあった《サン・ジョッベ祭壇画》は現在アカデミア美術館に展示されているが、ベッリーニの聖会話図の典型である。サン・ザッカリーア聖堂にある《サン・ザッカリーア祭壇画》(3-5)は彼の一連の聖会話図の最後の作品で、その集大成といえる。左右には風景が見えるが、これはベッリーニが聖会話図に導入した新たな要素である。聖会話といわれながら、それぞれの聖人は会話するでもなく、物思いにふけっているようである。全体は明るい光に満ちている。祭壇の枠である柱が画中にも描かれ、絵を取り囲むアーチが画中で繰

上3-5　ベッリーニ《サン・ザッカリーア祭壇画》1505年　ヴェネツィア、サン・ザッカリーア聖堂
下3-6　ジョルジョーネ《カステルフランコ祭壇画》1505年　カステルフランコ・ヴェネト大聖堂

り返されている。それによって、教会の空間に三次元の正方形の空間ができ、そこに聖母や聖人たちが位置するかのようなイリュージョンを与える。実際の教会空間と画中空間が有機的に結合するベッリーニの工夫が見事に示されている。しかもそれは自然光に満ちた明るさを持ち、それ以前の祭壇画とは一線を画している。

ベッリーニに学んだジョルジョーネが故郷の教会のために描いた《カステルフランコ祭壇画》（3-6）は、ベッリーニ風の聖会話図だが、暖かい色彩、憂いを含んだような人物の表情、豊かな自然の描写などに、ベッリーニとは異なる彼の特質がよく表れている。この画家は牧歌的な自然に人物が憩う詩情豊かな作品を生み出し、風景画への道を切り開いた。

†ティツィアーノの革新

だが、こうした聖会話図は動きに乏しく、単調になりがちであった。ジョルジョーネと同じくベッリーニに学んだティツィアーノは、サンタ・マリア・グロリオーサ・デイ・フラーリ聖堂の左側廊にある《ペーザロの祭壇画》（3-7）で聖会話図の構図を一新した。この祭壇画はヴェネツィアの有力貴族でキプロス島の司教ヤコポ・ペーザロが注文したが、彼は画面左端で聖母子に向かって跪いており、画面中央の聖ペテロによって聖母に紹介されている。彼の上にはペーザロ家の紋章の入った軍旗と甲冑姿の軍人がおり、ターバンを巻いた人物もいる。これは、彼が一五〇二年にトルコとの戦争で功があったことを暗示する。画面右には、聖フランチェスコとパドヴァの聖アントニウスが立ち、ヤコポ・ペーザロの四人の兄弟と唯一こちらを見ている若い甥を聖母に紹介している。

これは聖母子に寄進者が跪拝する奉納画であると同時に、聖母子と諸聖人を配した聖会話図であるが、聖会話に寄進者や注文者が登場することも多かった。とくに十五世紀のネーデルラントの祭壇画には、聖会話に限らず、聖母子と注文者が向かい合うファン・エイクの《ロランの聖母》(5-4)のような画像がしばしば見られた。こうした場合、注文者は聖母子を瞑想ないし幻視していると見ることもできるが、十五世紀までの作品は概ねこうした時空間の相違には無頓着だったように思われる。それが次章で見るように、十六世紀以降は、現実の人間と聖なる存在の時空間が一致する「幻視」という主題が前景化されるようになる。

3-7　ティツィアーノ《ペーザロの祭壇画》1519-26年　ヴェネツィア、サンタ・マリア・グロリオーサ・デイ・フラーリ聖堂

ティツィアーノの《ペーザロの祭壇画》の特徴は、ベッリーニの作品のような聖母を中心とした左右対称の構成ではなく、聖母を右の高みに置いて対角線上に人物を配した斬新

な構成である。入り口から堂内を進んできた観客は、左壁にこの絵が見えてくるが、まず聖母の姿が目に入る。聖母子を中央にすると、絵の正面近くに立たなければ聖母子はよく見えないが、聖母子を画面右端に置くことで、画面のかなり手前から聖母子を認めることができるのである。正面に《聖母被昇天》、左手の先にこの《ペーザロの祭壇画》が見える位置が、この絵の理想的な視点である。画面に登場する二本の大きな円柱は、教会内で身廊と側廊を隔てる大きな円柱と同一のものであり、絵の手前に立つと、この円柱が画面内にも等間隔で続いているイリュージョンを与える（3－8）。広大な聖堂内のこうした視覚効果を追求し、画面を聖堂の現実空間に接続させようとした結果、このような斬新な対角線構図が生まれたのだ。こうした対角線構図による聖会話図は、これ以降、ヴェロネーゼをはじめ多くの画家に影響を与えることになった。

3-8　サンタ・マリア・グロリオーサ・デイ・フラーリ聖堂内部

†ロットとコレッジョ

ヴェネツィア出身でありながらティツィアーノの大活躍のためにヴェネツィアで仕事を得ら

れず、トレヴィーゾやマルケ地方を放浪してユニークな作品を遺し、近年再評価が著しい画家がロレンツォ・ロットである。彼がもっとも長く滞在し（一五一三～二五年）、もっとも充実した時代を送った北イタリアのベルガモの教会に遺した三点の祭壇画はいずれも聖会話図である。《サン・ベルナルディーノ祭壇画》（3－9）は、天使が持ち上げる緑色の天幕の下に聖母子が坐り、それを四人の聖人が取り囲む。聖母の坐る段の下には書き物をする天使がいる。これらの登場人物は身振りと視線によって結びつけられている。左端のヨセフはこの天使を見つめ、天使はこちらを振り返っている。ヨセフの右にいるシエナのベルナルディーノは幼児キリストを見上げ、幼児キリストは彼を祝福する。右端の聖アントニウスも聖母子を見つめ、隣の洗礼者ヨハネは彼に聖母子を指し示す。中央の聖母は右手で幼児キリストを抱き、幼児を紹介するかのように左手をこちらに差し出している。単調になりがちな聖会話図が、こうした人物たちの身振りと交感によって活気づけられ、観者に語りかけるような聖母や天使によって画面に引き込まれる。教会内で見ると、色彩の華麗な調和とともに、こうした効果が実感できる。ベルガモの他の教会に

3-9　ロット《サン・ベルナルディーノ祭壇画》1521 年頃　ベルガモ、サン・ベルナルディーノ聖堂

右3-10　コレッジョ《羊飼いの礼拝(夜)》1529-30年　ドレスデン美術館
左3-11　同《聖母子と聖人たち(昼)》1525-28年　パルマ国立絵画館

ある《サン・バルトロメオ祭壇画》と《サント・スピリト祭壇画》も同じく、人物たちの交感や見事な色彩が印象深い傑作である。

北イタリアのパルマで活躍したコレッジョは、一五一四年に《聖フランチェスコの聖母》のような左右対称の端正な聖会話図を描いたが、やがて聖母子と聖人たちがより自由に触れ合って会話する作品を描くようになった。この作品は、同じ画家による生誕図の傑作が通称《夜》(3-10)と呼ばれることから、《昼》(3-11)という通称となった。聖母は高座につくのではなく、聖人や天使に交じっており、マグダラのマリアは幼児キリストの足に頬を寄せ、左端にライオンを連れた聖ヒエロニムスがいて、彼らを見下ろしている。聖母子と聖人たちのこうした親密な情景が生まれると、全員が直立した聖会話図は硬直した時代遅れの図像に見えてしまい、徐々に廃れていったのである。

2 聖母被昇天

†聖母の死・被昇天・戴冠

前章でも述べたように、聖母の死と被昇天については五世紀の偽書に記されており、中世後期に普及したが、聖母マリアは死の三日後の八月十五日、墓を見守る弟子たちの前で昇天したと伝えられる。キリストは自らの力で昇天した（Ascension）に対し、聖母は神に引き上げられた被昇天（Assumption）であるとされる。聖母は、元来、神の子を宿した地上の人と考えられていたが、十二世紀以降、聖母信仰の高まりに伴って、神によってその魂は天上に引き上げられ、後に天の女王（マリア・レギナ）として王冠を授かるとされた。

もっとも、聖母が魂とともに肉体も天に上げられたというのは、長い間公認されたものではなく、宗教改革者ルターはこれをカトリック教会の誤謬の一つとした。正式に教義として公認されたのはようやく一九五〇年の聖年の際、教皇ピウス十二世によってであった。

ビザンツやギリシャ正教では、この主題よりも聖母の死を表現することが多かった。聖母の死は「死」ではなく聖母の「お眠り（コイメシス、ドルミティオ）」と呼ばれた。ビザンツのイコンでは、聖母が横たわり、その傍らに赤子の形をした聖母の魂を抱えたキリストが立っている。

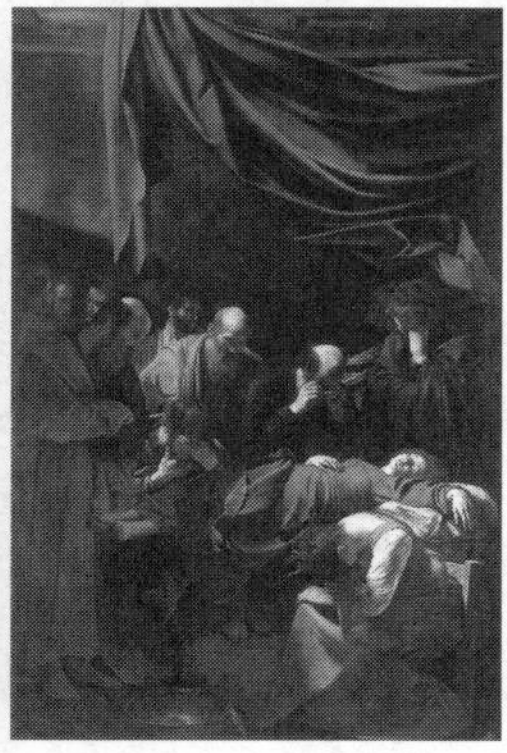

上3-12　エル・グレコ《聖母の死》1565-66年　エルムポリ、聖母の眠り聖堂
下右3-13　カラヴァッジョ《聖母の死》1601-03年　パリ、ルーヴル美術館
下左3-14　サラチェーニ《聖母の死》1619年　ローマ、サンタ・マリア・デラ・スカラ聖堂

イコン画家としてクレタ島で活躍していた頃のエル・グレコが描いたもの（3－12）が代表的である。「聖母の死」はイタリアでも聖母伝の一部として描かれたが、独立して描かれることは少なかった。カラヴァッジョの《聖母の死》（3－13）は、ローマのサンタ・マリア・デラ・スカラ聖堂の注文で描かれたが、聖母をむくんだ遺体として描いたため、教会から受け取りを拒否されたのはよく知られている。これに代わって設置されたのはカラヴァッジョの追随者カルロ・サラチェーニによる同じ主題の作品（3－14）だが、そこでは聖母は身を起こして手を合わせ、頭上には天国が広がっている。

ニュルンベルクの彫刻家ファイト・シュトースは、一四七七年から八九年にかけて、ポーランドのクラクフの聖マリア聖堂のために、高さ十三メートル、幅十一メートルにおよぶ巨大な開閉式の彩色木彫の《聖母マリア祭壇》（3－15）を制作した。中央の場面には「聖母の死」と「被昇天」、その周囲は、左扉には上から「受胎告知」「生誕」「マギの礼拝」、右扉には上から「キリストの復活」「昇天」「聖霊降臨」の浮彫りパネルが並び、頂上には「聖母戴冠」がある。「聖母の死」では、聖母は横たわっておらず、ヤコブら使徒たちに支えられている。その上部には、キリストに抱かれた聖母がともに昇天している。キリストが赤子の形をした聖母の魂を抱いているビザンツのタイプでも、聖母が単独で昇天する西洋のタイプでもない図像となっている。閉じた面は、キリスト伝と聖母伝の十二の場面から成り立っている。いずれも極彩色と

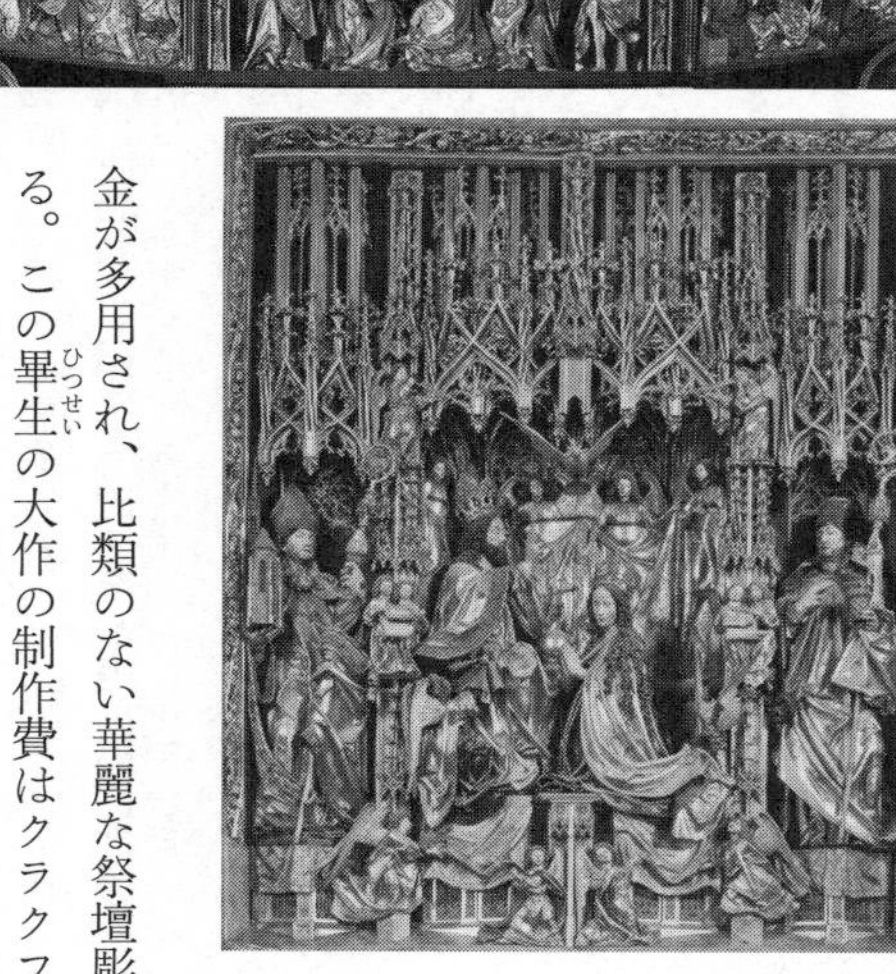

上3-15　シュトース《聖母マリア祭壇》1477-89年　クラクフ、聖マリア聖堂
下3-16　パッヒャー《聖母戴冠》1479-81年　ザンクト・ヴォルフガンク、教区聖堂

金が多用され、比類のない華麗な祭壇彫刻となっている。この畢生（ひっせい）の大作の制作費はクラクフの年間予算に匹敵するものであったが、市民たちの寄付で賄われたという。第二次大戦中はナチスに略奪され、ニュルンベルク城の地下に保管されて空襲を免れ、一九五七年にようやく教会に戻されたという。

ほぼ同時期に、ミヒャエル・パッヒャーがオーストリアのザンクト・ヴォルフガンクの教区聖堂に制作した多翼祭壇（3－16）は、シュトースの《聖母マリア祭壇》と並ぶドイツ・ルネサンスの記念碑的祭壇である。中央の場面は《聖母戴冠》であり、王冠を戴いた神の前でやはり王冠を被った聖母が跪いて祈っており、聖ヴォルフガングと聖ベネディクトゥスが左右に立っている。左右は二重の扉となっており、裏表で十六枚のパネルがあり、キリスト伝と地元の聖人聖ヴォルフガング伝が描かれている。パッヒャーは画家でもあり彫刻家でもあったので、このように絵画と彫刻が融合した多翼祭壇を実現することができたのである。装飾過多の後期ゴシックの様式だが、絵画面では遠近法による構成が見られ、ヤコポ・ベッリーニやマンテーニャなど同時代のイタリア美術を知っていたことをうかがわせる。この祭壇は、祝日に扉が二重に開かれると、黄金を多用したまばゆい《聖母戴冠》が現れるようになっており、人々を幻惑したであろう。

†ルネサンスの聖母被昇天

聖母被昇天の主題は、とくに聖母の無原罪信仰を推進する注文主フランシスコ会にふさわしいものであった。これ以前は、「聖母の死」と聖母被昇天、あるいは被昇天と「聖母戴冠」とを組み合わせたもののどちらかの図像が一般的であった。また、被昇天の聖母もマンドルラ（舟形光背）に包まれたり玉座に坐ったりしており、天使たちに持ち上げられるものが多かった。

3-17　ペルジーノ《聖母被昇天》1506年頃　フィレンツェ、サンティッシマ・アヌンツィアータ聖堂

ミケランジェロの天井画で知られるヴァチカンのシスティーナ礼拝堂は、もともとシクストゥス四世が一四八〇年に建て、聖母被昇天に捧げられた礼拝堂であった。そのため、正面の壁面にはペルジーノによる《聖母被昇天》が描かれていた。しかし、一五三五年に、ここにミケランジェロの《最後の審判》を新たに描かせるために破壊されてしまった。失われたペルジーノの作品は模写された素描が残っているが、マンドルラに囲まれた聖母が昇天するのを弟子たちが見上げているもので、ペルジーノはその後もフィレンツェのサンティッシマ・アヌンツィアータ聖堂などに同じタイプの作品を描き（3-17）、またこの図像は彼に学んだピントリッキョやラファエロにも受け継がれた。聖母は昇天するときに、帯を落としてそれを聖トマスが受け取ったという伝承があるが、その情景が挿入されることもある。

やがて天使の群れやマンドルラが省略され、聖母が自力で昇天するように見えるものが増えていった。ティツィアーノは、サンタ・マリア・グロリオーサ・デイ・フラーリ聖堂に《ペーザロの祭壇画》（3-7）を描く前に、このフランシスコ会の聖堂の内部の正面の主祭壇画のために、《聖母被昇天》（3－18）を描いた。一五一六年に修道院長フラ・ジェルマーノ・ダ・カザーレによって注文され、二年後に盛大な除幕式が行われた。高さ七メートルほどもあり、聖堂全体の要にしてヴェネツィア絵画の最高傑作である。ティツィアーノは、聖母が昇天する情景のみのこの図像を教会の聖職者たちに推薦したものと思われている。上下二段に分けられた明快な構図と、鮮烈な色彩と強い明暗による画面は、遠くから見てもはっきりわかる。内陣に近づいて見上げると、黄金に輝く天に向かって恍惚とした表情で昇って行く聖母や、大きな身振りによってそれを見送る弟子たちの力強い動作に目を奪われる。この大きな身振りや強烈な明暗、聖母の上昇感などによって、ティツィアーノの得意とするダイナミックで劇的な画面が生まれている。しかも、この動きに満ちた構図を、赤や黄金色を基調とした豊かな色彩でまとめあげ、見る者を恍惚とさせる圧倒的なドラマに仕立てたのであった。この革新的な大作によって、ティツィアーノはヴェネツィア第一の画家であるだけでなく、同時代のローマで活躍していたラファエロやミケランジェロと比肩する

3-18　ティツィアーノ《聖母被昇天》1516-18年　ヴェネツィア、サンタ・マリア・グロリオーサ・デイ・フラーリ聖堂

巨匠であることを示した。この巨匠は以後西洋最大の画家として傑作を量産し、九十歳近い長寿の末、この作品のあるフラーリ聖堂に葬られた。

ヴェネツィアにおいてティツィアーノの後を継いだのがヴェロネーゼとティントレットであったが、二人ともダイナミックな聖母被昇天を描いている。恍惚として天に上る聖母と聖母の棺桶の周囲で聖母を見上げる使徒たちの組み合わせは、聖母の栄光をこの上なく示す聖母伝のクライマックスであった。

3-19　コレッジョ《聖母被昇天》
1526-30年　パルマ大聖堂

一五二六年から三〇年にかけてコレッジョがパルマ大聖堂に描いた天井画（3-19）も聖母被昇天を主題としていた。コレッジョ最大の作品でパルマのシンボルにもなっている。直径十一メートルの巨大な画面の中央には、まばゆい光に満ちた天上へと昇ってゆく聖母マリアやそれを導くイエスが描かれている。周囲を取り巻く天使や人物たちは、うねるように渦をまく雲の合間に様々な姿態で配置されており、コレッジョ特有の銀白色のような艶やかな色彩や強い明暗表現が、作品の上昇感や浮遊感を強調している。コレッジョはマンテーニャから学んだ極端な短縮法を使用し、まるで教会の天井が天につながっているかのようなイリュージョンを与えている。こうした劇的な空間構成は、後のバロック天井画の先駆となり、多くの芸術家に影響を与えた。

シュトースとともにドイツ・ルネサンスを代表する彫刻家ティルマン・リーメンシュナイダーが、一五〇五年から一〇年にかけてクレクリンゲンのヘルゴット聖堂のために制作した祭壇彫刻（3-20）は、彼の最高傑作である。高さ十メートルもある聖母被昇天の群像彫刻を中心

上 3-20　リーメンシュナイダー《聖母被昇天》1505-10年　クレクリンゲン、ヘルゴット聖堂
下 3-21　アザム兄弟《聖母被昇天》1722年　ロール、修道院聖堂内陣

に、扉に「ご訪問」「受胎告知」「生誕」「神殿奉献」の浮彫りを配したもので、シュトースの聖母祭壇とちがって、あえて色彩を施さず、白木のままで仕上げたことによって、深い陰影に包まれた荘厳な宗教劇が生まれている。クレクリンゲンの狭い教会で見上げると、その壮麗さに打たれる。ヴュルツブルク市の参事会員であったリーメンシュナイダーは、宗教改革後の農民戦争において農民側に共感したとして拷問によって右腕を折られ、制作停止に追い込まれたと伝えられる。この大きな祭壇彫刻も布に包まれて放置され、十九世紀にようやく再発見された。美術史上、ティツィアーノの大作と並ぶ聖母被昇天の二大名作といってよい。

聖母被昇天の主題はバロック時代にも流行し、コレッジョの天井画の影響をローマやナポリの聖堂のドームの天井画で展開したジョヴァンニ・ランフランコをはじめ、アンニーバレ・カラッチやルーベンスが腕を振るった。そして十八世紀になって遅れてバロック美術の華を咲かせた南ドイツでは、ロールの修道院聖堂にアザム兄弟が彫刻による群像表現で大規模に再現した（3-21）。宙づりになった聖母は、彫刻表現の限界に挑む迫力に満ちている。

3 聖家族

†ヨセフの存在

マリアの夫でイエスの養父であったヨセフは、長らくマリアの陰に隠れて目立たない存在であった。聖書ではマタイ伝とルカ伝に登場するのみであり、聖母と同じく『ヤコブ原福音書』でやや詳しく述べられているにすぎない。表現されるときも、聖母伝の一部である聖母の結婚や、キリスト伝の幼年時代、生誕からマギの礼拝、エジプト逃避、神殿奉献のときに登場するばかりであり、それ以降のキリスト伝には出てこない。しかもヨセフはつねに暗い表情をした老人として描かれ、脇役に甘んじてきた。

しかし、ヨセフは十五世紀になって急に浮上することになる。シエナのベルナルディーノはヨセフについて説教し、パリ大学の総長であったジャン・ジェルソンはヨセフについての著作を出版して、ヨセフがいかにマリアやイエスのために貢献した理想的な父親であったかを説いた。シクストゥス四世は教会暦に三月十九日をヨセフの祝日として組み込んだ。

ヨセフは救い主の守護者・教育者としてマリアとともに聖家族の一員として描かれるようになる。前の章で見たロベール・カンパンの《メロード祭壇画》(2-7)では、右パネルに大工仕事をするヨセフが単独で描かれている。

ミケランジェロが描いた《トンド・ドーニ》(3-22)は、フィレンツェの名門ストロッツィ家とドーニ家の婚姻に際して注文されたトンドという円形画である。地に坐る聖母が幼児キリストを持ち上げ、背後のヨセフに託そうとしているか、あるいはヨセフから預かろうとしている奇妙な聖家族図である。背後に裸体の青年たちがいるが、これはキリスト以前の異教の世界、あるいは旧約の世界を表しており、右奥から聖家族を見上げる洗礼者ヨハネは旧約と新約をつなぐ存在として登場している。従来は描かれなかったヨセフが画面のいちばん高い場所で、存在感を示しているが、ヨセフはマタイ伝冒頭にある系図では旧約のダヴィデの末裔である。そのヨセフからキリストを渡され、前に送り出そうとするマリアが描かれていると解釈されている。

ヨセフは、次章で見るカトリック改革後にさらに崇敬されるようになり、アビラのテレサや

上 3-22　ミケランジェロ《トンド・ドーニ》1504-06年　フィレンツェ、ウフィツィ美術館
下 3-23　ムリーリョ《聖三位一体》1681-82年　ロンドン、ナショナル・ギャラリー

フランソワ・ド・サールがヨセフ信仰を推進した。テレサの影響の大きかったスペインでは、エル・グレコの作品のように、ヨセフと少年キリストのみで聖母がいない作品も描かれた。バルトロメ・エステバン・ムリーリョが一六五〇年頃に描いた《小鳥のいる聖家族》は、聖母よりもヨセフを大きく描き、少年キリストはヨセフに支えられている。また、晩年の《聖三位一体》(3-23)では、父なる神、聖霊、少年キリストという三位一体が縦に並び、左右から聖母とヨセフがキリストの手をとっている。聖母、ヨセフ、キリストの聖家族のことを「地上の三位一体」ということもあるが、この作品は天上と地上の二つの三位一体を描いている。こうしてヨセフ信仰は定着し、十九世紀半ばには全世界の教会の守護聖人にまで高められた。

†アンナとヨアキム

マリアの母アンナは、十四世紀から聖母子とともに登場するようになった。アンナは聖書には現れず、やはり『ヤコブ原福音書』に登場する。それによると、高齢のヨアキムとアンナの夫婦には子がなかった。そのためヨアキムは神殿の捧げものを拒絶される。それを嘆いたヨアキムは荒野で修行をするが、離れていたこの夫婦のもとに同時に天使が現れ、子どもを授かるという告知をもたらす。二人は金門で再会して喜び、九カ月後にマリアが生まれる。マリアが三歳のとき、神殿に預けることを決めるが、アンナはマリアの教育に携わる。この一連の逸話は『黄金伝説』にも記されて西欧中に普及し、ジョットのスクロヴェーニ礼拝堂壁画のように連作で描かれるようになった。中世後期以降、アンナは夫ヨアキムの死後二度再婚し、それぞれの間にやはりマリアという名の女児を生んだという伝承が広がったが、十七世紀に正式に否定された。

また、アンナは聖家族の中に登場したり、聖母子とともに描かれたりするようになった。アンナ、マリア、キリストを描いたものを、「聖アンナ三代図」という。次章で見るように、聖母崇敬の高まりに伴って聖母もキリストと同じく聖霊によって生まれたという「無原罪の御宿り」の思想が広がると、その母アンナも神聖化されるようになったのである。ルネサンス絵画の先駆者マザッチョが描いた作品（3-24）はその代表である。聖母子の背後に立つアンナと

上 3-24 マザッチョ《聖アンナと聖母子》1424年 フィレンツェ、ウフィツィ美術館
下 3-25 レオナルド《聖アンナと聖母子》1508年頃 パリ、ルーヴル美術館

天使は先輩画家のマゾリーノの手になるものと思われている。

レオナルド・ダ・ヴィンチの有名な《聖アンナと聖母子》（3-25）は、アンナの膝に乗ったマリアが仔羊にまたがろうとする幼児キリストに腕を伸ばしている。マリアの姿勢には無理があり、アンナとマリアは姉妹のように若い。マリアがわが子キリストが犠牲になるのを止めようとしていると解釈されることもある。ロンドンのナショナル・ギャラリーにはカルトン（下絵）があるが、そこには少年の洗礼者ヨハネも登場し、やはりアンナとマリアは双子のように似ている。

3-26　マサイス《聖アンナ祭壇画》中央パネル　1507-08年　ブリュッセル王立美術館

ネーデルラントでレオナルドの影響も受けたクエンティン・マサイスの代表作《聖アンナ祭壇画》（3-26）は、ルーヴェンの聖アンナ信心会の注文で描かれたものである。中央パネルには聖アンナとマリアが並んで坐り、その背後にはアンナの三人の夫、ヨアキム、クロパ、ゼベダイとマリアの夫ヨセフがおり、手前には左右にクロパとの子のマリアとゼベダイとの子マリアが、大ヤコブやヨハネといったそれぞれの子どもたちとともに描かれている。マリアの姉妹やキリストの従弟を描いたこうした大家族を「聖親族」というが、クラーナハも描いており、この時代に特有の図像である。

聖アンナ三代図は他にもキリストの左右にアンナとマリアを配置する絵画や彫刻もある。父、子、聖霊の三位一体や、先に述べた「地上の三位一体」に倣って、「アンナの三位一体」と呼ばれた。アンナ自体も、マリアと同じように崇敬され、ときに土着の女神と習合したり、聖泉伝説を生み出したりした。マリアよりも情報が少なく、曖昧な位置にあったアンナは古来様々な伝承と結びつけられ、その前身であった地母神の記憶を宿す存在として信仰対象の中に残ったのである。

4 美術としての聖母子

†ルネサンスの聖母子画

ルネサンスは陰影法と遠近法によって、絵画の自然主義が著しく発展した。イタリアでは十四世紀初頭のジョット以降、合理的な空間の中に群像が配置され、人物は彫刻のような立体感を持ち、生き生きとした表情やしぐさを見せるようになった。ネーデルラントでは十五世紀初頭に油彩技法が発明され、精妙な光の表現や細部描写が追求された。聖母マリアも生身の人間と同じように表現され、親しみやすい存在になっていった。北方ルネサンスを代表する画家ヤン・ファン・エイクは、様々な聖母子図(2-57)や「受胎告知」(2-8)を描いたが、そこでは聖母は光に満ちた風景や教会や室内におり、現実の人間のように写実的に表現されている。それでいて、聖母は神の母にふさわしい威厳と高貴さを保っている。

同じ頃イタリアではレオン・バッティスタ・アルベルティのような知識人が、絵画を知的な技芸の一つとして評価した。そして絵画は、神の創造物である自然をとらえ、その美を表現するものだという考えが生まれた。同じものを繰り返して作る職人とはちがって、芸術家は自然に基づきながら自分なりの工夫やアイデアを表現するのであり、その出来によって作品が評価された。称賛される作品を生み出すのは、中世の無名の職人から、名前をもった芸術家に変化したのである。聖母の絵であれば、それまでのイコンでは、作者ではなく由来や伝承ばかりが重視されたが、この頃から誰が描いたかということが価値基準の一つとなった。そしてイコンは複製されても聖性は損なわれず、無名の絵師によって何枚も複製されるのが普通であったが、作者の真正の作品であることが重視されるようになった。

フィレンツェのベアト・アンジェリコはドミニコ会士として僧院ですごし、祈りとともに宗教画を描く生涯を送ったが、フィレンツェで新たに開発された遠近法や明暗法といった初期ルネサンス様式によって合理的で自然な空間や人物を描いた。彼の描く聖母は普通の人間のように親しみやすく、つねに清楚で優美である（2-5、6）。こうした彼の作品が大いに歓迎され、彼はローマなど他の都市に招かれて制作した。彼に学んだフィリッポ・リッピも聖母の絵を得意としたが、《聖母子と二天使》（3-27）は、妻となる尼僧ルクレティアとわが子フィリッピーノをモデルとしたといわれ、自然な感情を感じさせるルネサンスの代表的な聖母子である。この絵のように、幼児キリストに手を合わせる聖母は「マードレ・ピア（敬虔な聖母）」と呼ばれる。

フィリッポ・リッピに学んでその影響を受けたボッティチェリは、当時私的な注文において流行したトンドという円形画を描いた。その一点、《歌う天使と聖母子》（3-28）は「授乳の

上 3-27　フィリッポ・リッピ《聖母子と二天使》1460-65年頃　フィレンツェ、ウフィツィ美術館
下 3-28　ボッティチェリ《歌う天使と聖母子》1483年頃　ベルリン絵画館

聖母」の一種だが、聖母の乳房は描かれず、幼児キリストが聖母の胸をまさぐっている。この円形作品は個人の邸宅ではなく、フィレンツェのサン・ミニアート門の外のサン・フランチェスコ聖堂に飾られていたとヴァザーリが伝えているが、ナポレオン軍によってパリに持ち去られた後、ラクツィンスキー伯爵に買い上げられたためラクツィンスキー・トンドと呼ばれる。二十世紀でもっとも偉大な神学者とされるパウル・ティリッヒは、第一次大戦中、従軍牧師として前線の塹壕で働いていたとき、雑誌でこの絵の複製画を見て慰められたという。そして戦後、ベルリンの美術館で実際にこの作品に対面したとき、啓示を受けたという。

それをじっと見上げていると、私は脱自に近い状態を感じた。その絵の美しさのなかには《美》そのものがあった。中世の教会堂のステンドグラスの窓を通して昼間の光が輝くように、それは絵の具の色彩を通して輝いていた。／ずっと昔にその画家が心に描いた美に浸って私がそこに立っていたとき、あらゆる事物の神的源泉のあるものが私に向かって通り抜けてきた。私は心をゆさぶられて顔をそむけた。／その瞬間は私の生の全体を感動させ、人間実存の解釈にとっての鍵を私に与え、生命的喜びと精神的真実をもたらした。（前川道郎訳）

プロテスタントを代表する神学者が、聖母の絵を見て忘我状態になったというのはいかなることであろうか。もちろんティリッヒはそれが聖母だから感動したとは書いていないが、別の文章でラファエロの聖母子画にも「非宗教的な様式で宗教的な内容」を認めて評価している。彼はルターと同じく、聖母の神学的な意味よりも、聖母の画像が人々を慰安する効果があることを認識していたにちがいない。しかもそれは悲惨な戦時中の出会いであったために、一層強い印象を与えたのだろう。古来多くの宗教家が経験した幻視や聖母の顕現というのも、これと似たような経験ではなかったろうか。また、ある画像が語りかけてくるという奇蹟の多くもそれと近いように思われる。

3-29　ベッリーニ《牧場の聖母》1505年　ロンドン、ナショナル・ギャラリー

先に見たヴェネツィアのジョヴァンニ・ベッリーニは、教会の祭壇画として注文された聖会話図のほかに、《牧場の聖母》(3-29)のように、個人の注文主のために聖母子の小型の画面を数多く描いた。聖母子はイコンのように上半身のみだが、温かい光に満ちた親しみやすい母子の姿となっている。こうした自然主義的な聖母子を「マーテル・アマビリス(愛すべき聖母)」という。それらは、市民が自宅に掛けて日々眺めて祈るための画像であった。そして多くの場合、背景には牧歌的な風景が広がっていた。こうした風景は当時親しまれていたヴェル

ギリウスの『田園詩』を示唆し、知的な注文主に好まれた。それらは信仰用の画像でありながら、美術作品としても享受されるようになったのである。

ドイツの画家デューラーがヴェネツィア滞在中に会ったのがこのベッリーニである。中世の素朴な信仰や職人的な環境で育ったデューラーにとって、美術家が創造者として尊敬されるイタリアは新鮮であった。そこでは、宗教画もそれが表す神や聖母によってだけではなく、作者の技術や創意によって評価されていた。彼もイタリアでは、ヴェネツィアのドイツ人の教会のために後に見る《ロザリオ祝祭図(ローゼンクランツフェスト)》(4-9)のような本格的な祭壇画から、個人用の聖母子図まで、何点か聖母を描いて称賛されたが、それによって、文化的な後進地域と思われていたドイツにも優れた画家がいるということをアピールすることになった。

†ラファエロの聖母子

ルネサンス期、聖母の絵は、聖母への崇敬や敬慕という動機からだけではなく、美術作品として鑑賞され、評価されるようになる。もちろん、すべての画像がそうではなく、民衆が街角や自宅に飾るような聖母像は従来の無名の職人によって量産されたものであった。

つまり、この時点で「美術」というものが成立したといえよう。ハンス・ベルティンクは、一九九〇年に出版し、中世美術史研究に多大な影響を及ぼした大著『像と信仰』において、西洋美術とキリスト教信仰との関係を独自の視点で概観した。本書もこの書物には大いに依拠しているが、古代から近世にいたる宗教美術の機能や観者の役割を考察し、ルネサンス期に「像」は信仰の対象から「美術」に変化したとしている。中世以前の美術作品は芸術性よりも宗教性が重視されたが、ルネサンス以降は信仰的な価値よりも芸術的価値が重要となったという。しかし、涙や血を流すといった奇蹟を起こす聖母画像はルネサンス以降にかえって増えていることから、こうした区分には美術史家ゲルハルト・ヴォルフらによって異を唱えられている。むしろ、「美術」となったことにより、信仰としての力も増加させた画像もあったのだ。

こうした芸術としての評価の頂点に立ったのがラファエロ・サンツィオである。ウルビーノで生まれたラファエロは一五〇四年、二十一歳の頃フィレンツェに出て、レオナルド・ダ・ヴィンチのスフマート（ぼかし）や優美な構成、ミケランジェロの力強い人物像を熱心に研究して習得し、一五〇八年にローマに移動するまで、数多くの聖母子像を描いた。

ラファエロの聖母子像は数多くあるが、《大公の聖母》（3-30）や《テンピの聖母》のように聖母子だけのものから、《ひわの聖母》《ベルヴェデーレの聖母》《美しき女庭師》（3-31）《小椅子の聖母》（3-32）のように少年の洗礼者ヨハネを伴うもの、そして《カニジャーニの聖家族》のようにアンナとヨセフを伴うものがある。いずれも「マーテル・アマビリス」に分類できるものである。

聖母子だけのものや少年ヨハネを伴うものは、あどけない幼児キリストが健康的で丸々と太っており、いずれも裸体である。ビザンツのイコンや十四世紀以前の幼児キリストは大人と同じような着衣であったが、十五世紀になると裸体が一般的になった。その理由ははっきりしないが、古代のプットーのように童子が裸体で表されていたことや、裸体は十字架上の死の姿であり、死せるキリストを予告するためであると考えられる。前に見たピエロ・デラ・フランチェスカの《モンテフェルトロ祭壇画》(3-2)のように、聖母の膝で眠る幼児キリストは、聖母がキリストの遺体を膝に乗せるピエタの図像を重ねている。もっとも、後に述べるカトリック改革の時代になると、ヨハネス・モラヌスは『聖画論』で、幼児キリストが裸体であることを批判し、かつてのように着衣で描くべきだとした。

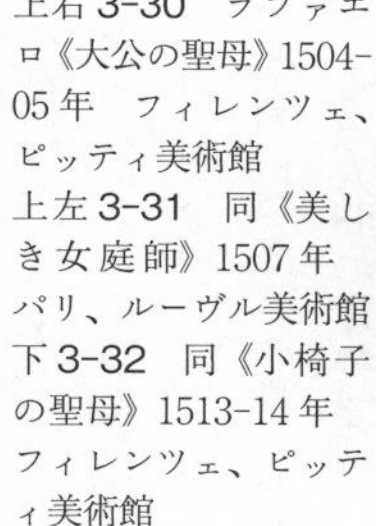

上右 3-30　ラファエロ《大公の聖母》1504-05年　フィレンツェ、ピッティ美術館
上左 3-31　同《美しき女庭師》1507年　パリ、ルーヴル美術館
下 3-32　同《小椅子の聖母》1513-14年　フィレンツェ、ピッティ美術館

ラファエロの聖母子では、この健康そうな幼児キリストを温かく見つめる聖母は、伏し目がちで、口元にかすかな笑みをたたえている。同時に、憂いを含んでおり、将来のわが子の受難を予感しているように見える。聖母の表情は、第一章で見た《ウラディーミルの聖母》(1-8)のように、わが子への愛情とその行く末への憂いの双方を表しているのだが、それがきわめて控えめで自然に表現されている。人間の母の感情を示しながら、神の母らしく毅然とする聖母は、ラファエロならではのものであり、他の画家の追随を許さない。

《美しき女庭師》(3-31)や《ベルヴェデーレの聖母》は、聖母を頂点とする完璧な三角形構図に収まっており、それでいて人物たちは堅さを感じさせない自然なポーズを示している。ラファエロはこの後に教皇によってローマに呼ばれ、《アテネの学堂》など、ヴァチカンのスタンツェ(諸間)の壁画で大人数の人物群像を見事に構成してみせるが、聖母子の群像にもその構成力が発揮されているようだ。

これらはタッデイ家やナージ家といった裕福なフィレンツェ市民のために制作されたものである。人物たちの親密な雰囲気は、教会内ではなく、個人の邸宅を飾るためのものであることに起因する。《小椅子の聖母》(3-32)の聖母はこちらを見つめ、観者と目が合って親密な効果を高めている。イコンの多くは聖母がこちらを見るが、そのようなイコンの効果を取り入れたものと見ることができる。

†天上の聖母子

しかし、ラファエロの聖母子の中でも、《フォリーニョの聖母》（3－33）と《サン・システィーナの聖母》（本章扉）は、ローマ移住後に教会の祭壇画として注文されたものであり、性質を異にする。《フォリーニョの聖母》では、ユリウス二世の秘書官シジスモンド・デ・コンティが右下に跪き、三人の聖人に囲まれている。シジスモンドの領地に火の玉（隕石）が落下したが無事であったことを感謝するために注文し、サンタ・マリア・イン・アラチェーリ聖堂に寄進したもので、背景には町に火の玉が落下する情景が描かれている。注文主のほか三人の聖人と銘板を持つ天使が聖母子を見上げ、あるいは指さしている。聖母子は周囲に星座のついた大きな

上 3-33　ラファエロ《フォリーニョの聖母》1511-12年　ヴァチカン絵画館
下 3-34　ペルジーノ《栄光の聖母子と聖人たち》1495-96年　ボローニャ国立絵画館

光輪を背にして雲に座している。地上で無邪気に遊ぶ子を見つめていた聖母子は、天の栄光のうちに引き上げられ、神々しさを放っている。こうした形式は元来、ラファエロの師ペルジーノの《栄光の聖母子と聖人たち》（3-34）のような作品の図像に由来するが、ラファエロは、聖母子を雲の中に置き、それが顕現したかのように表現して、天上と地上との断絶を解消させている。この祭壇画が設置されたサンタ・マリア・イン・アラチェーリ聖堂の建つカピトリーノの丘には、初代皇帝アウグストゥスが神託を受けたティブルのシビュラに導かれて太陽の中の聖母子の幻視を見たとされ、巫女はこれを「天の祭壇（ara coeli）」であると語ったという伝承がある。この「アウグストゥスの幻視」は十二世紀初頭の『都市ローマの驚異』に記され、十三世紀の『黄金伝説』や『人間救済の鑑』によって普及した。聖堂はそれを記念していたため、ラファエロの構図は、この「天の祭壇」における太陽の聖母を考慮したものだと考えられる。聖母子が天上にいて、それを聖人や注文主が見上げるというこの構成は大きな影響を与え、以後十七世紀まで流行する。

《サン・シストの聖母》は教皇ユリウス二世の菩提を弔うためにピアチェンツァのサン・シスト聖堂の主祭壇として制作されたもの。聖母子をはさんで右にピアチェンツァの守護聖人聖バルバラ、左にユリウス二世の面影をもつ教皇シクストゥスがおり、下には二人の天使が肘をついて見上げている。画面には地面は見えず、全面が雲に覆われており、画面全体が天上の世界になっている。左右にカーテンが開けられたように描かれている。このカーテンは、天使のいる下の台とともに一種のだまし絵であり、観者のいるこちら側に属しているように見える。通常は幕で覆われている聖遺物が御開帳されるように、聖なるものを覆っているカーテンが開いて聖母子と聖人が登場するような仕掛けになっている。それによって、教会で祭壇の前に立つ者は、祭壇上に聖母子が出現するような印象を受けるのである。《フォリーニョの聖母》では画中に聖母の出現が挿入されていたが、ここでは画面全体が聖母の出現となっているのだ。観者の目の前に直接的に聖母が現れるこうした趣向は、やはり十七世紀以降流行する。

この絵は一七五四年にピアチェンツァの聖堂からザクセン侯フリードリヒ・アウグスト二世に売却され、現在ドレスデン美術館に飾られているが、ドイツの文人や芸術家を魅了し、彼らをカトリックに改宗させかねないほどの力があったという。フランツとヨハネスのリーペンハウゼン兄弟の描いた《ラファエロの夢》（3-35）という作品では、制作中に眠りに落ちたラファエロのもとに「サン・シストの聖母」が顕現している情景を描いている。実際、《サン・シストの聖母》は、次章で見るように、バロック期に流行することになる、聖母の顕現を

3-35　リーペンハウゼン兄弟《ラファエロの夢》1821年　ポズナン美術館

表す幻視の主題を先駆したのである。

†ラファエロの影響

先に見たように聖会話図を変容させたティツィアーノもまた、ラファエロの《フォリーニョの聖母》(3-33)の影響を受けて聖母子を空中に上げた。一五二〇年の《ゴッツィ祭壇画(アンコーナの聖母)》(3-36)では、夕暮れのヴェネツィアの風景を背景に、寄進者と二人の聖人が聖母子を見上げ、聖ビアジウスが聖母子を指さして寄進者に促し、聖母は雲の上から彼らを見下ろしている。ティツィアーノは一五三三年から三五年にもヴェネツィアのサン・ニッコロ・デイ・フラーリ聖堂のために聖母が諸聖人を雲の上から見下ろす祭壇画を描いているが、これは聖会話図の発展したものと見ることができよう。この大作は、現在ヴァチカン絵画館で見ることができる。

地上に降りた人間的な聖母子の表現をきわめたラファエロは、再び聖母子を輝かしい雲に覆われた天上に引き上げたのである。それはルネサンスからバロックへの変化にほかならなかった。十六世紀末にボローニャとローマで活躍したアンニーバレ・カラッチは、上部に聖母子、下部に聖人を配置する構図を多く描いた。一五八八年の《聖マタイの聖母》であきらかにティツィアーノの《ペーザロの祭壇画》(3-7)に倣った対角線構図を用い、一五九二年の《聖ルカと聖カタリナの聖母》(3-37)ではラファエロの《フォリーニョの聖母》に倣ったピラミッド構図となっている。アンニーバレ・カラッチの従兄でともに制作したルドヴィコ・カラッチは、ラファエロの《サン・シストの聖母》の影響の濃厚な《素足の聖母》を描いた。三日月の上に素足で立つのは、第四章で述べる「無原罪の聖母」であり、左から聖ヒエロニムスが見上げ、右から聖フランチェスコが幼児キリストの手をとる。聖会話図が、バロックの幻視画に移行する過渡期にあることを示す作品であるといえよう。

カラッチ一族はボローニャの後進を育て、グイド・レーニ以下のボローニャ派は十七世紀から十八世紀のイタリア美術の規範を作り出したが、聖母像を頂点とするこうした祭壇画も彼らに継承され、標準的な形式となったのである。

上3-36　ティツィアーノ《ゴッツィ祭壇画》1520年　アンコーナ市立美術館
下3-37　アンニーバレ・カラッチ《聖ルカと聖カタリナの聖母》1592年　パリ、ルーヴル美術館

ラファエロの聖母子像は、十六世紀から今日まで聖母子の規範あるいは理想像として世界中に親しまれてきただけでなく、西洋美術史上の至高の名作として称賛されてきた。それらは、ラファエロという西洋美術最大の天才によるものとして神聖視され、特別の価値が加わった。当初は教会のために制作されたラファエロの祭壇画で、今もそのまま教会の祭壇に置かれているものは一点もない。いずれも早い時期から激しい収集活動の対象となり、収集家に売却されたり半ば強奪されたりして各国の王宮を飾り、その後は世界各地の美術館の目玉となっている。こうしたラファエロ受容の変遷を論じたシルヴィア・パグデンの言葉を借りれば、ラファエロの祭壇画は、信仰イメージからイメージ信仰への変化、つまり信仰を表現していたものが、やがて作品自体が信仰の対象となったということを物語っている。

同時にそれらは、ラファエロという西洋美術史上最大の天才の絵だからというだけでなく、聖母の清らかさや美しさを伝えて広める役割を果たしてきた。今日でも人々が思い浮かべる一般的な聖母のイメージのほとんどは、その源にラファエロの聖母があるといってよいだろう。そして聖母そのものも、芸術作品のテーマであるとともに、信仰の対象であり続けた。ルネサンス期、美術の時代になってますます聖母は、美術と信仰の双方が不可分に結びついた存在となったのである。

5 反ユダヤ主義と聖母崇敬

†ペストとユダヤ人迫害

中世にペストなどの災禍が起こるたびに、ユダヤ人は敵視され、井戸に毒を流したなどというデマが流れ、虐殺されることがあった。「磔刑」や「嘆きの聖母」の主題も、しばしばその陰でキリストを処刑したユダヤ人への敵意を喚起するものであった。

とくにドイツでは中世末からルネサンス期に、反ユダヤ主義と並行して聖母崇敬が異様なまでの高揚を示した。各地でユダヤ人迫害（ポグロム）が増加し、シナゴーグが破壊され、その跡地に聖母教会が建てられた。十四世紀から十五世紀にかけて、各地でユダヤ人が迫害され、追放されたが、その口実として、彼らが聖餅を冒瀆した、聖母像を汚したりののしったりしたなどとされることが多かった。こうして聖母は反ユダヤ主義の先頭に押し出されたのである。その背景には、十字軍や戦争、ペストの流行や経済の衰退といった社会的な不安があった。ユダヤ人はキリスト教徒の敵とされ、こうした不安や不満のはけ口にされたのである。

3-38　マリエンカペレ　14-15世紀　ヴュルツブルク

ペストの流行した一三四九年のヴュルツブルクでは、ユダヤ人が組織的に虐殺された。ペストの原因はユダヤ人が井戸に毒を入れたせいだという風説が広まり、ジュネーブに始まり、ベルン、フライブルク、マインツ、ストラスブールなど多くの都市でも大虐殺が起こった。ヴュルツブルクではゲットーが焼き討ちにされ、すっかり消滅した。やがてペストが沈静化すると、焼失したゲットーの跡地に一三七七年からマリエンカペレ（聖母礼拝堂）の建設が始まり、十五世紀の半ばに完成した（3-38）。後期ゴシック様式の聖堂の尖塔の頂上には、黄金の無原罪の聖母が輝いている。第二次大戦の空襲でひどく破壊されたが、修復され、内部を飾っていたリーメンシュナイダーの彫像なども現存している。この聖堂は、ペストを鎮めた聖母に感謝し、キリスト教の勝利を称えるべく、あえてゲットーの跡地に建設されたのであろう。聖母はこの地を浄化すると思われたのである。

ただ、そうではなく、市民たちがユダヤ人を大量に虐殺してしまったことの罪を悔いて、聖母に贖罪をとりなしてもらうために建設したという説もあり、そう書いてある本も多いが、それはあまりに現代的な見方ではないだろうか。

†レーゲンスブルクの聖母像

右3-39　アルトドルファー《シェーネ・マリア》1519年　レーゲンスブルク、聖ウルリヒ司教区博物館
左3-40　オステンドルファー《レーゲンスブルク新教会の巡礼》1519年

十五世紀末、南ドイツの古都レーゲンスブルクは、経済的・社会的に不安定な状況にあった。商業都市の座をニュルンベルクなどに奪われつつあり、帝国自由都市としての重い税負担により借金を重ねており、帝国に反抗する市民の暴動もたびたび起こっていた。一五一六年、インゴルシュタットの聖母教会の司祭であったバルタザール・フープマイアーが、説教師としてレーゲンスブルクの大聖堂に着任する。フープマイアーは市の借金や社会の混乱の原因はユダヤ人にあると非難した。当時の皇帝マクシミリアン一世は、帝国都市のユダヤ人が納める税金を重要な収入源であるとして保護政策を行っていたが、皇帝が一五一九年に亡くなると、ユダヤ

人追放の動きが一気に高まる。その結果、シナゴーグが引き倒され、同じ場所に間に合わせの木造の聖母教会が建てられた。ユダヤ人によって「穢れた」土地を浄化するためである。百四十年前のヴュルツブルクの事例と似ているといえよう。

その内部には、町に古くから伝わる聖母のイコンに基づき、この町の有力画家アルブレヒト・アルトドルファーが描いた《シェーネ・マリア（美しき聖母）》（3－39）の祭壇画が設置された。聖堂の前には大聖堂建築家エアハルト・ヘイデンライヒによる石彫の聖母像が設置された。

シナゴーグを壊しているとき、転落して瀕死の重傷を負った大工が翌日には元気に姿を現したことから、それがこの聖母による奇蹟であると喧伝された。石彫の聖母像に触れた布が病気の畜牛を癒したという奇蹟も起こった。多くの『奇蹟の書』が発行されて宣伝され、この新しい聖母教会は爆発的な巡礼を呼び起こした。その様子はミヒャエル・オステンドルファーによる版画（3－40）に伝えられている。それを見ると、聖母の絵のついた旗の掲げられた教会に杖をもった巡礼者が押し寄せている。手前の聖母立像の円柱には何人かの男女がすがりついており、大仰に祈ったり地に倒れたりしている。みな一種の忘我の境、つまりトランス状態にあるのがわかる。右側にはユダヤ人のゲットーの廃墟を背に、巨大な旗や蠟燭を持った宗教行列が教会に近づいてくる。教会の入り口周辺には鎌や鋤や鎌などいろいろな農機具やブーツが吊るしてあるが、これはすべて後に詳しく見るエクス・ヴォート（奉納物）である。神への感謝の印として、持ち物や画像など、自らの痕跡を教会に奉納する習慣があったのである。このとき、短期間のうちに多くのエクス・ヴォートが奉納されたのがわかる。

この地にあった古いイコンは、十一世紀に教皇から神聖ローマ帝国に贈られたという伝承があり、アルテ・カペレ（旧礼拝堂）に安置されていた。このイコンはルカが描いたものといわれていたが、元になったのはローマのサンタ・マリア・デル・ポポロ聖堂にある《ポポロの聖母》である。一四七八年、教皇シクストゥス四世が、この像に贖宥（罪のあがないを免除する力）を認めたことから、それを模倣した画像がさかんに作られるようになった。レーゲンスブルクのこのイコンもその一点である。

3-41　アルトドルファー《シェーネ・マリア》1519年

アルトドルファーの《シェーネ・マリア》は、それに基づいて油彩で当世風に描いたものである。ビザンツ風の衣装（マフォリオン）をまとった半身像である点は共通しているが、柔らかい陰影や、聖母子を取り囲む光の表現などはルネサンス風である。聖母子は光の中から顕現したようである。由緒ある古いイコンのいかめしい姿よりも、民衆にははるかに受け入れやすかったであろう。アルトドルファーはオステンドルファーの版画にも見られる聖母の旗や、巡礼者のつけるバッジ（5－25）も制作したことがわかっており、多色版画による半身の聖母子像《シェーネ・マリア》（3－41）も制作した。それらは巡礼者が購入したであろう。翌年までに錫のバッジは十万一千個、銀のバッジは一万個近く売れたという。他の聖地のように古い聖母のイコンが奇跡を起こしたのではなく、奇跡があったために新たに聖母像が作られたという特異な現象であった。聖母の霊験は、由緒ある聖母イコンだけでなく、新たに作られた像にも宿ると思われたのである。

古い聖地でもなく、大した聖遺物もないにもかかわらず、急にこのような熱狂的な巡礼を呼び起こしたのは不可解であるが、それを求める社会の熱気や民衆のエネルギーが沸騰していたことを思わせる。こうした情熱はやがて宗教改革の動乱の原動力となるであろう。

このように「穢れた」ユダヤ人を追放し、「清らかな」聖母崇敬が進められた事例は、レーゲンスブルクに限らず、他のドイツの諸都市やボヘミア地方でも見られた。十四世紀のニュルンベルクでは、ユダヤ人学校が取り壊され、その場所に聖母教会が建てられた。ローテンブルクでも一五二〇年にユダヤ人が追放されており、その際、シナゴーグが聖母教会に建て替えられた。ここでも、私腹をこやしていたとしてユダヤ人が糾弾され、神の意思として、汚れのない聖母へこの教会が捧げられた。聖餅を冒瀆し、聖母を中傷したユダヤ人を追い出すことは正当であるとされ、その場所を浄化するために聖母教会が新たに建てられたのである。

中世末の聖母崇敬は、このように反ユダヤ主義の盛り上がりと一致しており、聖母はユダヤ人を懲罰し、追放する戦闘的な女神という役割に担ぎ出されたのである。しかし、こうした行き過ぎた聖母熱は宗教改革の批判を受けることになる。

6 イコノクラスム

†宗教改革と聖像破壊

一五一七年、マルティン・ルターによる宗教改革が起こった。ルター自身も強烈な反ユダヤ主義者であったが、よく知られているように、贖宥状を乱発した当時のカトリック教会の腐敗に反発し、聖書に遡ってキリスト教を見つめ直そうとしたのである。それが大きな運動となり、西欧を二分する騒乱を生む。

宗教改革は、ルネサンスの人文主義の延長で生まれたものであった。ルネサンスのキリスト教は、人間の生活と調和し、個人の現世の幸福を祝福するものであったが、そのために中世にくらべて教会や聖職者の権威が低下したといえる。そして、キリスト教のあり方を正し、本来の信仰を合理的に追求した一種の原理主義運動が宗教改革であった。宗教改革の精神的な始祖エラスムスは、マルシリオ・フィチーノの影響によってプラトン哲学に福音の先駆を見出した典型的な人文主義者であった。ルターは、人は信仰のみによって救われるとし、教会制度や儀式よりも聖書を重視し、神の前ではみなが平等であるという、「信仰のみ」「聖書のみ」「万人司祭」という理念を掲げた。スイスのジャン・カルヴァンは、ルネサンスの古典研究で培われた厳密なテキスト解釈による聖書読解に基づいて宗教改革を展開する。

こうした宗教改革はルネサンスの円熟した人間中心の美術に打撃を与えた。既存の典礼や教皇の権威に疑義を投げかけ、宗教美術についても、八世紀にビザンツ帝国で起こったのと同じように、旧約聖書に記された偶像禁止に抵触するとして批判するにいたった。こうして、教会に飾られていた聖像は、聖書で禁止されている偶像とみなされるようになる。

ルターは、画像を濫用することを批判しつつも、それを破壊することは逆にその聖性を認めることになること、またかつてのイスラエルの民のように、聖像を破壊することは罪人や不服従者を殺すことにつながることとし、聖像に比較的寛容だった。「聖像が危険なのは事実である」としながらも、「聖像を持っていることは悪いことではない」とし、「聖像を許容すべきである」とした。もし聖像を外的に禁じても、心が聖像から解放されていなければ無意味であり、正しく用いるかどうかが重要である。つまり彼にとって聖像問題は信仰の自由の問題であった。

しかし、ルターの先輩でヴィッテンベルクの宗教改革を指導したアンドレアス・カールシュタットは教会から聖像を撤去すべきだとし、一五二二年、『図像の排除と、キリストの名のもとに何人も乞食となってはいけないことについて』を出版した。また彼が中心となって起草した「ヴィッテンベルク教会規定」(一五二二年)の第十三条には「偶像崇拝を避けるために教会において聖像と諸聖壇が撤去されるべきである」とし、その一ヵ月後には市の教会の聖像が取り除かれた。

またスイスのツヴィングリやカルヴァンも聖像に厳しい態度を示し、それらは信者の集まる教会にとって余分な装飾であると考えた。もっともカルヴァンは礼拝の場以外での聖画の私的使用は許容しており、『キリスト教綱要』でも次のように述べている。「私はしかし、どんな像も許されないと考えるほど迷信的な潔癖感にとらわれてはいない。むしろ、彫刻や絵画は神の贈り物であるから、主御自身の栄光と我々の幸福のために賜わったものが転用した乱用によって汚され、それのみか更に転じて我々の破滅になることがないように、これらが純粋かつ正当に用いられることを要求する。」

しかし、ドイツ、スイス、ネーデルラントなど、カルヴァン派の考えが広がった新教国では、群集が教会や修道院を襲ってその財宝や画像を破壊するイコノクラスム(聖像破壊運動)の嵐が吹き荒れた。チューリヒでは一五二三年にツヴィングリの宗教改革運動に触発された民衆が教会に押し入り、片端から祭壇や像を打ち壊した。カルヴァンの活動したジュネーブでは一五三五年に教会が略奪に遭っており、一五三〇年にはコペンハーゲン、一五三四年にはミュンスター、一五三六年にはローザンヌ、一五三七年にはアウクスブルク、一五六六年にアントウェルペンなどネーデルラントでもイコノクラスムが起こった。そこでは、中世からルネサンスにいたる貴重なネーデルラント絵画の多くが容赦なく破壊され、灰燼に帰したのである。こうしたイコノクラスムをドイツではビルダーシュトルム（像の嵐）と呼ぶ。これらの地域では、少し前まで民衆から熱狂的に信仰を集めていた聖母像が、同じ民衆によって熱狂的に破壊されたのである。

†聖母崇敬の否定

聖母マリアは、宗教改革によってその聖性が否定された。それによって、中世以来、天の女王として崇められ、美術の中心でもあった聖母マリア像は格好の破壊対象となってしまう。カルヴァンは「神の母」という称号に疑念を呈し、マリア崇敬を否定し、聖母にとりなしを求める代願の祈りは「呪うべき瀆神」とした。

しかし、カトリックでも聖母を神としていたわけではない。聖母はキリストの母という信者の模範となって崇敬されたのであった。カルヴァン派は、たまたまマリアが神に選ばれただけであって、とくに評価する点を認めなかったが、カトリックはマリアがその運命を受け入れることを決意したことを評価する。ここには、宗教改革の焦点であった自由意志と予定説の対立という問題も関係している。人間の意志や行為は救いとは関係がなく、すべて神に予定されているというカルヴァン派の予定説からすれば、マリアの人格や意志には敬うべき点はない。しかし、救われるかどうかは本人の自由意志にかかっているとするカトリックの考えにとっては、マリアが逡巡の末に自らの意志で受胎告知とキリストの受肉を受け入れたことこそが人間の救済への道を拓くことになったのであり、大いに賛仰に値するのである。

ルターは、「聖母への崇敬は心深くに刻まれること」であるとし、生涯にわたって聖母を賛美し、『マリア賛歌』を著した。彼は、聖母は「受肉のうつわ」としてとりなしを行うが、主体的に恩寵をもたらすものではないと記している。彼はまた、聖母像自体は否定していないが、行き過ぎた聖母崇敬を抑制することを求めていた。説教では聖母を「天の女王」と称えることについては度を超えていると戒め、さらに聖職者が聖母を異教の女神のように崇めていることを非難している。一五二九年の説教では、紙に描かれた小さな聖母の絵を例に挙げ、信者は絵の中の聖母に嘆願するが、それは異教的な絵であると述べる。そして聖母崇敬の誤った例として、ドイツの町グリメンタールやレーゲンスブルクの聖母崇敬を挙げている。

前述の、一五一九年のレーゲンスブルクの熱狂的な聖母巡礼は評判となり、ルターが非難しただけでなく、画家デューラーもこれを憂慮している。その後、レーゲンスブルクでは巡礼者は急激に減り、一五四二年にこの町がプロテスタントを公式に認めたことから、聖母教会はルター派の教会となり、翌年、教会の前に立っていたヘイデンライヒによる石造の聖母像は粉々に砕かれてしまった。一五五四年には教会内でアルトドルファーの聖母画に代わって祀られていたハンス・ラインベルガーの木彫の聖母の立像は新教徒によって布で覆われてしまう。デューラーの活躍したニュルンベルクでは、前述のカールシュタットの聖像批判の影響を受けたアンドレアス・オシアンダーが一五二二年にザンクト・ローレンツ聖堂の説教師に就任し、一五二四年にプロテスタントを受け入れた。この聖堂では、一五一八年以来、第二章で見たファイト・シュトースの《天使の挨拶（受胎告知）》（2-10）が天井から吊るされていたが、それは布製の袋によって覆われ、人目に触れないようにされてしまった。

また、前述のように彫刻家リーメンシュナイダーや、デューラーと並ぶドイツ・ルネサンス最大の巨匠グリューネヴァルトは、宗教改革後の農民戦争において農民側に共感したゆえに追放や拷問によって制作停止に追い込まれ、シュトゥットガルトの画家イェルク・ラートゲープは農民軍に加わったために反逆罪で四つ裂きの刑に処された。

グリューネヴァルトは宗教改革直前に世界最高の祭壇画といわれる《イーゼンハイム祭壇画》を描き、そこでも奏楽の天使とともにいる幻想的な聖母子を描いたが、その後、アシャッフェンブルクの修道院のために描いた《シュトゥパッハの聖母》（3-42）では、さらにその幻想性が濃厚になっている。これは三連祭壇画の中央パネルに当たる。右パネルは真夏に雪が降って教皇リベリウスに聖堂の建設場所を知らせた「雪の奇蹟」の情景であり、左パネルは消失している。「閉ざされた庭」の図像を引き、白百合やバラやロザリオや虹など様々なモチーフに囲まれた聖母子は、「雪の奇蹟」を想起させるように、雪のように白い肌である。ドイツの生んだもっとも記念碑的な聖母像であるといってよい。

このように宗教改革期にはドイツ美術は最盛期を迎えたが、宗教改革後は各地で聖母像が批判された。ピエタ像でキリストのみを残して聖母を削りとったものも残っている。一五五〇年頃以降、プロテスタント圏の教会では聖母像は消滅した。一方、ルターと論争したカトリックの理論家ヨハン・エックはイコノクラスムに反対して聖母崇敬を奨励した。イコノクラスムによって破壊されそうになった聖画像が泣いたり、奇蹟を起こして暴徒を懲らしめたりという逸話も多く生まれた。そして、カトリックに留まった都市や、両者の共存を認めた都市では、聖母

3-42　グリューネヴァルト《シュトゥパッハの聖母》1516-19年　シュトパッハ、教区聖堂

像をドイツ的な宗教的熱情や敬虔な信仰心を促進するものとして奨励し、保護しようとする動きもあった。ポーランドの黒い聖母《ヤスナ・グラの聖母》(第一章扉)のように、傷つけられることによってより一層崇敬が高まるという例も見られた。やがて、十六世紀末から宗教改革に対抗するカトリック改革の波が到来し、聖母は以前にもまして崇敬され、その像もますます量産されたのである。

†クラーナハの《マリアヒルフ》

ルターの親友であった画家ルーカス・クラーナハは、生涯に百二十点の聖母像を描いたという。それらは宗教改革後も変わらず、個人の顧客に求められたものであったが、ルターもそんな聖母の絵の一枚を持っていたとしても自然である。一五三七年にドレスデンの聖十字架聖堂のために描いた《マリアヒルフ(救済の聖母)》(3-43)は、もっとも名高いものである。聖母とキリストが頬を寄せ合う典型的なエレウサ型の聖母子だが、この画像が非常な崇敬を集めるのは制作から百五十年後のことであった。一六一一年、皇帝フェルディナント二世の弟レオポルトはこの絵をパッサウの宮廷に持ち帰り、個人礼拝堂に飾った。一六二五年、ティロル大公になったレオポルトはこの絵をインスブルックに移し、一六五〇年、レオポルトの息子は聖ヤコブ聖堂を建て、三十年戦争の終結とティロル地方の無事を感謝してこの絵をそこに安置した。

その後、この聖母像は安産のご加護があるとされて多くの参拝者を呼ぶようになる。

一方、クラーナハの絵が持ち去られたパッサウでは、何度か聖母の幻視を体験した首席司祭マルクアルト・フォン・シュヴェンディがピウスという画家にクラーナハの絵を模写させ、町の郊外の礼拝堂に安置したが、評判となったため一六二七年に同地にバロック様式の聖堂を建ててそこに飾った。模写の方が少し大きく、一六五三年にはミュンヘンの聖ペテロ聖堂にヨハン・カール・ロートによる模写が飾られ、そこからさらに多くの模写が生まれた。

一六八三年、メフメト四世治下のオスマン帝国がウィーンに攻め入った、いわゆる第二次ウィーン包囲が起こったが、皇帝レオポルト一世は后妃エレオノーラとともにウィーンを脱出してパッサウに逃れ、この聖母像に毎日熱心に祈った。ほどなくしてバイエルン選帝侯ら中央ヨーロッパ諸侯連合軍によってトルコ軍はウィーンから撃退され、その九月十二日は、対トルコの同盟を呼びかけた教皇イノケンティウス十一世によって「マリアの名を称える日」に定められた。この勝利に人々は歓喜に沸き、ドイツ語圏でバロック文化が隆盛する要因になったといわれる。

3-43 クラーナハ《マリアヒルフ》1537年 インスブルック、聖ヤコブ聖堂

このとき以来、パッサウにあるクラーナハの聖母像の模写は非常な人気を博し、現在にいたるまで多

くの巡礼者を集めることになった。その後この絵は何度も模写され、南ドイツやオーストリアだけでも五百を超える模写が存在するという。そして、後に述べるようにその一部ははるか南米に運ばれ、ボリビアやアルゼンチンで何度も複製された。

それほど古い画像でもなく、しかも模写であるにもかかわらず、これほどの崇敬を集め、一大巡礼地となったというのは興味深い。それはこの画像が、まだ美術ではなく、聖画像であったためである。美術作品は作者の手という真正さによって評価され、尊重されるが、聖画像は作者よりもその効能、つまり霊験あらたかであることが重視される。トルコ軍を敗退させた聖母画像は、たとえ模写であってもありがたく、崇敬に値するのである。芸術作品であれば、オリジナルの原画が重視されるが、こうした聖画像は何度も模写されてもその霊験は変わらなかった。それは、もともとイコンや聖画像は、神や聖母という聖なる存在の似姿であり、それを見る窓にして回路であり、聖遺物と同じく、聖なる者の力が反映されていると考えられたからである。

第 4 章

バロックの聖母
――危機の時代の幻視と爛熟

ルドヴィコ・ラーナ《ペストを止めるギアラの聖母》1635-40年　モデナ、ヴォート聖堂

1　カトリック改革と聖母

†カトリック改革と図像

宗教改革の猛威に対し、イタリアやスペインを中心とするカトリック教会は、教会機構を刷新し、教義を再検討し、聖職者の綱紀を粛正するといった大規模な改革を行う。これをカトリック改革という（昔は対抗宗教改革とか反宗教改革と呼ばれていたが、研究の進展とともにカトリック内部の自発的な改革が大きかったことがわかり、その呼称は適当ではないことがあきらかになった）。

プロテスタントが聖書と信仰のみによる合理的な神の理解を訴えたのに対し、カトリックは視覚イメージによって聖書の言葉をより近づきやすいものとし、理性よりも感情に訴えて信仰心を高揚させようとした。教皇パウルス三世は一五四五年にトレント公会議を開催してプロテスタントとの和解をはかったが失敗し、以後断続して開催されたこの会議ではカトリックの教義と権威の確認と刷新が討議された。終結する一五六三年の第二十五総会で議決・公布された「聖人の取り次ぎと崇敬、聖遺物、聖像に関する教令」では、「キリスト、聖母、諸聖人の聖画像を聖堂に設置し、適切な崇敬を与えらるべし」と、信仰における聖画像の役割が確認された。聖像を用いた信仰を偶像崇拝とするプロテスタントの非難に対しては、「聖像のうちに神性または神の力があるかのごとく表敬すべからず。（……）聖像への表敬はそれにて表されし原型に向けらるべし」とし、聖画像が決して偶像ではないことを確認した。これはビザンツ帝国のイコノクラスムのときに聖像破壊論者に反対し、聖像を擁護した七八七年の第二ニカイア公会議での決議を踏襲したものであった。また、「誤てる教義を表し、あるいは無教育者をして甚大なる誤謬に陥らしむる表現」、あるいは「迷信」や「猥雑」で「破廉恥」な図像が禁じられ、「司教の許可を得ずしていかなる場にも教会にも新奇な画像を陳列すべからず」とした。

これを受けて教会は美術においても完全な統制力を発揮しようとし、異端審問所を設置して異端的・異教的な美術を取り締まった。とくに聖画像に難解さ、世俗的要素、裸体などが混入することに対して厳しい目が向けられた。また、ファブリアーノの司教ジョヴァンニ・アンドレア・ジリオ、ボローニャ司教ガブリエレ・パレオッティ、ルーヴェンの神学者ヨハネス・モラヌス、ミラノ大司教フェデリコ・ボロメオらが次々に著作を発表し、表現されるべき主題やその様式を詳細に論じた。この時期、フィリッポ・ネーリによるオラトリオ会、イグナティウス・デ・ロヨラとフランシスコ・ザビエルによるイエズス会、カエタヌスによるテアティノ会、アビラのテレサによる跣足カルメル会など、カトリック改革を推進するような新教団が設立・

認可された。これらの教団も教皇庁も美術を積極的に利用し、布教と信仰の有力な手段とした。プロテスタントが神学的に批判した聖母崇拝や聖人、キリストの父ヨセフ、秘蹟、煉獄といった主題を表現することを奨励し、古い図像が復活すると共に新たな図像が次々に生み出されるようになったのである。

特に、プロテスタントがその聖性を厳しく批判した聖母マリアは新たな図像とともにさかんに造形化され、それらの画像は海外への布教の際に有力な具となった。一五六四年、ローマのイエズス会学院で、ネーデルラント人ヨハネス・ロイニス（ヤン・レウニス）によってマリア信心会が設立された。これは聖母崇敬による自己聖化と奉仕活動を行う会であり、たちまちイタリアだけでなく、ケルンなどドイツの諸都市、さらに中国や日本も含む世界中に広がり、プロテスタントに対する防塁となった。画家ルーベンスもその会員になっている。

トレント公会議では聖母については本格的な決議にはいたらなかったが、聖母論を補完したのがオランダ出身のイエズス会士ペトルス・カニシウスである。一五七七年、彼はインゴルシュタットで『無比なる乙女マリア』を著し、プロテスタントの批判に応えて、とりなし人としての聖母を崇敬することの正当性と有効性を歴史的・理論的に論じて、その後の聖母観に多大な影響を与えた。また、後に見るロザリオの祈りを解説するとともに、ルカが描いた聖母の画像は複製してもその正統性が保持され、いずれもルカによる聖母と称してもよいとした。こうして中世の聖母イコンが再評価され、宣教師とともに世界各地にその複製が送られることとなったのである。また、スペインのイエズス会士フランシスコ・スアレスは、一五九二年の『キリストの生涯の諸秘儀』で、マリアがキリストの真の母であるとし、マリア論を体系的に展開した最初の神学者となった。

中世半ば以降、キリストの心臓が聖心として崇拝されるようになった。西洋では感情や魂は頭ではなく心臓に存在すると考えられ、十二世紀頃から心臓、つまりハートは世俗の愛の象徴にもなって今日にいたっている。キリストの聖心は恩寵や慈愛、贖罪や秘蹟の源として表現され、ときに受難を表すように心臓に傷や茨の冠が付されることもあった。聖心崇拝はとくに女子修道会で中世後期に燃え上がり、多くの修道女がその幻視を見ている。一方、聖母の心臓は、神への愛や民への愛を象徴するものとされ、シエナのベルナルディーノやスウェーデンのビルギッタらによって信仰された。その公的な崇敬は十七世紀のジャン・ユードによって始まり、ベネディクト会やフランシスコ会によって発展した。キリストの「聖心」に対し、聖母の心臓は「聖母マリアの汚れなき御心」、あるいは単に「清心」として区別される。後に見る十九世紀の奇蹟のメダイやファティマの聖母は、この清心に関係している。

4-1　グンペンベルク『アトラス・マリアヌス』扉絵　1672年

†聖母イコンの復活

十六世紀後半のローマでは、中世にそうであったように、奇蹟をもたらす画像を求める信仰が燃え上がり、聖母のイメージも、美術作品から再び中世のイコンのような機能を回復した。

イエズス会やオラトリオ会などの新教団はこうした画像の力を重視した。

イエズス会士のヴィルヘルム・グンペンベルクは、一六五七年（増補版を七二年）にミュンヘンで大著『アトラス・マリアヌス（マリア地図）』を出版した（4-1）。一六七二年版には世界各地のイエズス会士と協力して調査をし、奇蹟的な力をもたらす聖母像が千二百例も集められ、その場所や祝日などによって分類された詳細な索引が付されている。一六五七年版には、有名な聖母像に挿絵を付しているが、その図像は後に述べるエクス・ヴォート（奉納画）にも影響を与えた。グンペンベルクはこの書物によって、巡礼や奇蹟の正統性を示し、いかに聖母の力が世界各地におよんでいるかを示そうとしたのである。彼は、当世風の表面的に美しいマリア像のことは批判的に記しており、あくまでも古い由緒ある像のみが霊性を持っているとした。この書物はすぐに各国語に訳され、様々な地方で熱心に信仰されていた聖母像が、普遍的な聖母崇敬に組み込まれ、情報として広く流通することとなった。この書物の影響はきわめて大きかったため、プロテスタント側は公にこの書物を焼却処分にしたほどである。

古いイコンが見直され、それに豪華な枠取りや装飾が施され、特別な礼拝堂に設置されて大々的に称揚される。トレント公会議終結後の聖年一五七五年には、サン・ピエトロ大聖堂でキリストの顔の浮かび上がった聖顔布（ヴェロニカ）が公開され、七八年にはトリノでキリストの遺体を包んでいてその痕跡のついた聖骸布（シンドーネ）が公開された。この二点のイコンは、人の手を経ていないキリストの直接の痕跡であるため、それを見ることは、ミサのときにキリストの体が出現するのに立ち会うのと同じようなこととされた。

ローマのサンタ・マリア・イン・アラチェーリ聖堂には、第一章第四節で見たように、聖母がキリストに向かって両手を上げる「ハギオトリティッサ型」とも呼ばれる古い聖母イコン《アラチェーリの聖母》（4-2）があった。このイコンは皇帝アウグストゥスが聖母子の幻視を見たことを記念したとされていた。もっともこの《アラチェーリの聖母》は同じくローマのサン・シスト聖堂にあった《サン・シストの聖母》（1-18）の模写だとされるが、修道女に語りかけるなどいくつかの奇蹟を起こしてきた。十三世紀以降この聖堂を管轄していたフランシスコ会士が、このイコンはルカが描いたもので、六世紀に教皇グレゴリウスが奉じて歩いてペストを終結させた、まさにそのイコンだと主張する。さらにこの聖堂はペスト退散の際、サン

右4-2　《アラチェーリの聖母》12世紀　ローマ、サンタ・マリア・イン・アラチェーリ聖堂
左4-3　サンタ・マリア・イン・アラチェーリ聖堂主祭壇　1563-65年

タンジェロ城に出現した大天使ミカエルの足跡が残る城砦の断片も所有していた。《アラチェーリの聖母》は十四世紀以来、タベルナクルム（聖龕）に納められていたが、トレント公会議終結直後の一五六三年から六五年にかけて、新たに壮麗な新たなタベルナクルムが制作され、聖堂の身廊奥に主祭壇として設置された（4-3）。イコンの左右には天使、上部は花輪で飾られ、それは、聖堂の由来である「天の祭壇」を想起させるものになった。

それまでこの主祭壇を飾っていたのは、当時もっとも高く評価され人気があったラファエロの《フォリーニョの聖母》（3-33）であったが、この絵は注文主シジスモンドの甥によってフォリーニョの修道院に引き取られた。最高級に称賛されたラファエロの作品よりも、作者不明の中世のイコンを優先して称揚するようになったというのが、まさにカトリック改革の復古的風潮を物語っている。中央のイコンの前には覆いがあり、通常は見られないようになっていた。特別な日のみ見せることで、聖像の神秘性と霊力を高めようとしたのである。

古い画像でも特に東方教会、つまりビザンツに由来するものが尊重され、ときにはそうでないものも東方由来として伝えられた。十五世紀半ばにビザンツ帝国がオスマン帝国に滅ぼされたときに、多くの聖画像や聖遺物が西方にもたらされた。ルカが描き、もっとも古いとされるコンスタンティノープルのオディゴン修道院にあった聖母のイコンは、ビザンツ帝国の終焉のときに破壊されたと言われているが、難を逃れてイタリアに渡ったという伝承も生まれた。それは南イタリアのバーリに「コンスタンティノープルの聖母」として存在し、多くのコピーが作られてナポリやシチリアで信仰を集めた。後に見る一六五六年にナポリを襲ったペストに際してもその信仰が盛り上がり、画家マッティア・プレーティは奉納用に、聖ロクスら聖人に囲まれた「コンスタンティノープルの聖母」を近代的な様式で描いている。

†絵画タベルナクルム

サンタ・マリア・マッジョーレ聖堂は、第一章で述べたように、聖母に捧げられた最初の教会であったが、その左右の翼廊がカトリック改革期から初期バロック期に改築された。カトリック改革を推進した教皇パウルス五世によって作られた左側のパオリーナ礼拝堂には、一六一三年、ルカが描いたとされるローマでもっとも重要なイコン《サルス・ポプリ・ロマーニ》

（1－16）が、ジローラモ・ライナルディとポンペオ・タルゴーネによる豪華なタベルナクルムに入れて飾られた（4－4）。イコンを天使たちが支えて持ち上げ、「聖母被昇天」のように演出されている。またこの頃、《サルス・ポプリ・ロマーニ》の複製版画が何万枚も印刷され、世界中に伝播した。同じくロー

4－4　ライナルディ、タルゴーネ《聖母のタベルナクルム》1613年　ローマ、サンタ・マリア・マッジョーレ聖堂パオリーナ礼拝堂

マの古刹サンタ・マリア・イン・トラステヴェレ聖堂にある八世紀のイコン《クレメンティアの聖母》も、トレント公会議に出席したアルテンプス枢機卿によって一五九三年に新たに装飾された礼拝堂に移された。一六二七年、やはり重要なイコン《ポポロの聖母》を所蔵するサンタ・マリア・デル・ポポロ聖堂に、翌年はサンタゴスティーノ聖堂に、イコンを中心とする壮麗なタベルナクルムが作られ、主祭壇となった。

また、聖母の像やイコンに王冠を被せることもさかんになる。中世末に「勝利の聖母」や「聖母の戴冠」という主題が成立し、王冠を戴く聖母像は珍しくなかったが、古い像やイコンに新たに王冠を設置するようになったのである。カプチン会士ジローラモ・パオルッチは、十六世紀末から十七世紀初頭にかけて「戴冠の聖母」のイメージを熱心に説いて広め、その影響

を受けたアレッサンドロ・スフォルツァ・パラヴィチーニ伯爵はローマで多くのイコンに王冠を取り付けた。さらに彼はローマ教会に、世界中の奇跡を起こす聖母像に王冠を被せるようにと十分な金を遺贈した。こうして十七世紀から二十世紀までに、千体もの聖母像が戴冠することになったという。

古いイコンを取り囲んで周囲に別の絵が描かれることもあった。このように複数の絵画を組み合わせたものを「絵画タベルナクルム（ビルトタベルナーケル）」という。タベルナクルムとはもともと聖龕を意味する語で、天蓋や額などイコンを荘厳するための装置や舞台のこと全般を指す。ルーベンスがオラトリオ会の総本山キエーザ・ヌオーヴァに描いた主祭壇画（4－5）は、天使たちが見上げる中央に、十四世紀のフレスコ画の《ヴァリチェッラの聖母》（4－6）がはめ込まれたものだが、それが絵画タベルナクルムの代表である。この聖母画像はもともと

上 4-5　ルーベンス《ヴァリチェッラの聖母》1608年　ローマ、キエーザ・ヌオーヴァ
下 4-6　《ヴァリチェッラの聖母》14世紀　同上

右4-7　サンティ・ディ・ティート《救済の聖母を拝む天使たち》1578年　プラート、サンタ・マリア・デル・ソッコルソ聖堂
左4-8　ソドマ《絵画タベルナクルム》1530年代半ば　シエナ、サン・ドメニコ聖堂

ローマの街角にあり、一五三五年、異教徒に石を投げられたときに血を流したということから、崇敬を集めていた。この部分は通常はルーベンスが聖母を描いた銅板で覆われ、祝日のみ古いイコンが現れるようになっていた。天使に囲まれて雲間に姿を見せるこの聖母のイコンは、それが天に由来する特別の力を持っていることを示している。ベルティンクが指摘するように、この枠組みは、前の章で見たラファエロの《サン・シストの聖母》（第三章扉）におけるカーテンと同じような役割を果たしている。

フィレンツェでマニエリスムからバロックの橋渡しをした「改革派」の画家サンティ・ディ・ティートは、プラートのサンタ・マリア・デル・ソッコルソ聖堂のために、十五世紀に描かれた「授乳の聖母子」のフレスコ画を、天使たちが太陽や月や鏡などを手にして取り囲んでいる絵画タベルナクルム（4-7）を描いた。フレスコ画の聖母子の部分はカンヴァス面よりも少し奥に位置している。画像の上には聖霊の鳩と父なる神がおり、古い画像を称えるとともに、三位一体の教義を表している。

フィレンツェのライバル都市シエナでは共和国末期の十六世紀前半にこの形式が生まれ、十七世紀を通じてさかんに制作された。もっとも早い例であるシエナのサン・ドメニコ聖堂にあるソドマの絵画タベルナクルム（4-8）は、中央に十四世紀のシエナの画家フランチェスコ・ディ・ヴァンヌッチョの聖母子の板絵がはめ込まれ、周囲に父なる神のほか、聖セバスティアヌスやシエナのカタリナといった聖人たちがいる。さらにこの画面の下には無名の画家によるロザリオ十五玄義図（聖母の生涯における十五の喜びや悲しみや栄光）が付属していた。シエナの絵画タベルナクルムを総合的に研究した美術史家の松原知生氏によれば、ここには「三つの異なる時間に属する三つのイメージが接合されて一個の閉じた絵画世界を形成している」。さらに中央の聖母子像にはかつてはバラが加筆されて「ロザリオの聖母」となっていたが、古画はこうした「信仰的加筆」によって新たに「礼拝像としての生」を受ける。シエナでは、これ以降、絵画タベルナクルムによってイコンの転生や「再コンテクスト化」が流行するが、中央のイコンと周囲の画面との様式的差異が強調されることによって聖なるアウラが生じ、それがしばしば政治的な目的に利用されたという。

2　ロザリオの聖母

†ロザリオ信仰

こうしたカトリック改革とともに、「ロザリオの聖母」の信仰がさかんになった。ロザリオの祈りは、中世末からドミニコ会が普及させたものである。ロザリオ（ロザリウム）はもともとバラの冠という意味で、数珠や念珠を指すようになった。数珠は、イスラム教、仏教、ヒンドゥー教にも共通し、祈りの回数を記憶したり確認したりする信仰用具である。ロザリオの祈りとは、この数珠をつまぐりながら、十回の「天使祝詞（アヴェ・マリア）」につき一回の「主の祈り（パーテル・ノステル）」を唱え、その際、聖母の十五の玄義（ミステリオ）を一つずつ瞑想する信心業のこと。天使祝詞とはカトリックの教会に行くと必ず耳にするラテン語の祈りで、冒頭の言葉をとって「アヴェ・マリア」と呼ぶこともある。

恵あふれる聖マリア（アヴェマリアグラティアプレナ）、主はあなたとともにおられます（ドミヌステクム）。

主はあなたを選び、祝福し、あなたの子イエスも祝福されました。
神の母マリア、罪深い私たちのために、今も死を迎えるときも祈ってください。アーメン

十五玄義とは、聖母の生涯の五つの喜び（受胎告知、ご訪問、降誕、神殿奉献、博士との論争）、五つの悲しみ（ゲツセマネの祈り、笞打ち、茨の冠あるいは嘲弄、十字架の道行き、磔刑）、五つの栄光（キリストの復活、キリストの昇天、聖霊降臨、聖母被昇天、聖母戴冠）であり、これらを、数珠玉を数えながら順に祈って救済の正しい理解に導かれる信心業であった。仏教で、阿弥陀仏や浄土のありさまを観想する観無量寿経に説かれた十六観と似ているだろう。

十五世紀にブルターニュのドミニコ会士アラヌス・デ・ルペがこのような形にまとめて普及させた。ロザリオの祈りを唱えると聖母が喜ぶとされ、とくに聖母のとりなしを頼むときに熱心に唱えられた。そして、誰にでも実践できて容易に功徳を積むことができ、聖母への愛とキリストの受難について瞑想できるため、聖職者にも民衆にも熱烈に支持された。

一四七五年にケルンでロザリオ信心会が設立され、それは教皇シクストゥス四世から認可を受け、この祈りに対して贖宥（罪の贖いが免除されること）が認められたため、十六世紀に急速にその信仰が広がった。イタリアでは最初にヴェネツィアにロザリオ信心会が設立され、以後、各都市に設立された。やがてドミニコ会の占有ではなく、フランシスコ会やイエズス会

などでも取り入れられ、カトリック改革運動と世界宣教の波に乗って世界中に普及していった。

一五六九年、ドミニコ会出身の教皇ピウス五世はロザリオの効用や方法についての勅書を発布する。一五七一年、ヴェネツィア、スペイン、教皇軍がトルコに対して初めて勝利を収めたレパントの海戦は、ロザリオの祈りによって聖母が助けたことによるとされ、教皇軍を派遣したピウス五世の下でロザリオ信仰は大いに盛り上がった。そしてこの勝利の日、十月の第一日曜日は教皇グレゴリウス十三世によって「ロザリオの聖母」の記念日に定められた。また、この信仰は元来、聖ドミニクスがアルビでカタリ派の討伐に向かうとき、聖堂に聖母が出現して彼にロザリオを授けたことに由来するとされる。このことから、「ロザリオの聖母」は異端に対する勝利を象徴するものとなり、カトリック改革の典型的な聖母図像となったのである。

十五世紀末から、十五の玄義の情景を挿絵で図示した祈禱書も出版されており、信者はその絵を見ながら十五玄義を思うことができるようになっていた。イタリアでは一五二一年にドミニコ会士アルベルト・ダ・カステッロが刊行した祈禱書がもっとも古く、十六世紀だけでも十五刷を重ねた。

†「ロザリオの聖母」の図像

「ロザリオの聖母」の図像は、当初は第二章で見た「慈悲の聖母」の聖母がロザリオを持っているものや、次節で見る「無原罪の聖母」と組み合わせたものもあった。ケルンのロザリオ信心会の本拠地聖アンドレアス聖堂にある十六世紀初頭の祭壇画は「慈悲の聖母」のタイプで、聖母に抱かれた幼児キリストがロザリオを持っており、聖母のマントの中に信心会員たちが跪いて祈っている。

イタリア最初の「ロザリオの聖母」は前章で少し触れたデューラーの《ロザリオ祝祭図（ローゼンクランツフェスト）》（4-9）で、一五〇六年にヴェネツィアのドイツ人信心会の注文によりサン・バルトロメオ聖堂の祭壇画として制作された。天蓋の下に坐る聖母と幼児キリストがバラの冠を皇帝マクシミリアン一世と教皇ユリウス二世に授けており、背後には聖ドミニクスや天使たちもバラ冠を信心会のメンバーや関係者に授けている。

4-9　デューラー《ロザリオ祝祭図》1506年　プラハ国立美術館

「ロザリオの聖母」の図像は、聖母子がバラ冠やロザリオを配るもの、あるいは聖ドミニクスにロザリオを渡しているものが一般的であったが、十六世紀以降、その周囲に十五の玄義の情景を描いて祭壇画に組み込んだものが登場した。一五三一年にベルナルディーノ・ガッティがパヴィア大聖堂のために描いた作品（4-10）はその早い例であり、画面の四方に十四場面が並んでいる。画面の上に独立して「聖母戴冠」の画面が一点配されている。

一五三九年、ロレンツォ・ロットがイタリア、マルケ州の小都市チンゴリのドミニコ会の教会のために描いた大作（4-11）は、ドミニコ会の代表的な聖人たちに囲まれた青い衣の聖母が聖ドミニクスにロザリオを渡し、その下には天使たちがバラの花びらを撒いている。聖母の背景には大きなバラの木があり、そこに十五の円形の画面が五つずつ横に連結して並ぶ。いちばん下の列は「聖母の喜び」、真ん中の列は「聖母の悲しみ」、いちばん上は「聖母の栄光」である。

上4-10　ベルナルディーノ・ガッティ《ロザリオの聖母》1531年　パヴィア大聖堂
下4-11　ロット《ロザリオの聖母》1539年　チンゴリ、サン・ドメニコ聖堂

4-12　レーニ《ロザリオの聖母》16世紀末　ボローニャ、マドンナ・ディ・サン・ルカ至聖所聖堂

十六世紀末にグイド・レーニがボローニャの教会のために描いたもの（4－12）もこのタイプで、聖ドミニクスにロザリオを授与する聖母子の下に鉢植えのバラの木があり、そこにメダイ状に十五場面が配されている。その中央がキリストの磔刑になっており、目立っている。

もっとも多いのは、ガッティの作品のように、四角形の場面が周囲の三方、あるいは四方に整然と配されるものであった。その場合、中央の聖母子は絵画ではなく、彫刻が置かれる場合もあった。

こうした祭壇画を見て、一つ一つの場面を脳裏に焼きつけることによって、信者はロザリオの祈りのときにも十五の玄義を生き生きと思い浮かべることができたのである。それはまさに、画像によって信仰心を高めるというカトリック改革の精神に合致したものであった。「ロザリオの聖母」は、聖母のイコンのような祈念性と聖母の生涯のナラティヴをあわせた機能を持つものであり、聖母の画像でももっとも大がかりで総合的なものであった。祈念性と教育効果をあわせ持つこうした図像は海外での布教に有効であり、わが国でも後に見る《マリア十五玄義図》のような作品を生み出すことになる。

3 無原罪の御宿り

†「無原罪の御宿り」の教義

「無原罪の御宿り（おんやどり）」とはどのような教義であろうか。最初の人間アダムとエヴァ（イヴ）が神の命令に背き、知恵の木の実を食べ、楽園を追放されて以来、あらゆる人間は原罪を持っている。そしてキリストは第二のアダムとして世に生まれ、十字架上で犠牲になって人間の罪を贖ったため、キリストを信じれば人間は許されるというのがキリスト教の骨子である。そして聖母マリアも人間である以上、原罪を持っているはずである。しかし、聖母は人間であるにもかかわらず、生まれながらにして、つまり母アンナの胎に宿ったときからすでに無垢で原罪を免れていたという教説が「無原罪の御宿り」である。

この教義は六世紀頃から唱えられはじめ、十二世紀頃に聖母崇敬が高揚するとさかんに提唱された。しかし、この説をめぐっては反対する意見もあり、中世以来長く議論されてきた。聖母崇敬を推進したクレルヴォーのベルナルドゥスは、聖母は他の人間と同じくキリストの贖罪を必要とすると説いたが、これに対してドンス・スコトゥスは聖母は神の選びによってキリストの救いにあらかじめ参与させられたと主張した。こうした説はスコトゥスの所属したフランシスコ会が推進し、トマス・アクイナスらドミニコ会が反対した。そして一四四九年、バーゼル公会議において、聖母の無原罪は「敬虔で、教会の典礼、信仰、正しき思考、聖書と合致するもの」とされた。この決定はローマ教会によって正式に認可されなかったものの、この教義が広範囲に普及する契機となった。一四七六年、教皇シクストゥス四世は十二月八日を無原罪受胎の祝日に公認した。その後長らく教会はこの教義を黙認し、十六世紀に発足したイエズス会が強力に普及させたこともあって、民衆の間にはその信仰が広まった。とくに十七世紀以降、多くの画像や彫刻が作られた。

無原罪受胎の教義が最終的に認められたのはようやく一八五四年、教皇ピウス九世の回勅によってであったが、そのときまでにはこの図像はすっかり一般化していた。

†「無原罪の御宿り」の図像

聖母が生まれながらにして原罪を持っていないというこの抽象的な教義を視覚的に表現するのは困難であり、ルネサンス期には図像が定まっていなかった。ピエロ・ディ・コシモ（4-

13）やルカ・シニョレッリの作品のように、聖母の下や周囲でアウグスティヌスやヒエロニムスら教会博士が論争しているものや、博士たちに加え、聖母の周囲にびっしりと聖母の象徴がめぐらされているガローファロの作品などがある。

聖母の象徴とは、月、星、天の門、閉ざされた庭、井戸、泉、ダヴィデの塔、曇りなき鏡、白百合、オリーヴの木などである。いずれも旧約聖書の『雅歌』に歌われたもので、古くから聖母やその純血性の象徴とされてきた。ヴァザーリは、原罪を示す木にアダムとエヴァが縛りつけられ、それに巻きつく蛇を聖母が踏みつけるという寓意に満ちた複雑な図像を生み出した（4－14）。またミラノの無原罪懐胎信心会のためにレオナルド・ダ・ヴィンチが描いた《岩窟

上 4-13　ピエロ・ディ・コシモ《無原罪の御宿り》1505年　フィレンツェ、ウフィツィ美術館
下 4-14　ヴァザーリ《無原罪の御宿り》1541年　フィレンツェ、サンティ・アポストリ聖堂

の聖母》も独自の図像で無原罪の聖母を表しているとされる。
やがて聖母は『ヨハネ黙示録』十二章一〜四節に登場する女によって表されるようになる。

また、天に大きなしるしが現れた。一人の女が太陽を身にまとい、月を足の下にし、頭には十二の星の冠をかぶっていた。女は身ごもっていて、産みの痛みと苦しみのために叫んでいた。また、もう一つのしるしが天に現れた。それは巨大な赤い竜であって、七つの頭と十本の角を持ち、頭には七つの王冠を被っていた。……そして、竜は子を産もうとしている女の前に立ち、生まれたら、その子を食い尽くそうとしていた。

この「黙示録の少女」はマリアの予型（タイポロジー。新約聖書の出来事がそれ以前の旧約聖書などに示されているという思想）とされ、これが原罪を持たずに地上に生まれた聖母の姿と同一視されたのである。天空にいる女だけで表されることも、その下の竜もいっしょに表現されることもある。

この図像は十六世紀末にイタリアで表現され始め、フェデリコ・バロッチ（4-15）やカヴァリエール・ダルピーノが描き始めた。サンタ・マリア・マッジョーレ聖堂のパオリーナ礼拝堂は、前述のように《サルス・ポプリ・ロマーニ》を祀っているが（1-16、4-4）、その周

上右 4-15　バロッチ《無原罪の御宿り》1575年　ウルビーノ、マルケ国立美術館
上左 4-16　チゴリ《無原罪の御宿り》1610-12年　ローマ、サンタ・マリア・マッジョーレ聖堂パオリーナ礼拝堂
下 4-17　同上、部分

囲にはダルピーノの指揮下、聖母伝の装飾がなされた。その円天井にはフィレンツェの画家チゴリによる《無原罪の御宿り》(4-16)が描かれている。この聖母(4-17)の乗る三日月には、クレーターが見えるが、これは画家が望遠鏡を発明したガリレオの友人であったため、望遠鏡で観察した月の表現となっているのである。

†スペインでの発展

十七世紀になるとこうした「無原罪の御宿り」の図像はスペインで一般化した。グイド・レーニが一六二七年に描いた作品(4-18)はセビーリャ大聖堂に祀られ、リベーラが一六三五年にナポリで描いた大作(4-19)はサラマンカの修道院に運ばれたが、こうした作例がスペインの画家たちに影響したと思われる。レーニは同じ一六二七年に《聖母被昇天》(カステルフランコ・エミーリア、サンタ・マリア・アッスンタ聖堂)も描いているが、《無原罪の御宿り》ときわめて似ている。《無原罪》の方は手を組み、下に三日月があり、《被昇天》の方は両手を広げて、下に三日月がなくて二人の天使が聖母を持ち上げようとしている。両手を広げる祈りのポーズは、ティツィアーノの名作をはじめ被昇天の聖母によく見られるものであった。レーニは、被昇天の場面によく描かれていた見上げる使徒たちや棺桶や天上で迎え入れる神などを省き、《無原罪》と同じく祈念像のような聖母像にしたのである。

セビーリャを中心とするアンダルシア地方では昔から聖母信仰がさかんであった。また、セビーリャは当時ヨーロッパでもっとも繁栄した商業都市であり、優れた画家や彫刻家が輩出し

上 4-18　レーニ《無原罪の御宿り》1627年　ニューヨーク、メトロポリタン美術館
下 4-19　リベーラ《無原罪の御宿り》1635年　サラマンカ、アウグスチノ会修道院

てスペイン絵画の黄金時代の舞台となった。セビーリャの異端審問官にしてベラスケスの義父の画家フランシスコ・パチェコは当時の美術の理論的指導者であった。彼は早くから《無原罪の御宿り》を描き、一六三〇年頃執筆して一六四九年に出版した『絵画芸術』では次のように図像を規定している。「マリアは、腕に幼児イエスを抱かず、むしろ両手を合わせ、太陽に包まれ、星を頭に冠し、足下には月を踏まえ」「十二歳か十三歳のうら若き年頃にして、麗しき乙女で、愛らしくも厳粛な瞳、非の打ち所なき鼻と口、ばら色の頬、長く伸びた黄金色の美しい髪のもとに、つまり人間の絵筆が成しうる最高の姿で描かねばならない。」「……足下には月があり……その月の上側には、両端を下に向けた半月がより明るく、はっきりと見えている。」

パチェコ自身も何点かの《無原罪の御宿り》を描き、婿であったベラスケスも描いている（4-20）。また、パチェコと共同制作もしたセビーリャ彫刻の巨匠マルティネス・モンタニェースがセビーリャ大聖堂のために制作した《無原罪の御宿り》の彫像（4-21）は、「ラ・シェゲシタ」の愛称で知られる。この彫像は大きな影響を与え、モンタニェースに学んだ画家で彫刻家のアロンソ・カーノもいくつかの「無原罪の聖母」の彫像を作り、カーノの弟子ペドロ・デ・メーナもそれを継承した。

セビーリャの画家スルバランは、やはり「無原罪の聖母」を何点も描いたが、彼は少女の聖母をいくつか描いた。母アンナと父ヨアキムとともにいるものもあるが、多くは少女のマリアが一人で祈るか眠るかしている。スペインにおける「無原罪の御宿り」の図像を研究した美術史家ロジリー・エルナンデスによれば、こうした図像が流行したのは、聖母が生まれながらにして罪を持たず、少女時代から神の世界と交信できたとする無原罪信仰の表れであるという。《眠る少女マリア》(4-22)では、聖書を読みながらつい眠ってしまった少女をうっすらと天使が取り巻いており、聖母がキリストを産むずっと以前から聖なる存在であったことが示され

上右 4-20　ベラスケス《無原罪の御宿り》1618年頃　ロンドン、ナショナル・ギャラリー
上左 4-21　モンタニェース《無原罪の御宿り》1627-31年　セビーリャ大聖堂
下 4-22　スルバラン《眠る少女マリア》1655年　パリ、ギャルリ・カネッソ

ている。

「無原罪の御宿り」の主題を描いてもっとも成功したのはムリーリョである。彼の《無原罪の御宿り》(4-23、24)は、パチェコの挙げた図像の約束事を最小限にとどめ、誰にでも親しみやすい純真無垢な少女として表現した。純白の衣に青いマントをはおった聖母が、黄金の光に包まれ、上弦の月に乗って祈っている。足元の雲には子どもの天使が何人か乗っている。聖母の踏む三日月は、パチェコが下弦の月とした規定とは異なり、いずれも上弦の月となっている。愛らしい聖母のモデルは画家の愛娘であったと言われている。薄もやの様式といわれる柔らかい雰囲気と黄金色の光の中に立つ純白の衣のマリアの姿は、誰にでも親しみやすく、非常な人気を博した。

右4-23　ムリーリョ《無原罪の御宿り》1660-65年　マドリード、プラド美術館
左4-24　同《無原罪の御宿り》1678年　同上

ムリーリョはこのテーマを得意とし、一六五〇年代以降、大きな工房を構えて多数制作した。現在、彼のこの主題の作品は二十点ほど遺っているが、プラド美術館にある二点がもっともよ

く知られている。一六七八年の作品（4-24）は少女を描いた同主題の他の作品に比べ、やや華やかで大人びた聖母となっている。セビーリャ大聖堂の司教フスティーノ・デ・ネベが注文し、彼が代表を務めるベネラブレス病院に納められた。後にナポレオン軍の将軍が接収し、その後ルーヴル美術館が高額で購入したが、一九四一年に作品交換によってプラド美術館に移り、無事にスペインの地に帰ってきた。

セビーリャは十六世紀にはスペイン最大の港町であったため、ムリーリョの聖母の絵はセビーリャ港から海外に数多く輸出され、スペインの植民地である中南米で熱心に模倣された。ムリーリョの《無原罪の御宿り》は、世界中の聖母像のうちでも、ラファエロのそれとともにもっとも有名で、もっとも愛された作品であり、無数にコピーされ、複製されて世界中のカトリック圏の家庭に飾られている。こうしてムリーリョは、「無原罪の御宿り」の図像の規範を確立したのである。

もともと聖母が生まれながらに原罪を免れているという神学的な教義を表すものであった「無原罪の御宿り」の図像は、いつしかこの教義の視覚化という意味が薄くなり、単に幼児キリストを抱いていない若く清らかな聖母の姿として人々に敬愛され、広く信仰される図像となった。それは、他の聖母像と違ってキリスト伝と切り離され、物語や時間性を持たない永遠の聖母のイメージであるといってよい。しかもルネサンス以降の自然な人間表現を示して親しみやすいため、代表的なキリスト教のイコンとなったのである。この図像は後に見るように、近代になってももっとも人気のある図像となり、聖母が顕現したときの図像の多くもそれに基づくものであった。

4 幻視と顕現

†幻視とは

「無原罪の御宿り」を描いた作品の中には、福音書記者ヨハネが描き込まれることがあった。ヨハネはパトモス島で見た幻視を「黙示録」に記録したとされ、「無原罪の御宿り」は前述のように黙示録に登場する女を描いたものであるからである。トレドのサンタ・クルス美術館にあるエル・グレコの作品では、聖母の下にこれを見守る聖人の後ろ姿が描き込まれている。

また、宗教改革後のドイツでは、聖母が贖宥状にも描かれ、聖母画像について激しい論争があったために、イコン自体に祈ることが控えられた。そのため、聖母と受難伝について瞑想するロザリオの祈りがさかんになったのだが、そのとき聖母は信者に顕現するというイメージが生まれた。「ルカの聖母」についても、福音書記者ルカが内なる聖母の像をとらえたものとする言説が広がった。

　こうして、古い様式で描かれた由緒ある聖母イコンよりも、美しい聖母が顕現し、人々がそれを幻視するイメージの方が人々の信仰心をとらえるようになったのである。幻視や奇蹟といった超自然現象は、十六世紀後半からフランシスコ・スアレスらによって、自然に反する神の恩寵の表れだとされ、イエズス会で神学的に肯定された。それらはバロック時代に大々的に表現されたが、やがて啓蒙主義の時代となり、十八世紀後半に各国からイエズス会が追放されるとともに衰退した。

　幻視（ヴィジョン）とは、実際には存在しないものが見えることだが、とくに神や聖人など超常的な聖なるイメージを目にすることをいう。単に夢で見たり、存在を感じたりするのとは異なり、実際に目で「見る（visio）」ことである。一方、顕現（示現、アパリション）とは超常的なものや聖なる存在が人間の前に出現することをいう。日本では神仏が出現することを「影向（ようごう）」というが、同じ現象である。幻視と顕現は、見る方か現れる方かの違いであり、同一の現象といってよい。つまり、幻視とは見る主体に重点を置いた言葉であり、顕現とは現れる存在に重点を置いた言葉である。そのため同じ現象を示す場合でも、見る者が聖人や重要な人物であれば幻視、そして無名の一般人か不特定多数の人々である場合は顕現ということが多いようだ。また、幻視はどこで見たかよりも誰が見たかが重要で、顕現は誰が見たかよりもどこに現れたかが大事であり、現れた場所が聖地となりやすい。

宗教画や聖像はすべて観者にとっては一種のヴィジョンであるといえなくもないが、幻視体験や顕現現象を表現した絵画（幻視画）は、幻視を見ている人物（幻視者）と幻視者の目に映った、あるいは幻視者に顕現した聖なるイメージの双方が表現されているものである。

ただし、中世末には神について瞑想して、霊的な視線によってそれを見るという情景も表現された。それらは一見したところ、幻視の情景と区別がつかないが、きわめて類似した主題であるといってよいだろう。その代表的な作例である『ブルゴーニュのマリーの時禱書』の挿絵

上 4-25　ブルゴーニュのマリーの画家『ブルゴーニュのマリーの時禱書』挿絵　1477年頃　ウィーン、オーストリア国立図書館
下 4-26　ロット《キリストの母への暇乞いとエリザベッタ・ロータの肖像》1521年　ベルリン絵画館

の一点（4-25）は、この豪華な時禱書を作らせたブルゴーニュ公国の公女マリーが宝飾品や花に囲まれて祈禱書を読んでおり、その背後に大きな窓があり、窓の向こうはゴシック教会の祭壇の前に聖母子がおり、もう一人のマリーが侍女に付き添われて祈っている。画中画となっているこの窓の情景は、祈禱書を読むマリーの瞑想の内実を表しているが、そこではマリーが聖母の幻視を見ているのだ。

同じような瞑想の情景を表現したのが、ロレンツォ・ロットの《キリストの母への暇乞いとエリザベッタ・ロータの肖像》（4-26）である。キリストがエルサレムに行く前にマグダラのマリアの家で母マリアに別れを告げるという『キリストの生涯についての瞑想』に記された逸話を表しており、跪くキリストと卒倒するマリアを中心に使徒たちがいる。右手前に祈禱書を持った注文主エリザベッタ・ロータがいる。背景の回廊や中庭も、注文主の邸宅のそれに近いという。しかし、彼女はキリストたちを直接は見ずに視線を落としている。ブルゴーニュのマリーと同じく、心の目でこの情景を思い描いているのである。美術史家の水野千依氏によれば、この作品には彼女の夫ドメニコ・タッシを伴うキリスト降誕を描いた作品が対作品となっており、そこでは、エリザベッタの心の目で見るのに対し、夫ドメニコが実際に降誕の情景を見ている。つまりそこでは、心の目、霊的な視線による瞑想が進んで、実際に聖なる情景に参入している、つまり幻視に移行しているといってよいだろう。

†幻視画の成立

幻視の内容はキリスト、聖母子、天使、聖人など、それまでの宗教画に一般的なモチーフであり、そこにそれらを見る聖人や俗人の注文者が挿入されているのだが、こうした道具立ては、実は第三章で述べた聖会話図と同じであった。聖人と聖母子が分断されていた多翼祭壇画が一枚の画面のうちに空間的に統合されて成立した聖会話図であったが、さらにその画中の登場人物を時間的に統一させたものが幻視を表現した絵画であるということができる。つまり、画中の聖人や俗人は観者と同じ現在にあり、聖母や神はそのときの彼らに顕現しているのである。

聖会話図は、前述のように、初期の横並びの左右対称型から、ティツィアーノの《ペーザロの祭壇画》(3-7)によって聖母を上部にする対角線構図に変容した。またラファエロは《フォリーニョの聖母》(3-33)で聖母を空中に上げたが、聖なる存在を上部に引き上げたこうしたタイプの聖会話図が幻視画に継承されたと見ることができる。幻視画は多くの場合、画面下部に幻視者がおり、その斜め上方に聖なる存在が位置している。

聖人や聖職者が聖母や神を見る、あるいは聖母や聖人が人々に出現して、啓示を与えるという逸話は中世の神秘主義者がしばしば体験して語ってきた。十二世紀のビンゲンのヒルデガルトや十四世紀のスウェーデンのビルギッタ、シエナのカタリナらは、自らが体験した幻視を克明に記録し、それが広く知られた。また、聖フランチェスコがアッシジの廃寺サン・ダミアーノ聖堂で十字架のキリスト像に話しかけられたことがその回心の契機となったことは広く知られている。彼らの幻視は、日頃目にしていた聖母像や「悲しみの人」や磔刑像といった祈念像に直接に影響されていたことが指摘されており、中世末からの祈念像の発展が幻視を促したといってよいだろう。しかし、神との合一を表すこうした幻視体験は、個人と神とを、教会という介在無しに直接結びつけてしまうため、教会側はこうした事象を認めることには慎重であり、幻視者の中には異端とされ、弾圧された者も少なくない。宗教改革の直前に教皇ユリウス二世によって開催された第五回ラテラノ公会議では一五一六年、あらゆる顕現は教皇庁に報告して真偽を吟味されなければならないとする布告を発した。

中世末から十六世紀まで、人里離れた山野で民衆が聖母の顕現を目にするという現象が各地で起こっており、それらは「田園の聖母」と呼ばれ、教会によって承認され、巡礼地や聖地を生み出してきた。しかし、カトリック改革後は民衆によるこうした幻視は厳しい検閲の対象となって減少する。

その一方、聖人や聖職者による幻視や顕現が増加し、幻視体験が信仰の強さの証しであるという考えが一般化してきた。カルロ・ボロメオ、イグナティウス・デ・ロヨラ、フィリッポ・ネーリ、アビラのテレサ、十字架のヨハネといったカトリック改革期を代表する聖人たちは観想の結果、いずれも幻視を経験し、そうした体験を書物や書簡という形で残した。その結果、この現象は世に広く伝えられ、連鎖的に新たな幻視体験を引き起こしたのである。ロヨラの『霊操』やテレサの『霊魂の城』、十字架のヨハネの『カルメル山登攀』に見られるように、こうした神秘主義的な宗教家たちは大きな霊的エネルギーによって内面世界を探求したが、こうした強いエネルギーこそがカトリック改革を推進し、外にも向かって世界宣教に駆り立てたと見ることができる。

また、第二章で述べたように、六世紀の教皇大グレゴリウスが、ミサをあげているとき祭壇上にキリストが顕現したという「グレゴリウスのミサ」は十五世紀からしばしば表現され、そのときに現れたキリストの姿はサンタ・クローチェ・イン・ジェルザレンメ聖堂にある《悲しみの人》(2-18)であると信じられてきた。「グレゴリウスのミサ」の図像は贖宥状にも用いられたが、カトリック改革後は、聖餐の秘蹟の正統性を表す主題としてさらに人気を博した。このように、様々な幻視体験が報告され、過去の聖人伝にも幻視体験が付与されたことに伴い、十七世紀にイタリアやスペインで幻視を表現する絵画が流行したのである。

こうした作品をここでは幻視画と呼ぶが、その前に立つ観者は、画中の聖人(幻視者)とともに幻視を見ることになり、画中の聖人は観者の代理、あるいは観者と聖なるイメージをつなぐ媒体として機能する。さらに、この時代の聖人たちはあきらかに同時代の幻視画に影響されて、それと似たような幻視を見ているのである。美術と幻視が相互に影響し、かつてないほど幻視表現を隆盛させたのであった。スペインの幻視画についての著書を著した美術史家ヴィクトル・ストイキツァの言葉を借りれば、観者は画中の幻視者というフィルターを通して聖なる存在を見るのであり、幻視画とは、単なるイコンではなく、幻視者がイコンを見るというナラティヴを含んだ、イコンとナラティヴとの混成物にして、イメージを見る体験についてのイメージという一種のメタ表現であるという。

†聖母の顕現

幻視の対象としてもっとも多かったのは聖母であった。後に見るように、十九世紀以降、聖母の顕現が急増するが、中世以来もっとも多くの人間の前に現れ、またその像が落涙や流血したのは聖母であった。

キリストよりも聖母が頻繁に顕現するのはなぜだろうか。聖母は神ではなく、人間であるので地上に現れやすいのだろうか。あるいは、同じ人間であるのに顕現することで生を超えた力を持ちうるという希望を与えるためだという説もある。フランシスコ会の修道士ポルトガルのアマデウスによる『アポカリプシス・ノヴァ（新黙示録）』という一五〇二年に刊行された書物では、キリストが聖体となっているように、聖母は地上のどこにでもおり、そのイメージを通して現世を見て奇蹟を起こすと記している。この書物は影響を与え、聖母の顕現や聖母像の奇蹟を促進したようである。

聖母をこよなく愛して熱烈に賛美した十二世紀のクレルヴォーのベルナルドゥスは聖母の幻視を見たとされる。聖人が「あなたの母たる証拠をお示しください」と聖母に祈ると、彼の唇は聖母がイエスに授乳した乳で湿ったという。この主題はルネサンス以降たびたび絵画化され、とくに十七世紀のスペインで人気を博した。

十五世紀後半、フィリッピーノ・リッピがフィレンツェ郊外の教会のために描き、現在はバディア聖堂にある有名な作品（4－27）では、執筆するベルナルドゥスの前に天使を引き連れた聖母が立ち、彼が書いた文字を指して何事かを教えている。

十六世紀初頭にフラ・バルトロメオがバディア聖堂のために描いた作品（4－28）では、天使たちとともに現れた聖母子は中空に浮かび上がっており、それ以前の親密な関係とはちがう超越的な幻視になっている。ラファエロの《フォリーニョの聖母》（3－33）のように、十六世紀以降、祭壇画において聖母が中空に浮かぶようになり、この表現が定着するのだが、幻視表現もこうした超越性を強調するようになる。この作品はその先鞭をつけたものといえよう。

十七世紀初頭、ネーデルラント出身でセビーリャを中心に活躍したファン・デ・ロエラスによる作品（4－29）では、聖母は雲に乗って空中におり、そこから乳を飛ばして聖人の口に注

上右 **4-27**　フィリッピーノ・リッピ《聖ベルナルドゥスの幻視》1486 年　フィレンツェ、バディア聖堂
上左 **4-28**　フラ・バルトロメオ《聖ベルナルドゥスの幻視》1504-07 年　フィレンツェ、ウフィツィ美術館
下右 **4-29**　フアン・デ・ロエラス《聖ベルナルドゥスの幻視》1611 年　セビーリャ、サン・ベルナルド施療院
下左 **4-30**　カーノ《聖ベルナルドゥスの幻視》1657-60 年　マドリード、プラド美術館

いでいる。彼の影響を受けたムリーリョも類似の図像を描いている。また、アロンソ・カーノが描いた作品（4－30）では、聖母像の胸から一筋の乳が噴き出して聖人の口に入っている。カーノは彫刻家でもあったため、聖母が顕現するのでなく、聖母像に命が宿って乳を与えるという情景にしたのであろう。これらはいずれも幻視者であるベルナルドゥスの斜め上方に聖母子がおり、ルネサンスの静的なものとは異なる対角線構図による典型的な幻視画となっている。

一六一四年にグイド・レーニが描いた《聖フィリッポ・ネーリの幻視》（4－31）は、カトリック改革期の聖人の登場する幻視画の典型である。フィリッポ・ネーリは、清貧思想を唱え、聖歌や奉仕活動に重点を置いてローマの上層階級の人気を集めたオラトリオ会の創始者で、聖母を熱烈に賛美していた。恍惚として両腕を広げる聖人の斜め上に聖母子がいる。観者は超自然で霊的なものを直接目の当たりにするより、それを見ることのできる聖人を讃仰し、その身振りや表情とともに聖母を見るのである。

また、一六一〇年に列聖されたミラノのカルロ・ボロメオの姿は生前からさかんに描かれたが、ミラノ大聖堂にこの聖人の生涯の大画面を描いたチェラーノはこの聖人の様々な図像の源泉を作り、聖カルロの幻視も描いている。そのうちの一点（4－32）では、聖フランチェスコとともにサン・チェルソの聖母とよばれる大理石像を見上げている。聖母像はミラノに実在するものだが、ともに見ている聖フランチェスコが聖カルロの幻視となっている。聖母の姿をモノクロームの彫像にしたのが異色である。この彫像のあるミラノのサンタ・マリア・プレッソ・サン・チェルソ聖堂は、一四八五年にこの地にペストが流行したときにそれを止めたという奇蹟の聖母の壁画があり、名高い巡礼地であった。この聖母の壁画断片を収めた天蓋付きの祭壇に建つのが、十六世紀末にアンニーバレ・フォンターナが作ったこの像である。この像は、一五七六年にやはりペストがミラノを襲ったとき、カルロ・ボロメオが裸足でこの像を運ぶ誓願行列を行い、その結果ペストが終息したという。聖母そのものの顕現ではなく、人々に参拝されている彫像をあえて描くことで、サン・チェルソの聖母の力と聖カルロの双方を称揚している。このように、幻視画は、聖母の顕現や聖人の幻視体験といった事件を描くナラティヴの要素と、崇敬対象である聖母や聖人の祈念像という意味の双方の機能を備えているのだ。

顕現した聖母はしばしば物を与えることもあった。聖イルデフォンソのもとには、聖母被昇

上 4-31　レーニ《聖フィリッポ・ネーリの幻視》1614年　ローマ、キエーザ・ヌオーヴァ

下 4-32　チェラーノ《サン・チェルソの聖母と聖フランチェスコと聖カルロ》1610年　トリノ、サバウダ美術館

天の祝日に聖母が処女聖女たちとともに現れ、自ら編んだカズラ（袖なしの祭服）を授与したという。この聖人は、七世紀のトレドの司教のベネディクト会士で、聖母崇敬を熱心に推進したが、聖母の処女性を否定した異教徒を論駁した功績によって、このような恩恵に浴したという。ウィーンの美術史美術館にあるルーベンスの有名な三連祭壇画（4-33）は、ブリュッセルのシント・ヤコプス・オプ・デ・カウデンベルヒ聖堂内の聖イルデフォンソ兄弟団の礼拝堂のために制作され、中央に聖母からカズラを授与される聖イルデフォンソ、右翼に作品を注文したルーベンスのパトロンであるイサベラ大公妃、左翼に兄弟団を設立したスペイン領ネーデルラント君主の亡きアルブレヒト七世がそれぞれ守護

上 4-33　ルーベンス《聖イルデフォンソ祭壇画》1630-32年　ウィーン、美術史美術館
下 4-34　ティエポロ《聖シモン・ストックに現れる聖母》1743-49年　ヴェネツィア、カルミニ大同信会館

聖人に伴われて礼拝している。このように、注文者を中央の聖母や聖人の画面と切り離して両側のパネルに描いたのは、祭壇画の中央画面に生きている人物の肖像を挿入してはいけないという一六〇八年に出された禁令のためである。だが、この禁令はしばしば守られなかった。

似たような逸話に、聖母が十三世紀のイギリスのカルメル会司祭である聖シモン・ストックにスカプラリオ（肩衣）を授与したという伝説がある。ヴェネツィアのカルミニ大同信会館には、一七四三年から四九年に二階の大広間の天井に制作されたジャンバッティスタ・ティエポロ初期の傑作《聖シモン・ストックに現れる聖母》（4-34）がある。シモン・ストックのもとに天使とともに聖母が顕現し、スカプラリオが差し出されている。スカプラリオとは、二枚の布をつないで肩越しに胸と背中にかける修道士の前掛けの一種で、ドミニコ会やカルメル会で用いられた。十六世紀以降、この作品に描かれたような細い紐でつないだ小型のものが普及し、メダイのように気軽に身に着けるものとなった。一二五一年、シモン・ストックに聖母が現れ、スカプラリオを身に着けて死ねば救われるだろうと告げ、スカプラリオを手渡したという。以後、カルメル会士はスカプラリオを身に着けるようになり、その習慣は十六世紀末から西洋全土に広がった。

通常の幻視画であれば聖人と対角線上に聖母が現れる構図となるが、ここでは聖人の上方から聖母子が降りてくるという珍しい情景が仰視法によって描かれている。それは、この絵が天井画であったこととも関係するが、ティエポロなりの工夫であった。彼が当初この同信会から受けた注文は、すでに天井中央に設置されていた先輩画家パドヴァニーノの《聖母被昇天》の周囲に八点の絵を描いてくれというものだったが、ティエポロはこれを拒否し、パドヴァニーノの絵を撤去させてすべて自らの構想による天井画で飾った。そして、中央の場面は、昇天する聖母の絵のかわりにすべく、降下する聖母を選んだのである。

†聖人の法悦

幻視体験とともに起きるのが法悦（恍惚、エクスタシー）である。聖人たちは法悦の中で幻視を体験し、それがさらに精神を高揚させて深い法悦にいたるという段階を踏んでいく。神との一致の感覚によって引き起こされる法悦は、キリスト者の極致であり、信仰の最終目標とされ、この状態を経験したとされる聖人たちは深い信仰を集めた。美術でも、同時代の聖人のほかに、聖フランチェスコや聖ヒエロニムス、マグダラのマリアなど、ナラティブに表現されることの多かった過去の聖人でさえ、幻視や法悦に没頭する聖人として頻繁に表現されるようになった。

聖フランチェスコは聖痕、つまり受難の可視的な印を受けた初めての聖人であるが、この聖人の体験によって、傷を受けるということがキリスト者にとって栄光を意味するという神秘思想を世に知らしめた。十三世紀のフランシスコ会の指導者ボナヴェントゥーラは、聖フランチェスコの幻視体験を六段階に分け、最終段階として「法悦」を設定している。そのため、聖フランチェスコの受痕は早い時期から法悦状態と重ね合わせて描かれてきたが、カトリック改革後はそれが一層顕著になり、多くの聖人の法悦表現はここから出発したようである。聖痕を受ける場面だけでなく、聖フランチェスコに聖母子が顕現して幼児キリストを抱かせてもらう場面も表現された。この幻視は本来聖フランチェスコの弟子のパドヴァの聖アントニウスが体験した逸話であったが、いつしか聖フランチェスコにも適用されたのである。ピエトロ・ダ・コルトーナの作品(4-35)では、聖母は明るい光の中に顕現し、聖人に幼児キリストを差し出している。聖

上 4-35　ピエトロ・ダ・コルトーナ《聖フランチェスコの幻視》1641年　アレッツォ、サンティッシマ・アヌンツィアータ聖堂

下 4-36　ベルニーニ　ローマ、サンタ・マリア・デラ・ヴィットーリア聖堂コルナロ礼拝堂　1647-52年

フランチェスコは恍惚としてこれを見上げ、受け取ろうとしている。

幻視と法悦をこの上なく劇的に表現したのが彫刻家で建築家であったジャンロレンツォ・ベルニーニである。十七世紀半ばに作られたローマのサンタ・マリア・デラ・ヴィットーリア聖堂のコルナロ礼拝堂(4-36)は、総合芸術、つまり建築・彫刻・絵画を統合した芸術(ベル・コンポスト)の典型であり、バロック美術の金字塔である。跣足カルメル会の創始者アビラのテレサはカトリック改革期に重要な活動を行った聖女であり、多くの神秘体験を経験したことで知られる。聖母被昇天祭のとき、彼女は聖母とヨセフの来訪を受けて優しい言葉をかけられたことを記している。「聖母の美しさはこの上ないものでした。お顔立ちははっきり分かりませんでしたが、全体のご容貌からそう思いました。白衣をお召しになり、光り輝くなかにいらっしゃいました。その光は目をくらますというより、目に心地よい優しい光でした。」

アビラのテレサの幻視の中でも、とくに天使に矢で胸を射抜かれる幻視はしばしば造形化された。天使から矢を差し込まれて恍惚とするアビラのテレサの像が正面の楕円形の壁龕に設置され、両側面には劇場の桟敷席のようにコルナロ一族の胸像が四人ずつ配され、この神秘劇を眺めている。その視線と身振りによって、あたかも聖女と天使は彼らの信仰が生み出した幻視であるように見える。天井には聖霊の鳩や天使のいる神々しい天上世界が描かれている。幻視画の大がかりな劇場であるといってよい。

この礼拝堂のあるサンタ・マリア・デラ・ヴィットーリア聖堂は、一六二〇年、ボヘミアのプラハ近郊でカトリック軍がプロテスタント勢力を破ったビーラー・ホラ（白山）の戦いの勝利を記念して建立された教会である。聖母がこの勝利に導いてくれたとされたのである。この教会には、甘美な法悦と幻視と、血なまぐさい戦争の記憶の双方が宿っているのだが、それがまさにバロックの精神であった。

5　ロレートの聖母

†聖家の奇蹟

幻視を見るのは聖人のような高徳の人士ばかりではなかった。一般の信者もその信仰心が強ければ聖なる存在を見ることがあった。とくに、巡礼地や聖地では巡礼者の前に聖母が姿を現すことが多かった。逆に、聖母が現れるとそこが聖地と見なされ、巡礼地になったのである。

第二章で見たサンソヴィーノの《出産の聖母》（2-61）のあるローマのサンタゴスティーノ聖堂には、入って左側の礼拝堂（4-37）にカラヴァッジョの《ロレートの聖母》（4-38）があ

右 4-37　ローマ、サンタゴスティーノ聖堂カヴァレッティ礼拝堂
左 4-38　カラヴァッジョ《ロレートの聖母》1604-06 年　同聖堂

る。巡礼者の前に聖母が顕現した情景を描いた代表的な作品である。扉口の敷居の上に幼児キリストを抱えた聖母が立っており、右下に、短いマントを羽織って杖を持つ典型的な巡礼姿の男女が跪いてこの聖母子を礼拝している。男の巡礼者は汚れた足の裏をこちらに見せており、聖母は巡礼たちの方に顔を向け、幼児キリストは右手で彼らを祝福しているようである。ここに描かれているのは、貧しい巡礼の母子に聖母子が顕現した場面、あるいは、彼らが厳しい旅の末に辿り着いた聖域で一心に祈っているうちに聖母子の幻視を見ているという情景である。

カラヴァッジョのライバル画家にして伝記作者バリオーネは、この作品が公開されたとき、絵を見た「民衆たちが大騒ぎをした」と記している。貧しげな巡礼者の写実的な描写は当時の宗教画にあっては異色であったからであろうが、教会側からたびたび受け取りを拒否されたカラヴァッジョのスキャンダラスなリアリズムや民衆的な視点の証左として、またそこに見られる深い宗教性のゆえに、カラヴァッジョ作品の中でももっとも感動的とされ、彼の芸術を語る際にしばしば取り上げられてきた。私も何度も論じてきたが、幻視という観点から考えてみよう。

ロレートとは、一二九四年にキリストの生家（聖家、サンタ・カーサ）がナザレから異教徒の手を逃れてこの地に飛来したという伝承から聖地となったイタリアのマルケ地方の町で、イタリア有数の巡礼地であった。第一章で見たようにサンタ・カーサ内には黒い聖母が置かれている（4-39）。とくにカトリック改革後はイエズス会が管理して聖地としての人気が急速に高まり、ドイツや新大陸にも「聖なる家」の複製が作られるようになった。

4-39　ロレート、サンタ・カーサ至聖所聖堂聖なる家内部

「ロレートの聖母」とは、このサンタ・カーサに安置されて信仰を集めた聖母子像のことであり、イタリアでもっとも有名な「黒い聖母」である。

十六世紀末から、聖母のことを様々な言葉で称える「ロレートの連禱」が生まれ、ロレートでさかんに唱えられた。カトリック改革期以降、ロレート崇拝はかつてなく高まり、一

上4-40　アンニーバレ・カラッチ《ロレートの聖母》1605年頃　ローマ、サントノーフリオ聖堂
下4-41　ティエポロ《ロレートの聖母》1743-45年　ヴェネツィア、サンタ・マリア・ディ・ナザレート聖堂天井画（焼失）

六〇〇年にはサンタ・カーサが再建され、美術の上でも「ロレートの聖母」の主題が流行した。アンニーバレ・カラッチの作品（4-40）、あるいは本章の最初に見たグンペンベルクの『アトラス・マリアヌス』の扉絵（4-1）のように、図像的には聖母が幼児キリストとともにサンタ・カーサに乗って天使たちに運ばれているものが一般的であった。また、カラヴァッジョの追随者カルロ・サラチェーニが描いたように本尊の黒い聖母のみのものもある（1-24）。また、バロック最後の巨匠ティエポロの最高傑作も、ヴェネツィアのサンタ・マリア・ディ・ナザレート聖堂の天井に描かれた《ロレートの聖母》（4-41）であった。惜しくも一九一五年のオーストリア軍の爆撃で失われてしまったが、写真によってその威容がわかる。教会の天井に広大

な空が広がり、聖母子を乗せた聖家が軽々と飛翔する見事なイリュージョンであった。

†カラヴァッジョの聖母

カラヴァッジョの作品では、それらに反して、ロレートの聖家の奇蹟を暗示する点も、ロレートにある聖母像を思わせる要素も見当たらない。

この作品に登場するような巡礼は、ロレートにもたくさんいたであろうが、カラヴァッジョの時代のローマにも溢れていた。一六〇〇年の聖年（ジュビレオ）の際には、五十三万六千人という巡礼が、その後も毎年三万人ほどの巡礼がローマを訪れ、十万弱のローマ市の人口を数倍上回っていたという。彼らの多くはそのままローマに残って物乞いをする浮浪者となり、カラヴァッジョの時代にはこうした貧民層の増加が深刻な社会問題となりつつあった。画中の巡礼者はこうしたローマの巡礼を忠実に記録したものであろう。この作品のあるサンタゴスティーノ聖堂は、巡礼の最終的な目標であるヴァチカンのサン・ピエトロ大聖堂に通じるサンタンジェロ橋の近くに位置し、多くの巡礼も立ち寄った場所だが、この聖堂に入った巡礼たちは、この画面の中に自分たちの姿を認めたにちがいない。

また、巡礼が汚い裸足を見せているが、ロレートに着いた巡礼はすぐに靴を脱ぐのが普通であった。裸足であるからこそ、描かれた舞台が通常の玄関ではなく聖なる地の入り口であることが示されているのである。

ここで描かれた母子が聖母であることを示すのは、わずかに見える頭上の光輪だけであり、生身の人間から写し取ったように現実感を持っている。しかし、強い光を浴びているその姿は神秘的であり、超越的な存在であることをうかがわせる。神秘的とはいっても、聖母は扉の付柱にくっきりと影を投げかけており、単なる幻ではなく実体化していることがわかる。この聖母は二人の巡礼者のみに顕現したものであり、聖母子が実体化しているのは彼らの心のうち、あるいは視野の中においてのみである。しかし観者である私たちは、二人の巡礼の薄汚れた姿だけでなく、彼らの目に映った聖母子の姿を同時に見ている。つまりこの画面には、巡礼のいる現実の聖域の空間と、巡礼の幻視の空間という二つの異なるレベルの空間が共存しているのである。

聖母の顕現という主題は、実はカラヴァッジョの原体験に根ざしたものだった。画家自ら本名のミケランジェロ・メリージではなく、カラヴァッジョ出身のミケランジェロ（ミケランジェロ・ダ・カラヴァッジョ）と名乗っていたことから、画家はこの町に強い愛着があったと思われる。一四三二年、この町の郊外で、一人の農婦の前に聖母が現れた。それ以来、カラヴァッジョという町は聖母の霊験あらたかな巡礼地となった。聖母が顕現した地には泉が湧き出るようになり、「聖母の聖域（サントゥアリオ・デラ・マドンナ）」として教会が建てられた。ここで育った画家にとっては、聖母の幻視のイメージは親しいものであったと思われる。「ロレートの聖母」を描くという注文を受けたとき、画家が、一般的な聖家飛来の故事ではなく、聖母顕現の主題を選んだのはそのためであったろう。

ただし、カラヴァッジョ郊外での聖母顕現は屋外で起こったのに対し、この作品においては、室内の薄暗い空間が舞台となっており、それによってロレートの聖家が舞台となっていることが暗示されているのである。幻視でありながら実在感を伴う聖母は、同時に強い神秘性を漂わせているが、これこそカラヴァッジョが幼い頃から思い描いたであろう聖母顕現のイメージであったにちがいない。それゆえ、この作品は、ローマに来た巡礼や民衆たちに対して、かつてないほどのリアリティをもって聖母子の姿を提示することができたのである。

4-42　パイトーネ、聖母聖域聖堂内部

カラヴァッジョの故郷からそれほど遠くないブレーシャ近郊のパイトーネでも、十六世紀に有名な聖母の出現があった。一五三二年、聾啞の少年フィリッポ・ヴィオッティに聖母が顕現し、彼の聾啞が治癒した。二年後その地に聖堂が建てられ、ブレーシャの画家モレットが、少年に聖母が顕現する情景を描いて主祭壇画とし、現在もそこにある（4－42）。モレットは、プレ・カラヴァッジェスキと呼ばれる十六世紀ロンバルディアの写実的な傾向を代表する画家で、画面には少年と聖母が克明に描写され、奇蹟を示すような光や雲はない。画家は少年に会って直接この情景について詳しく取材したが、当初はうまく表現できず、悩んでいたところ、画家の元にも聖母が現れ、その言葉に従って教会に行き、告解し、ミサを受けてから描くとすぐに完成し、少年もその画面に満足したという伝説がある。それを差し引いても、この作品は顕現の正確な記録であり、その飾り気のない写実性が若いカラヴァッジョに影響を与えたことは想像に難くない。

バリオーネは、《ロレートの聖母》を見た民衆が大騒ぎしたと伝えているが、素直に読めば、「巡礼の泥まみれの裸足」や「ほこりだらけのほころびた帽子」といった「くだらない細部」に民衆が怒って騒いだ、というように読め、カラヴァッジョ作品への非難と侮蔑が読み取れる。しかし、民衆の「大騒ぎ」を肯定的ととるか否定的ととるかについては研究者の間で意見が分かれている。画中の巡礼は、当時のローマにはいたるところに溢れかえっていた典型的な巡礼たちの姿である。この絵を見た民衆は、画中の巡礼に自らの姿を認めて感嘆し、興奮したのではなかろうか。つまり、観者が画中の登場人物に自らを投影し、仮託して、ともに聖母の幻視を体験できたのである。

巡礼者たちは、霊験あらたかな聖遺物とともに由緒ある聖母の画像を求めて、ヨーロッパ中から徒歩で聖地ローマにやって来た。聖堂内は、熱い眼差しをもって祭壇画ににじり寄り、これに跪拝する汗臭い民衆や巡礼者に溢れていた。この絵は、こうした人々に聖母子の顕現を目の当たりにする効果をもたらしたのであろう。

6 ペストと聖母

†ヴェネツィアのペスト

本書の冒頭に書いたように、西洋では史上何度もペストが猖獗(しょうけつ)を極め、そのたびにイコンが宗教行列に掲示されるなど、聖母が重要な役割を果たしてきた。第二章で見たように、十四世紀のペストは史上最悪の被害をもたらしたが、人々は不安な心情から「慈悲の聖母」に守護を願ったのであった。

このペストほどの規模でないにせよ、十七世紀のバロック時代にもペストが流行し、各地に深い傷跡を残した。とくに一六二九年から三一年のイタリアのペストは、ミラノを中心とするイタリア北部から中央部にかけて猛威を振るって百万人の命を奪い、イタリア経済の低下を推進することになった。ダンテの『神曲』と並ぶイタリア文学の古典であるマンゾーニの『いいなづけ』は、このときのミラノが舞台となっている。

ヴェネツィアは十六世紀に政治経済的な凋落の傾向が始まったにもかかわらず、文化の絶頂期に達した。しかし一五七五年にペストが襲い、巨匠ティツィアーノのほか、ヴェネツィアの人口の三分の一を奪った。このペストからの解放を記念して、パドヴァ出身の建築家アンドレア・パラーディオによってレデントーレ聖堂が建設され、九二年に完成した。以後、七月の第三日曜日に「レデントーレの祭り」が行われるようになった。広いジュデッカ運河にこの聖堂まで仮設の橋が架けられ、盛大な祝祭が行われる。

その後、ヴェネツィアはすべてが衰退していくが、さらに一六三〇年のペストは五万人近い人口を奪った。その後、ペスト終息を記念して元老院が「健康の聖母（サンタ・マリア・デラ・サルーテ）」に捧げる教会を作ることになり、ヴェネツィア生まれの建築家バルタッサーレ・ロンゲーナによって八七年に完成した（4-43）。この記念碑的な建造物は、ヴェネツィアにおけるバロックの幕開けを告げるものとなった。以後、毎年十一月二十一日、船を並べた橋が大運河に架けられ、元首が行列をなして訪問したが、この習慣が市民にも広がり、「サルーテの祭り」として市民たちが参詣して無病息災を祈願するようになった。

この聖堂の外観は聖母の被る王冠を表しているというが、青空に映える純白の姿は、まさに戴冠する玉座の聖母のように華麗である。ヴェネツィアには珍しい集中式のプランを持ち、八本の巨大な柱に支えられるドームのある中央の空間に六つの礼拝堂が並び、両端が半円形となった翼廊がつく内陣がある。内陣にある主祭壇（4-44）は、ロンゲーナが構想し、フランドル人の彫刻家ジュスト・ル・クールによって制作されたもの。中央のイコン《健康の聖母》は十二世紀の作品で、一六七〇年にクレタ島のカンディア大聖堂からもたらされたもの。前年まで二十四年間も続いたトルコとの悲惨なカンディア戦争の終結の記念品であった。このイコンを取り囲むような構成で、中央に聖母子が立ち、その傍らで松明を持った天使に駆逐されるペストの擬人像、反対側では聖母子に跪くヴェネツィアの擬人像がおり、両側にはヴェネツィアの守護聖人の聖マルコと、初代総大司教の福者ロレンツォ・ジュスティニアーニが立っている。

上 4-43　ロンゲーナ　ヴェネツィア、サンタ・マリア・デラ・サルーテ聖堂　1630-87 年
下 4-44　同聖堂祭壇

右4-45　ザンキ《ペスト退散を祈る聖ロクス》1666年　ヴェネツィア、聖ロクス大同信会館
左4-46　ネグリ《ペスト終結をヴェネツィアにもたらす聖母》1673年　同上

また、六つの礼拝堂には聖母伝の祭壇画が飾られており、《聖母の神殿奉献》などはナポリから来たルカ・ジョルダーノが描いたものである。

ティントレットの壁画で名高い聖ロクス大同信会館にはスカルパニーノによる豪華な大階段があるが、そこには、一六三〇年のペストの情景の壁画が描かれている。この同信会はペストの守護聖人聖ロクスを奉じており、病人の看護など慈善活動に取り組んでいた。右側は十七世紀半ばのヴェネツィア画壇を代表するアントニオ・ザンキによる《ペスト退散を祈る聖ロクス》(4-45)、左はザンキの弟子であったピエトロ・ネグリの《ペスト終結をヴェネツィアにもたらす聖母》(4-46)である。両画面とも、この会館を覆うティントレットの壁画に触発されたように、明暗を強調した劇的な大画面となっている。ザンキの壁画では、左上方に聖ロクスが聖母にペストの窮状を訴えており、

聖母が傍らのキリストにとりなしている。右手前には橋から小舟にペストの犠牲者の死体を放り込む情景が描かれ、小舟には息絶えた母子が横たわっている。対するネグリの壁画では、聖母が右下に跪くヴェネツィアの擬人像にペスト終結を告げ、傍らに聖ロクスと大天使ミカエルがいる。

この会館には、ティントレットも経験した一五七六年のペストと、ここにその惨状が描かれた一六三〇年のペストの双方の強烈な記憶が宿っている。二つの惨事は近世のヴェネツィア社会を襲った甚大な悲劇であり、ヴェネツィア文化の底につねに流れていた死という水脈を顕在化させた出来事であった。前者の終結の際はパラーディオによるレデントーレ聖堂、後者のときはロンゲーナによるサンタ・マリア・デラ・サルーテ聖堂が建設され、ヴェネツィアの都市景観に新たな美を加え、さらにそれぞれレデントーレの祭りとサルーテの祭りという祝祭となって、忌まわしい記憶が昇華されているのである。

†ボローニャとモデナのペスト

一六三〇年のペストは、十八世紀までのヨーロッパのアカデミズムの源流にして規範となったボローニャ派の中心地ボローニャでも、その人口の二十パーセントにあたる四万人以上を奪った。人々は「ロザリオの聖母」に救いを求め、ロザリオ信心会の拠点サン・ドメニコ聖堂に

上 4-47　レーニ《ペストの祭壇画》1630年　ボローニャ国立絵画館
下 4-48　同作品の部分

人々が殺到した。

ペストの終息を願ってボローニャ市当局はグイド・レーニに大きな奉納画を注文した。絹に明るい色彩で描かれたこの絵（4－47）は、大規模なペスト終息感謝行列の幟としてこの年の十二月二十八日に大規模な宗教行列で掲示された。虹の上に聖母子が坐り、その下に七人の聖人がいる。ロザリオ信仰を代表する聖ドミニクスとボローニャの守護聖人聖ペトロニウスを中心に、アッシジの聖フランチェスコ、イエズス会のロヨラとザビエル、ボローニャゆかりでその聖遺物がある聖プロクルスと聖フロリアヌスといったように、諸修道会の聖人や地域の聖人がそろっている。聖人たちの下にはボローニャの町が描かれている（4－48）。聖母の下に町の光景が広がる図像は、第二章で見た《ビガッロの聖母》（2－40）のような「慈悲の聖母」の図像にあったが、レーニの師カラッチの《ボローニャの上の栄光の聖母》のように、それが別の聖母像にも適用されたのであった。カラッチの作品では平穏な町が、レーニの作品では曇り空の下、疫病によって荒廃した様子になっている。この大作は、以後毎年十二月二十八日に市庁舎からサン・ドメニコ聖堂に掲げられて運ばれ、そこで三日間公開されていた。ボローニャの市民たちはそれによって悲惨な出来事とそれから救ってくれた聖母と聖人たちへの感謝の念を新たにしたのである。

レーニは、当時やはりペストに襲われていたローマに、悪鬼を退治する《大天使ミカエル》を送り、それは骸骨寺とも呼ばれるローマのサンタ・マリア・デラ・コンチェツィオーネ聖堂にあるが、以後、無数に模写されて版画化され、イタリアや中南米などの膨大な教会に展示され、あるいは複製画となって家庭に飾られている。

4-49　ラーナ《ペストを止めるギアラの聖母》1635-40年　モデナ、ヴォート聖堂

ボローニャと近い文化圏であるモデナでも、一六三三年にルドヴィコ・ラーナによってモデナの守護聖人聖ゲミニアヌス（ジェミニアーノ）が聖母にとりなす大きな大きな幟旗（のぼりばた）が制作され、行列に用いられた。そしてペストが終息したとき、感謝のために市当局によっ

てヴォート聖堂が建設され、同じ画家によって一六三五年から四〇年にかけて大きな主祭壇画（本章扉、4-49）が制作された。そこでは上部に幼児キリストに手を合わせる「ギアラの聖母」がおり、下部にはペストの惨状が広がっており、亡き子を抱える母親がいる。「ギアラの聖母」とは、モデナの隣町レッジョ・エミリアでレリオ・オルシの素描に基づきベルトーネという画家によって描かれたフレスコ画の聖母で、一五九六年から聾者を癒すなど多くの奇蹟を起こし、十七世紀初頭にはその信仰はエミリア地方一帯できわめてさかんになっていた。裸の幼児キリストに聖母が手を合わせるこの図像は、グエルチーノら多くの画家によって描かれた。遺体を片づける男と、いずれかの死んだ母子という組み合わせは、ペスト画のトポス（定型表現）となっている。

†ローマのペスト

同じペストはローマにも打撃を与えた。一六三二年にようやく終息すると、ローマ行政府（ポポロ・ロマーノ）はピエトロ・ダ・コルトーナにペスト終息記念行列用の幟旗を依頼した。この幟は残っていないが、表面には聖母イコン《サルス・ポプリ・ロマーニ》（1-16）の模写と聖ペテロ、聖パウロのローマの守護聖人とローマの景観が描かれ、裏面には同じ聖母図像と、ペストの守護聖人、聖セバスティアヌスと大天使ミカエルが描かれていた。幟は行列で掲示され、その後は聖母イコンのあるサンタ・マリア・マッジョーレ聖堂の身廊に吊るされていたという。

このときローマで制作していたフランス人画家ニコラ・プッサンは、《アシドドのペスト》（4－50）を描いた。これは、旧約聖書に記されたペリシテ人の町のペストにローマの同時代の惨状を重ねた歴史画で、聖母や聖人にペスト終結を願う奉納画とはかなり異なっている。アメリカの美術史家シーラ・バーカーによれば、当時、こういう絵を見ることによって、ペストの悲惨なイメージを見て精神を鍛え、カタルシスを得ることがペスト予防になると信じられていたという。中央手前には、死んだ母親の乳房を求める幼児がいるが、これは『アエネイス』の一場面のペストに襲われる町を描いたラファエロ原画によるライモンディの版画《モルベット》に由来する。亡き母親の乳房にすがる幼児は、これ以降、ペスト絵画のトポスとして様々な画家によって繰り返し描かれた。

上 4-50　プッサン《アシドドのペスト》1630 年　パリ、ルーヴル美術館
下 4-51　同《聖フランチェスカ・ロマーナの幻視》1657 年　同上

ローマでは一六五六年にも

右4-52　《ポルティコの聖母》14世紀　ローマ、サンタ・マリア・イン・カンピテッリ聖堂
左4-53　ライナルディ、デ・ロッシ《グロリア》1657-67年　同聖堂内部

ペストが流行したが、プッサンはこのとき、ジュリオ・ロスピリオージ枢機卿の注文でペスト終息を感謝する奉納画として《聖フランチェスカ・ロマーナの幻視》（4-51）を描いた。ペストは天から降る矢だと思われたが、雲に乗った聖母が折れた矢を持ち、ペストは天使によって右端に追いやられている。それを十五世紀ローマの聖女フランチェスカ・ロマーナが手を広げて祈っている。雲に乗っているのが聖女で、祈っているのはローマ教会の擬人像、あるいは聖女伝が捧げられたドンナ・アンナ・コロンナであるという説もあるが、折れた矢は、第二章で見たようにペストから保護する「慈悲の聖母」のアトリビュートでもあるため、やはりこれも聖母であろう。

一六五六年にローマでペストが流行していたとき、サンタ・マリア・イン・ポルティコ聖堂の十四世紀の小さなエナメルの聖母イコン《ポルティコの聖母》（4-52）が霊験あらたかだと評判になった。教皇アレクサンドル七世は、同じ場所に新たに壮麗な教会をローマの建築家カルロ・ライナルディに建てさせ、そこにこのイコンを移した。教会の中央奥にライナルディの共作者ジョヴァンニ・アントニオ・デ・ロッシによる《グロリア》と呼ばれる華麗なタベルナクルムが設置され、その中央にこのイコンが納められた（4-53）。これによって、それまで信者に接吻され、触られていた小さなイコンは信者と隔てられ、あたかも奇蹟的に出現したかのように光に包まれている。

さらにこの教会の内部は白い大理石に覆われ、窓からの光によって明るくなっているが、これはペスト患者を収容する療養所の内装に似ており、この教会の設立事情を物語っている。

†ナポリのペスト

ナポリは一六三〇年のペストからは免れたが、一六五六年から翌年にかけて大規模なペストに襲われた。ギリシャの植民都市以来の古い歴史を持ち、ヨーロッパでもっとも大きく活発な都市であったナポリは、スペイン副王の指導のもとに十六世紀後半から大規模な建設事業が起こった。十七世紀初頭に二度にわたってカラヴァッジョが滞在して革新的な大作の数々を残したことが地元の画家たちを刺激し、ナポリ派と呼ばれる新たな写実主義を勃興させた。十七世紀のナポリはヨーロッパ最大の人口を誇り、地中海貿易の要港として街は活気に溢れていたが、一方、スペインの支配下にあり、その圧政に抗して、マサニエッロの乱をはじめ、しばしば民衆が暴動を起こしており、また噴火や地震、疫病の流行が定期的に起こっては惨状をもたらした。ナポリ派の画家たちは大都市のこうした栄光と悲惨、貧富の差といった明暗を画面に反映させたのである。

一六五六年のペストは人口の半分に当たる十五万人の命を奪い、十七世紀ナポリの黄金時代を終らせることになった。この後、ナポリは以前の人口を回復するのに二世紀を要したという。ベルナルド・カヴァリーノやマッシモ・スタンツィオーネといった有力な画家たちもこのとき命を落とした。

ペストに際して、政府は画家マッティア・プレーティに大きなペストの奉納画(エクス・ヴ

上右 4-54 プレーティ《ペスト奉納画》1656-59年 ナポリ、サン・ジェンナーロ門
下 4-55 同《ペスト奉納画下絵》1656-57年 ナポリ、カポディモンテ美術館
上左 4-56 ペレ《ナポリの上の無原罪の聖母》1656年

ォート）を描くよう依頼し、彼はこの年から五九年にかけて七つのナポリの城門にフレスコで聖母像を描く。多くは風雨に晒されて間もなく破損してしまったが、サン・ジェンナーロ門に唯一残っており、今も見ることができる（4－54）。カルミネ門とスピリト・サント門のフレスコのための下絵はカポディモンテ美術館に残っており（4－55）、それを見ると、画面下部にはペストの犠牲者が片づけられようとしており、上部には聖フランシスコ・ザビエルと聖ロザリアが「無原罪の聖母」にとりなしており、ザビエルの背後にはナポリの守護聖人聖ヤヌアリウス（ジェンナーロ）がいる。

政府はこの注文と同時に、ナポリにいたフランス人版画家ニコラ・ペレに同じ主題の版画の制作を依頼し、民衆に配布した。この版画（4－56）は、ペストの犠牲者や宗教行列の見えるナポリの風景の上に「無原罪の聖母」がおり、それを見上げて聖ヤヌアリウス、聖ザビエル、聖ロザリアが祈っている。美術史家ジェームズ・クリフトンの研究によれば、当時ペストは人間の原罪の延長にあるものとされ、「無原罪の聖母」は、ペストを防ぐことができると思われた。城門に掲げられた「無原罪の聖母」は、ペスト禍の侵入を防いでくれる護符の役割を果たしたのである。ペレの版画も人々が自宅の戸口に貼りつけたと思われる。

ここに登場した聖人のザビエルもやはり疫病除けに効があるとされた。ナポリではペストが流行する三年前の一六五三年、イエズス会の教会ジェズ・ヌオーヴォ聖堂のジョヴァンニ・ベルナルディーノ・アッツォリーノによる《聖ザビエルの幻視》という絵の中で、聖母の幻視を見ているザビエルの顔が青ざめ、汗ばんで目を上下させたという奇蹟が数週間にわたって続き、ルカ・フォルテやフラカンツァーノといった画家も含む百人もの人々に目撃された。後にこれはペスト襲来を予告する現象であったとされ、このペストの際に当局はとくにザビエルの加護を願ったのである。

またザビエルとともに描かれた聖ロザリアは十二世紀のシチリアの聖女だが、一六二四年にシチリア島のパレルモがペストに襲われたとき、人々の前に現れ、自分の遺骨のありかを教えた。教えられた場所で聖女の遺骨が発見され、それを行列によって町に運んだところペストが終息したという。それによって彼女はパレルモの守護聖人となり、当時パレルモに滞在していた画家ヴァン・ダイクがこの聖女の姿を何点か描いている。これ以降、ペストにご利益がある聖人としてにわかに崇敬を集めていたのである。

ナポリの都市風俗や風景を描いた画家ミッコ・スパダーロ（ドメニコ・ガルジューロ）は、一六三一年のヴェスヴィオ火山の噴火や一六四七年のマサニエッロの反乱といったナポリの大事件を描いたが、一六五六年のペストの地獄のような光景も描いている（4-57）。多くの病人や犠牲者を城壁外のメルカテッロ広場（現ダンテ広場）に集める様子が描写されているが、上空には剣を振り下ろそうとするキリストにとりなす聖母が見える。

画家はナポリの高台にあるカルトゥジオ会のサン・マルティーノ修道院に避難し、そこで保護されて難を逃れたが、翌年、ペスト終息感謝のための奉納画（4-58）を修道院から注文された。そこでは、ナポリの市街を見下ろす丘で、カルトゥジオ会士たちが感謝の祈りを捧げ、中空に彼らの守護聖人聖ブルーノと聖母がおり、左上で炎の剣を持ったキリストにとりなしている。画面左には、この修道院の名の聖人聖マルティヌスが笞（むち）を持ったペストの擬人像を剣で阻止している。右端にはパレットを持つ画家の自画像も見える。この大作は長らく修道院の貴

上 4-57　スパダーロ《1656年のメルカテッロ広場》1656年　ナポリ、サン・マルティーノ美術館
下 4-58　同《ペスト終息の感謝》1657年　同上

賓室に飾られていた。祈りの対象を示すと同時に出来事の記録にもなっており、次章で見る庶民たちによる小型のエクス・ヴォートの大規模な形態である。

一六五六年のナポリのペストが終息したとき、スペイン副王（ナポリ総督）のペニャランダ公ガスパル・デ・ブラカモンテの命で、建築家フランチェスコ・アントニオ・ピッキアッティがサンタ・マリア・デル・ピアント聖堂を建設し、一六六二年に完成した（4-59）。「涙の聖母」という意味のこの教会は、ヴェネツィアのサンタ・マリア・デラ・サルーテ聖堂に当たるペスト終息の記念聖堂であり、多くの犠牲者を弔うために城外のポッジョレアーレの丘の共同墓地の近くに建てられた。

そこに飾るべく総督の注文で制作されたのがジョルダーノの《ペスト患者を聖母にとりなす聖ヤヌアリウス》（4-60）とアンドレア・ヴァッカロの《煉獄の魂をとりなす聖母》（4-61）であり、いずれも現在はカポディモンテ美術館にある。ジョルダーノの作品はプレーティの奉納画をほぼ継承しており、聖ヤヌアリウスが聖母にナポリの窮状を訴え、それを聖母は十字架を持つキリストにとりなしている。画面下部は、ペスト患者が集められた城壁外のメルカテッロ広場の情景で、死体が積み重ねられている。左下には、ペスト表現のトポスである亡き母親の乳房にすがる幼児がいる。右上には剣を鞘に納める大天使ミカエルがいる。この天使は、六世紀にローマでのペスト流行が終息したとき、サンタンジェロ城の頂上に現れ、剣を鞘に収め

上 4-59　ビッキアッティ　ナポリ、サンタ・マリア・デル・ピアント聖堂　1657-62年
中 4-60　ジョルダーノ《ペスト患者を聖母にとりなす聖ヤヌアリウス》1662年　ナポリ、カポディモンテ美術館
下 4-61　ヴァッカロ《煉獄の魂をとりなす聖母》1660-62年　同上

た姿を教皇グレゴリウスが見たと『黄金伝説』で伝えられたことから、病魔退散のシンボルとして信仰されていた。

聖堂の主祭壇画であったヴァッカロの作品は、煉獄にいる魂のために聖母が右上のキリストにとりなしている。左手に王笏（おうしゃく）を持ったキリストは、聖母に右手を伸ばしてそれに応えているようだ。煉獄の魂は裸で表現されることで、ペストの犠牲者が貴賤も問わずに等しくいたことを示す。人は死ぬと罪の大小に応じて一定期間、煉獄の焔で浄化される必要があるとされ、遺族は死者のためにその期間を短くするために祈ったのだが、聖母は煉獄で苦しむ魂のために神にとりなしてくれることが期待されたのである。

以上で見た作品の多くは、画面下部にはペストによる町の荒廃した様子や犠牲者の遺体があり、その上に聖人、そして最上部にキリストと聖母がいるものである。それらは、ペストのとき実際に起こった痛ましい事件やその惨状の歴史的な記録としても価値がある。聖母は聖人から報告を受け、キリストにとりなす役割としてこの種のイメージには不可欠であった。ペストの惨状の描写には、前述のように、遺体を運ぶ、あるいは片づけるたくましい男、死んだ母の胸にすがりつく赤子といったトポスが見られる。ラーナの作品（本章扉、4-49）のように母が死んだ幼児を抱いている場合もあるが、ペストによって犠牲となった母子は、天上にいる聖母子と対比されていると見てよいだろう。

ナポリの七つの城門にプレーティによって聖母が描かれたように、聖母は疫病から防御してくれる存在として信仰された。そして、病魔が退散して平和が訪れると、それは聖母の働きによるものだと感謝され、ますます聖母崇敬が燃えさかったのである。

第 5 章

聖母像の広がり
――植民地・民衆への浸透

クリストバル・ビリャルパンド《黙示録の女》1685-86年　メキシコ大聖堂

1　エクス・ヴォートにおける聖母

†エクス・ヴォート

美術史家ロベルト・ロンギは、カラヴァッジョの《ロレートの聖母》（4－38）を「モニュメンタルで民衆的なエクス・ヴォート」と称した。エクス・ヴォート（奉納画・奉納物）とは、主に民衆が聖堂に奉納する小型の絵画で、キリストや聖母や守護聖人が奉納者に顕現する図像で描かれるのが一般的である。巡礼地や聖地の聖堂に多く見られる。カラヴァッジョの作品も、巡礼地ロレートにも多く見られたであろうエクス・ヴォートの図像を借用した可能性があり、それゆえに、この作品は高貴な芸術には無縁であった巡礼や民衆にも理解しやすかったのだろう。

今でも欧米の教会の内外の壁面には、夥（おびただ）しいエクス・ヴォートが掛けられていて目を奪われる。

エクス・ヴォートは南欧や中南米などカトリック圏ではどこでも見られ、貴賤を問わずに奉納された。正確な起源は不明だが、少なくとも十五世紀から現在まで続いている習慣で、とくにカトリック改革後、十七世紀から十八世紀にかけて聖人崇敬と庶民の巡礼とともに南欧や中南米で大いに隆盛し、とくに疫病や戦争のときには夥しい数が奉納された。

もともとは、自分の衣服や甲冑、あるいは宝物を捧げる習慣であった。第三章で見た、ドイツのレーゲンスブルクの聖母巡礼の様子を描いた版画（3-40）の中に、教会の前に大量の農機具や靴が吊るしてあるものがあったが、あれもエクス・ヴォートである。教会に来た巡礼者たちが、自らの証しとして使い慣れた道具や靴や帽子や杖を奉納したのである。手足や内臓など損傷した部位や器官を土、蠟、木、鉄、銅、銀、金などでかたどったものもあり、胃の手術を受けて治癒した者は蠟などで胃をかたどったもの、手足を損傷した者は手足の形のプレートを教会に奉納する。これらは無限に増えていくため、聖地や教会の管理者は定期的にこれらを処分する。そのため現在残っているものはごく一部に過ぎず、日常的な道具類や衣類のほとんどは処分されている。奉納画の中でも比較的優れたものが選別されて残されたと思われる。

日本の絵馬もこれと似た奉納画であり、五穀豊穣、商売繁盛、家内安全、無病息災、病気平癒、良縁といった祈願・報謝・供養などを目的として寺社に奉納された板絵あるいは絵額である。エクス・ヴォートは事前に願を懸ける絵馬と異なり、奇蹟的な力によって救ってくれた神や聖母や聖人への感謝の証しである。つまり、絵馬の多くが今後のことを祈願して奉納するのに対し、エクス・ヴォートは過去に起こったことに感謝して奉納するものである。

前の章の終わりで見たナポリのペストの際に描かれた大画面も、このエクス・ヴォートの公的なものである。しかし、エクス・ヴォートの大半は小型の絵画であり、その図像でもっとも多いのは、奉納者がその守護聖人や聖母に祈禱しているものである。一般的に画面の下半分には、室内か屋外で奉納者や神の加護を求める者が祈禱し、その傍らに奉納の原因が写実的、あるいは簡略に描写される。上部には超自然的な存在が雲や玉座や祭壇の上で、炎や光に囲まれて登場している。聖母がもっとも多く、土地の守護聖人や、その両者が登場することも多い。キリストや複数の聖人がいることもある。そして多くの場合、そこに事情を説明した文字や奉納者の名前や年紀が付随する。詳しい説明もあれば、単にPGR（per gratia ricevuta 恩寵拝受）、VFGA（votum fecit gratiam accepit 恩寵拝受奉納）といった略字が記されることも多い。病気だけでなく、難産の末の出産、事故や災難からの生還の情景を描いた画面もあり、遭難や交通事故、火事や地震を描いた画面でも、天空から聖人や聖母が見下ろしている。

たとえば、ヴィチェンツァのモンテ・ベリコ至聖所聖堂にあるエクス・ヴォート（5－1）は、大病を患った男が回復を感謝して奉納したもので、病気治癒のエクス・ヴォートの典型的な構図である。病床に横たわる奉納者に彼の妻が指し示すのは、雲の上にいる聖母マリアとそれにとりなす奉納者の守護聖人聖フランチェスコと聖ドミニクスである。その下にはおそらく先に亡くなった老母までが心配そうな表情で登場する（町の擬人像とも考えられる）。右下に奉納者の氏名と日付が記されているが、大半のエクス・ヴォートと同じく画家の名前はわからない。

傷病だけでなく、島や港町の教会に多く見られるのは、船の模型を奉納することであり、また航海中の船や暴風雨で船が傾いている情景の上空に聖母や聖人が現れる奉納画である。聖母はステラ・マリス（海の星）の異名を持ち、海の守護者として古くから航海者の熱心な信仰を集めてきた。リヴォルノ近郊のマドンナ・デル・モンテネロ至聖所もエクス・ヴォートが多いことで知られているが、そのうちの一点（5－2）では、嵐で沈みゆく船から小舟で脱出する奉納者たちが描写され、右上にモンテネロの聖母が小さく描き込まれている。航海の神であった日本の金刀比羅宮の絵馬にも似たような図像があるが、航海が無事にすんだときや水難事故から助かったときに、人々はこうしたエクス・ヴォートを奉納して聖母や聖人のご加護に感謝したのである。

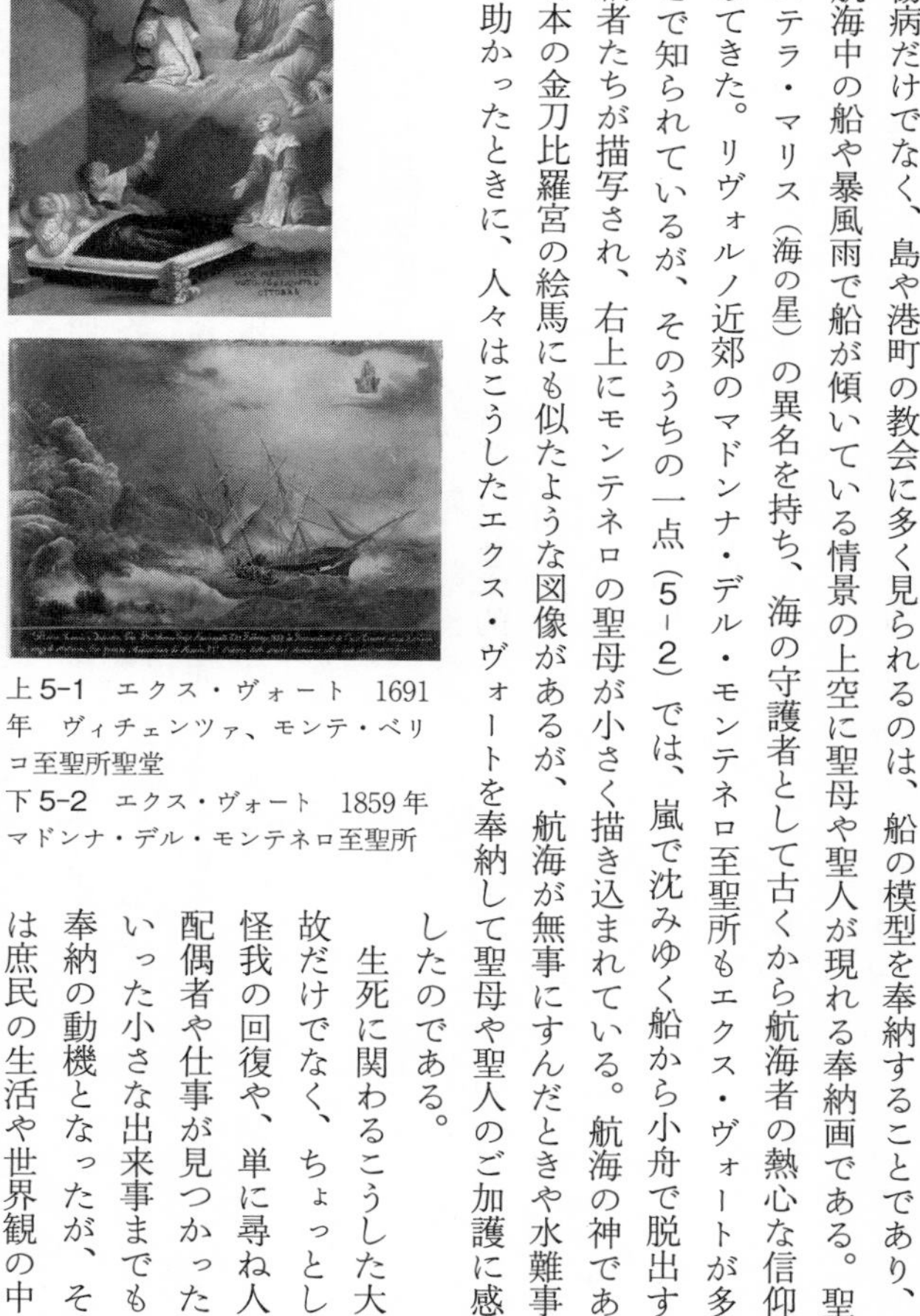
上 5-1　エクス・ヴォート　1691年　ヴィチェンツァ、モンテ・ベリコ至聖所聖堂
下 5-2　エクス・ヴォート　1859年　マドンナ・デル・モンテネロ至聖所

生死に関わるこうした大事故だけでなく、ちょっとした怪我の回復や、単に尋ね人や配偶者や仕事が見つかったといった小さな出来事までもが奉納の動機となったが、それは庶民の生活や世界観の中に

いかに聖母や聖人が深く入り込んでいるかの証しである。

こうした画像はつねに需要があり、画家にとっては重要な仕事であった。エクス・ヴォートの大半は無名の絵師によるもので、これを専門にした絵師や聖地に店を構える絵師も多かった。これらはいずれも、庶民の経験した事件や事故を生き生きと伝えてくれる第一級の資料として重要である。王侯貴族が著名な画家に描かせたものは、教会の壁ではなく美術館に展示されている場合があり、奉納画という本来の機能が忘れられてしまっている。

†エクス・ヴォート図像の起源

エクス・ヴォートのこうした構図は、基本的にカトリック改革期以降の幻視画の形式から採られている。たとえば、イエズス会の開祖イグナティウス・デ・ロヨラが戦傷で寝ているときに聖ペテロの幻視を見た情景が、ヒエロニムス・ヴィーリクスの「ロヨラ伝」連作の一点としてあるが(5-3)、これは、病人に聖人が顕現するエクス・ヴォートの図像の典型である。かつては聖人や神秘主義者が体験していた幻視が一般庶民にも広がり、誰にでも起こりうるようになったのだろう。民衆のささやかなドラマにも聖母は介入し、無数の奇蹟を起こすようになった。そしてそれがエクス・ヴォートに描かれて奉納され、公的に展示されたのである。

また、幻視画に加え、エピタフ(墓標)の延長線上にあると見ることもできよう。エピタフとは寄進者が自らの姿を奉納してつねに神のもとで跪拝したいという要望から、聖なる存在と寄進者を同じ画面に表現したもので、中世後期から、教会の墓所や礼拝堂に設置された。教会内に自らの墓所を寄進することのできる富裕層に限られており、多くの場合、注文主やその家族が聖母子や聖人に祈っているものである。代表的なものは、ブルゴーニュ公国の宰相が聖母子に祈っているファン・エイクの《ロランの聖母》（5-4）である。あるいは第二章で見た「慈悲の聖母」の中にも、ホルバインの《マイヤーの聖母》（2-50）のように、聖母のマントの下に寄進者が集団で登場するものがあるが、それらもエピタフの一種ととらえることができる。

奉納者の姿が登場する十六世紀以降の奉納画も、こうした習慣を庶民のレベルで継承したものと見ることができる。奉納者は自らの姿を描いた額を奉納することによって、つねに神の近くにいたいという願望を表現したのであり、奇蹟譚は名目にすぎないこともあったであろう。

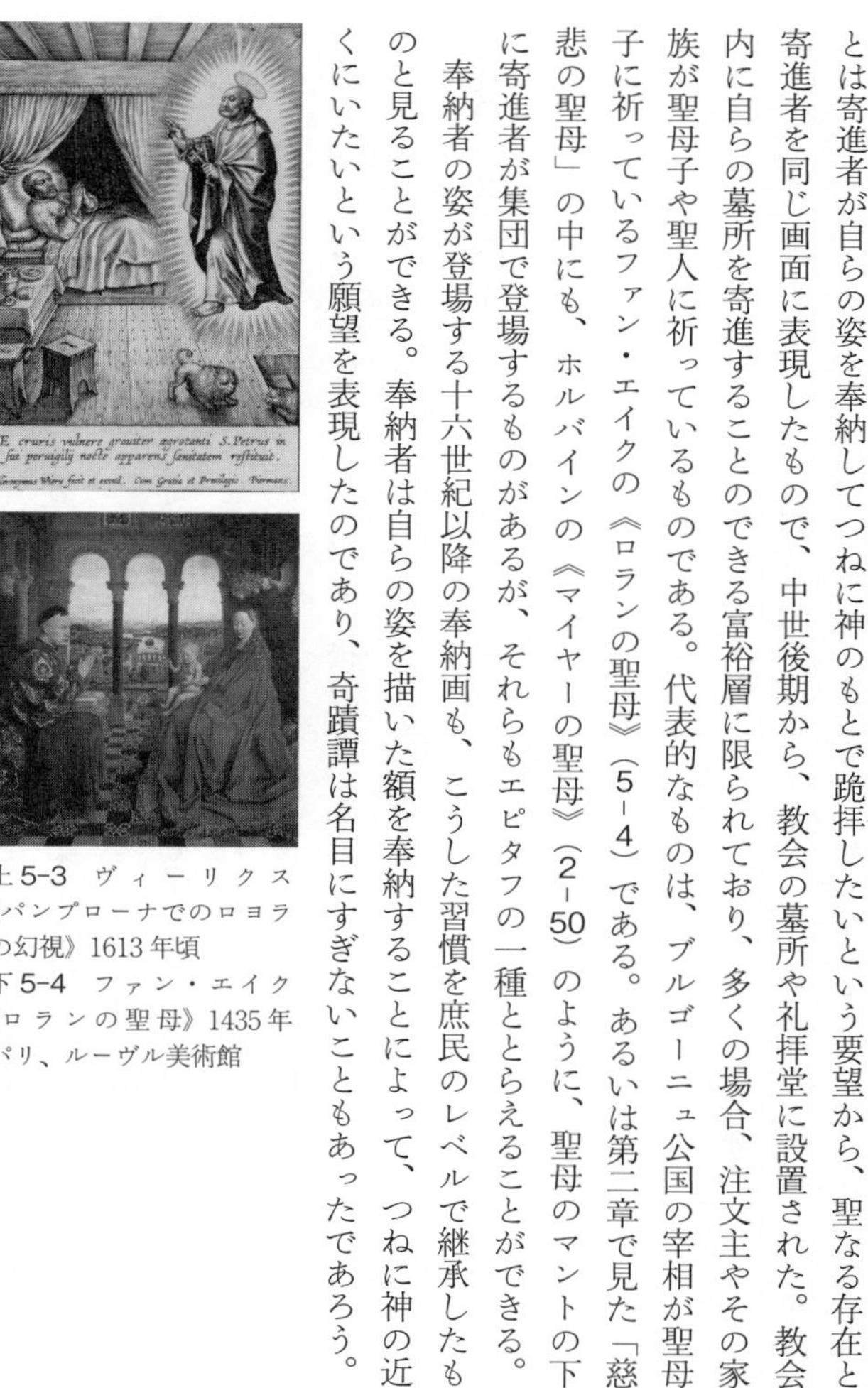

上5-3　ヴィーリクス《パンプローナでのロヨラの幻視》1613年頃
下5-4　ファン・エイク《ロランの聖母》1435年　パリ、ルーヴル美術館

つまり、エクス・ヴォートは事後の感謝の証しであると同時に、奉納者が神の近くで加護してもらうことを祈願するものであり、それが同じ場所に集中して飾られることにも意味があった。エクス・ヴォートをしかるべき聖所に奉納して掲示することによって、自らの経験がたしかに神の恩寵によって起こった奇蹟であると確信させる効果があったと思われる。

今とはくらべものにならぬほど傷病死が一般的であった時代には、傷病から回復することはすべて奇蹟だと考えられた。これを記録し、周囲に広く告知し、後世に伝えることによって、奉納者は神の恩寵を受けた者として、その後の人生も来世も祝福されたものになると思ったのであろう。こうした心性がエクス・ヴォートという習慣を支えてきたのである。

†追悼のエクス・ヴォート

エクス・ヴォートには、絵馬と同様、願掛けや死者への追悼や供養という意味を持つものもあった。エクス・ヴォート研究の第一人者であるドイツの民俗学者クリス・レッテンベックはこれをトーテンターフェル（死者の板）と呼ぶ。

たとえば、一八一四年の南ドイツのエクス・ヴォート（5-5）は、病気で死んだ父のために農家の一家が奉納したもので、父親はベッドに寝ているが、妻や子どもたちの何人かは黒い十字架を持って祈っている。この黒い十字架を持つものは死んだことを示しており、夫婦と九人の子どものいるこの家族のうち、夫と三人の子どもが亡くなったことがわかる。中央には王冠を被った「勝利の聖母子」が雲の中に坐っている。イタリア南部プーリア州のカプルソのマドンナ・デル・ポッツォ聖堂に納められたエクス・ヴォートにも、ベッドに横たわる死者を囲み、ハンカチで目を覆う者を含む家族や司祭が描かれている、あきらかなトーテンターフェルがある(5-6)。彼らの上部にはこの額が捧げられたこの地特有の「井戸の聖母」が雲の中に現れている。また、スイス南部のティチーノのアントニオ・リナルディが描いたエクス・ヴォートにも、病床の妻の傍らで夫が泣いているものがあり、これも喪の情景だと見てよいであろう(5-7)。壁には手を合わせる聖母の絵が掛かっており、聖母は顕現するのでなく、画中画にい

上5-5　トーテンターフェル　1814年　マリア・キルヒェンタール
中5-6　エクス・ヴォート　19世紀　カプルソ、マドンナ・デル・ポッツォ聖堂
下5-7　リナルディ　エクス・ヴォート　1844年　ティチーノ、アルツォ司教区聖堂

ることによって現実的な情景となっている。

こうしたエクス・ヴォートを奉納したのは、生き残った遺族であり、彼らは自らが快癒した奇跡を感謝するのではなく、身内の冥福を祈って奉納したのであろう。かつて私は拙著『聖と俗』に詳しく論じたが、日本でも山形県のムカサリ絵馬や岩手県の供養絵額のように、東北地方にはこのような供養絵馬を寺社に奉納する習慣があった。後者にはエクス・ヴォートに見られる聖母のように、観音が来迎する図像も見られる。

死の歴史を初めて体系的に論じた歴史家フィリップ・アリエスによれば、西洋ではかつて死は生と対立するものでなく、運命として受容されていたが、中世以降、死への恐怖が増大し、日常の秩序からの断絶と考えられるようになる。それが近代になると、自分の死よりも、愛する者の死を悼むようになったという。彼はそれを「「己の死」から「汝の死」への転換」と表現している。エクス・ヴォートの奉納者のほとんどは、自らの治癒や救済にばかり関心があるように見える。しかし、アリエスの述べる「汝の死」の時代以降は、徐々に家族の死後の救済のための奉納が増えたようである。そのときに、死者を迎えに来るような聖母を描き込むことによって、遺族はわずかな安心感を覚えたのであろう。

エクス・ヴォートにおける聖母は、奉納者に顕現して奇跡をもたらしたことを示すものというより、彼らの切実な信仰と願望を集約し、象徴する一種の記号となっているのである。

2　中南米の聖母

†ペルーの聖母

スペインのバロック様式は、スペインの植民地として多くの教会が建立されたラテン・アメリカにおいても、その土地の伝統的・民族的様式と融合しながら多くの個性的なバロック建築を生み出した。中南米には、かつてマヤ、アステカ、インカといった文明が栄えていたが、十六世紀にスペイン人によって侵略されて建造物や都市の多くは破壊され、十七世紀から十八世紀にはキリスト教の浸透とともに、メキシコとペルーを中心に豊かなバロック美術が開花する。広場を中心とする都市が建設され、メキシコ市の中心ソカロ広場や、ペルーのクスコのアルマス広場には、バロック様式による壮麗な大聖堂が建設された。中南米の教会の多くには、空間恐怖のように内外の壁面を、極彩色のストゥッコ（漆喰装飾）や彩釉タイルで埋め尽くすウルトラ・バロックと呼ばれる様式が見られる。ボリビアのポトシにあるサン・ロレンソ聖堂などでは、スペイン美術の背景にあったイスラムの装飾様式と先住民のインディオの造形性とが、

右 5-8　ビッティ《カンデラリアの聖母》1575-80年頃　リマ、サン・ペドロ聖堂
左 5-9　マッテオ・ダ・レッチェ《授乳の聖母》1604年頃　リマ美術館

バロックによって統合されている。

絵画は、十六世紀末にペルーに渡来したマニエリスムの画家たちの様式に始まる。一五七四年にペルーに来たイタリア人のイエズス会士ベルナルド・ビッティは新世界に来た最初の画家であった。彼はリマのサン・ペドロ聖堂やクスコのイエズス会聖堂のために優雅な聖母像を多く描き、大きな影響力を持った。リマのサン・ペドロ聖堂にある《カンデラリアの聖母》（5-8）や《希望の聖母》のように、この画家の聖母像は紙のように屈曲した衣文が特異だが、天を見上げる顔貌表現や冷たい色彩はエル・グレコを思わせるような後期マニエリスムからカトリック改革期の様式を示している。ビッティが活躍したクスコでは、クスコ派とよばれる地元の画家集団が形成され、多くの聖母画像を生み出した。それらは徐々に地方化しており、装飾的になっている。

これに続き、一五八九年にリマに渡来したマッテオ・ダ・レッチェ（マテオ・ペレス・デ・アレシオ）は、ミケランジェロの助手を務め、独立した画家としてヴァチカンのシスティーナ礼拝堂の入り口上に壁画《モーセの遺体をめぐる争い》を描いており、マルタ島で騎士団長宮殿の壁画を描いて、さらにセビーリャでも制作した名手であった。彼はローマの画家として尊重され、「副王の画家」として彼らの肖像画のほか、リマの大聖堂やドミニコ会聖堂などの装飾に携わり、ピエトロ・パオロ・モローニ（ペドロ・パブロ・モロン）ら多くの弟子も育成した。聖母像としては《授乳の聖母》（5－9）があり、次章で見る日本にもたらされた作者不詳の《悲しみの聖母》（6－24）と同じく、ローマのカトリック改革期の平明な様式を示している。この聖母は銅板に描かれ、裏面は銅板画の原画になっている。

このほか、一五八七年にコロンビアに到着し、エクアドルを経て一六〇〇年にペルーに来たナポリ生まれのアンジェリーノ・メドーロ（アンヘルノ・メドロ）はリマのサン・フランシスコ聖堂のためにルーベンスの《十字架昇架》の模写を描いてバロック様式を伝え、後進を育てた。さらにスペインからスルバランやムリーリョなどの作品の模写や二流画家による膨大な宗教画が輸入され、各地に送られた。

†ミッション美術

スペイン領南米の辺境には、イエズス会やフランシスコ会の修道士たちの築いた町で、「ミッション美術」が生まれた。修道士たちは、大量の版画を持ち込んで現地でそれを模倣させた。日本の南蛮文化時代と同じく、十六世紀末のアントウェルペンのヴィーリクスやサドラーの版画が多かった。ラプラタ地域のイエズス会ではやがて自前の印刷機を備えるようになり、書物や版画を印刷するようになった。そこで普及した聖母画像は、第三章の最後に見たパッサウにあるクラーナハの《マリアヒルフ》(3-43)であった。南米に来た宣教師の多くが南ドイツの出身で、この聖母に親しんでいたためであった。また、同じく南ドイツの生地アルトエッティンクの黒い聖母像は、南米に渡ったイエズス会士アントン・セップとアントン・ボームの手によって粘土による小さな複製像が多数作られ、各地に配られたという。黒い聖母は、アフリカ系の船員や使用人に喜んで礼拝されたという。文化人類学者の齋藤晃氏によれば、こうした聖母像は宣教師の伴侶となり、同時に軍事的征服の象徴ともなり、コンキスタドーラ(征服者)とも呼ばれたという。

ボリビアのティティカカ湖畔にあるコパカバーナは、《コパカバーナの聖母》(5-10)で知られる。この像は、一五八三年、改宗した先住民のフランシスコ・ティト・ユパンキがスペイン人彫刻家に学びながら制作して聖堂に安置されたもので、干ばつから人々を救うなど多くの奇蹟を起こしてきたという。この地はインカ帝国時代から太陽信仰の聖地であったというが、その後この聖母はボリビアの守護者として多くの巡礼者を集めている。

上5-10　ユパンキ《コパカバーナの聖母》1583年　ボリビア、コパカバーナ聖地聖堂
中5-11　《セロ・リコの聖母》18世紀前半頃　ボリビア、ポトシ国立造幣所博物館
下5-12　ニーニョ《マラガの聖母》1735年頃　デンバー美術館

この他に中南米には、アルゼンチンの「ルハンの聖母」、エクアドルの「キンチェの聖母」や「キトの聖母」、パラグアイの「カアクペの聖母」、ベネズエラの「ベレンの聖母」など、多くの地にそれぞれ奇蹟の聖母像があり、熱烈な信仰を集めている。

スペイン帝国の経済を支えた銀山のあるペルー副王領の鉱山都市ポトシでは、《セロ・リコの聖母》（5－11）という特異な聖母像が生まれた。セロ・リコとは富の山という意味で、ポトシ銀山を表す。父なる神とキリストに冠を授けられる聖母は三角形の山型に覆われており、下部にはポトシの景観のついた球をはさんで国王や教皇が祈っている。聖母の三角形の体はそのまま鉱山になっており、聖母の加護が山全体に及んでいることを表すようだが、その下の方ではインカの王が鉱山労働者の表敬を受けている。このポトシで活躍した画家ルイス・ニーニョによる《マラガの聖母》（5－12）も、聖母の姿が大きな三角形をなしている。聖母子が大きなマントにくるまっている図像は、「ロレートの聖母」を起源とし、十六世紀あたりから流行していたが、一見それに似せているようである。

これらにはインカ帝国の最高神であったパチャママのイメージが重なっているといわれている。パチャママは丘や山や川などと同化していると考えられていたアンデスの地母神である。ポトシ銀山にはアンデスの広い範囲から多くの先住民が集められ、過酷な労働に駆り出されていた。彼らは身の安全を願ってパチャママにすがり、ひそかに生贄（いけにえ）を捧げていたという。美術史家アレクサンダー・ベイリーによれば、《マラガの聖母》の下にある三日月とその上の大きな縦線との組み合わせは、インカの儀礼用ナイフであるトゥミの形状であるという。植民地時代にもパチャママの信仰は続いていたというが、興味深いことに、こうして画像にもそれが表れていたのである。先述の《コパカバーナの聖母》もパチャママと同一視されるという。こうした現象をシンクレティズム（諸教混淆）というが、第一章で見た古代ローマにおいて、あるいは次章で見る東洋においてそうなったように、聖母マリアが土着の女神と習合することは珍しくない。

†メキシコの聖母

メキシコには、一五三五年にクリストバル・デ・ケサダ、一五五五年にフアン・デ・イリェスカカス、一五六六年にシモン・ペイレンス、一五八〇年頃にバルタサル・デ・エチャベ・オリオ、一六〇三年にはセビーリャの重要な画家アロンソ・バスケスといった画家たちがやって来て、ネーデルラントやスペインの後期マニエリスム様式を伝えた。エチャベ・オリオの息子エチャベ・イビアの《無原罪の御宿り》(5-13)は、青を基調とし、スペインやネーデルラントのマニエリスム様式を示している。

5-13 エチャベ・イビア《無原罪の御宿り》17世紀前半 メキシコ国立美術館

その後、一六四〇年にスペインから渡来したセバスティアン・ロペス・デ・アルテアガがスルバランの様式を伝えた。やがてムリーリョの画風も伝えられ、エチャベ・イビアの息子エチャベ・リオハなどがムリーリョ風の甘美な作品を描いた。このように多くのスペイン人画家が渡来して西洋美術の様式を伝えるとともに、セビーリャからの定期貿易船からは夥しいスペイン絵画が船載されて流通した。

上5-14　《グアダルーペの聖母》1531年　メキシコ、グアダルーペ大聖堂
下5-15　ホセ・リベラ・イ・アルゴマニス《グアダルーペの聖母》1778年　同大聖堂博物館

こうした圧倒的な西洋の影響の傍ら、《グアダルーペの聖母》（5-14）のように、西洋とは異なる独自の宗教図像も生み出された。これは、第一章で述べた黒い聖母の一種である。一五三一年、メキシコのテペヤクの丘で改宗先住民のファン・ディエゴに聖母が顕現したという伝承に由来する。このとき聖母はファン・ディエゴに、聖堂を建設するように司教に伝えるように言った。当初、司教は信じなかったが、ファン・ディエゴが聖母に言われるままバラの花を摘んでいったところ、花を包んでいた彼のマント（ティルマ）に聖母の姿が写っていたという。この「奇蹟の画像」が「グアダルーペの聖母」として、病人の治癒など数々の奇蹟を行うことになる。聖母の顕現したテペヤクの丘には壮麗なグアダルーペ大聖堂が建てられ、一六四八年に説教師ミゲル・サンチェスがこの聖母の奇蹟について記した書物を出版してからはその信仰

は広範囲に広がった。「奇蹟の画像」の生まれた十二月十二日は記念日となって以後盛大な聖母祭が催されている。さらにこの聖母はメキシコの守護聖女となり、ポーランドにおける《ヤスナ・グラの聖母》(第一章扉)のように、国民的シンボルとして独立運動のときもその旗印となった。二〇〇二年、ファン・ディエゴは先住民として初めて聖人の列に加えられた。この聖母顕現の奇蹟は、最初から画像を伴っていたことが特殊である。この聖母は褐色の肌をして特殊な光背を放っているが、手を合わせ、三日月に乗る「無原罪の御宿り」の図像にほかならない。その画像は、先住民の姿が加えられるなど無数の変奏を生み出すことになる(5-15)。

聖堂が建てられたテペヤクの丘には、もともとアステカ時代にはトナンツィンという女神の神殿があり、生贄が捧げられていたという。先住民たちはこの神殿が教会になった後も、この教会のことをトナンツィンと呼んでいたという。西洋の黒い聖母の多くが、キュベレやイシスやアルテミスといった古代の地母神と習合したように、「グアダルーペの聖母」もアステカの女神トナンツィンと習合したものであったのだ。

「グアダルーペの聖母」は実はスペインにもあり、そちらの方が早くから崇敬を集めていた。グアダルーペとはスペインのエストラマドゥーラ州の村の名であり、そこには木彫の有名な黒い聖母があった。そして歴代のカスティーリャ王家のほか、コロンブス、コルテス、ピサロといった新大陸への冒険者たちがみなその加護を願った。つまり、彼ら植民者たちが故郷でもっとも重要な聖母を植民地にも必要とした結果、メキシコにも同じ名の聖母が生まれたということらしい。美術史家の岡田裕成氏の研究によると、テペヤクの丘の「グアダルーペの聖母」は、単に土着宗教との習合によって受け入れられただけでなく、征服者や宣教師の関心や欲求が複雑に絡み合う過程で成立したものだという。

5-16　フアン・コレア《聖母被昇天》
1685年　メキシコ大聖堂

メキシコの十七世紀末には、エチャベ・リオハに学び、メキシコ大聖堂やプエブラ大聖堂に大壁画を描いたクリストバル・デ・ビリャルパンドやフアン・コレアのような巨匠が輩出する。一六八四年から九一年にかけて行われたメキシコ大聖堂の装飾では、フアン・コレアが《聖母被昇天》(5-16)、ビリャルパンドが《黙示録の女》(本章扉)の大画面を描いた。メキシコにおける聖母の出現は、パトモス島におけるヨハネの幻視にたとえられ、「黙示録の女」のイメージがメキシコのアイデンティティの一つになったという。

†レタブロ

また、メキシコではエクス・ヴォート（エクスボト）のことをレタブロという。レタブロとはもともと祭壇衝立のことを指す語であったが、スペインの習慣が移植されると、十八世紀末から民衆用の小型の聖画や奉納画をそう呼ぶようになり、十九世紀初頭から庶民の間に広まった。「グアダルーペの聖母」を筆頭に、「プエブロの聖母」、「フキラの聖母」、「ロス・レメディオスの聖母」、「サン・フアン・デ・ロス・ラゴスの聖母」、「タルパの聖母」、「トナティコの聖母」、「サポパンの聖母」など、多くの聖母に捧げられている。こうした聖地の聖堂には多くのレタブロが奉納されており、病気や事故などの不幸から回復したことを感謝して、奉納者が聖母や聖人に救われる情景が描かれる。これを専門に描く画家もおり、多くは世襲で家業を引き継ぐという。

　レタブロの多くは時間がたつと廃棄されてしまい、市場に出回ることも多い。メキシコの女性画家フリーダ・カーロは夫のディエゴ・リベラとともにこうしたレタブロを収集し、そのコレクションは現在、彼女の邸宅を公開したメキシコ市のフリーダ・カーロ美術館で見ることができる。そこには、十八歳のとき交通事故に遭ったフリーダのために彼女の両親が「嘆きの聖母」に捧げたレタブロ（5-17）もある。レタ

5-17　レタブロ　20世紀　メキシコ市、フリーダ・カーロ美術館

ブロに見られる派手な色彩による直接的な物語表現は、フリーダ・カーロの自伝的な作品に決定的な影響を与えた。

レタブロは稚拙で型にはまった図像が多いとはいえ、現在ではメキシコの代表的な民衆芸術として美術館にも飾られるようになった。しかしそれらは芸術という以前に、あくまで庶民の素朴な信仰の所産であった。それらを研究した文化人類学者フランク・グラツィアーノによれば、レタブロには聖職者が登場することは稀であり、奉納者と神との直接的な交流が強調されているという。そしてそこに庶民による教会や権威への抵抗が読み取れるという。

†ブラジルとその他の国の聖母

ポルトガルの植民地であったブラジルは、十八世紀になって「ブラジルのミケランジェロ」と呼ばれる彫刻と建築の巨匠アレイジャディーニョを輩出した。ミナスジェライス州のコンゴーニャスにあるボン・ジェズス・デ・マトジーニョス聖堂を飾る石造の預言者群像はバロック的かつ表現主義的で力強く、忘れがたい。

アレイジャディーニョと同時代のブラジル最大の画家は同じミナスジェライス州で活躍したマヌエル・デ・コスタ・アタイデである。オウロプレトにあるサン・フランシスコ・デ・アシス聖堂は内部を彼が装飾した。すでに十九世紀になっていたが、十七世紀にイタリアで完成したバロック天井画の様式を大胆に採用し、ロココ風の装飾とともに明るい色彩で天井に《聖母被昇天》（5－18）を描いた。中央にいる聖母（5－19）は、ブラジルのムラート（ヨーロッパ系白人とアフリカ系黒人の混血）の容貌をしているのが興味深い。

このように、西洋で生まれた聖母は中南米の広大な植民地に伝播し、そこで西洋以上に篤い崇敬を集めたのである。中南米やフィリピンは植民地化され、次章で見るような中国や日本のように禁教によって途切れることがなかったため、聖母崇敬はますますさかんになり、西洋のキリスト教美術が土着の様式や民族芸術と融合し、聖母がトナンツィンやパチャママといった古来の女神と習合しつつ、独自の発展を遂

上左 5-18　コスタ・アタイデ《聖母被昇天》1801-12年　オウロプレト、サン・フランシスコ・デ・アシス聖堂
上右 5-19　同《聖母被昇天》部分
下 5-20　モントーヤ《グアダルパーナ》1998年

げたのであった。

「グアダルーペの聖母」は、「メキシコの母」にして、一九四五年には教皇ピウス十二世によって「アメリカの守護者」に認定された。この聖地は現在でも年間六百万人以上という、ヴァチカンに次いでもっとも多くの信者が訪れるという。この聖母はメキシコ国家の象徴であり、現在でもメキシコの国旗ともいわれるほど広く流通している。現代のメキシコ系アメリカ人(チカーノ)の女性アーティスト、デリラ・モントーヤは一九九八年、《グアダルパーナ》(5-20)という作品を発表した。そこでは、後ろ手に手錠をかけられた男が背中の「グアダルーペの聖母」の刺青を見せており、手前にはこの聖母への崇敬を示す蠟燭や花が飾られている。聖母に代表されるキリスト教は同時に、西洋によるアメリカ大陸の侵略や暴力を正当化し、偽装してきた。そして現代でもアメリカにおけるチカーノは抑圧されているが、こうしたことを告発している作品である。

カリフォルニアの現代アーティスト、ジェフリー・ヴァレンスも「グアダルーペの聖母」をしばしば取り上げ、二〇〇〇年にはダンテ、ニクソンとともに「グアダルーペの聖母」の等身大の蠟人形を並べて展示している。

十六世紀半ば以来、スペインの植民地であったフィリピンは中南米と事情が似ており、カトリック美術が隆盛し、やはり各地に奇蹟の聖母像の伝承が生まれた。中国系の職人の手による祭壇衝立（レタブロ）は、彩色彫刻や絵画を豊かな装飾枠によって組み合わせた壮麗なキリスト教美術である。フィリピンでは聖母とともに、幼児キリスト（サント・ニーニョ）が人気を集め、木や象牙で彫ったそれらの像はサントと呼ばれ、教会や家庭に飾られている。

3　近代の聖母の顕現

†カトリックの復興

十六世紀に起こった宗教改革や十八世紀末に起こったフランス革命では、カトリックに反対する立場から、カトリックの顔ともいうべき聖母崇敬が否定され、大量の聖母像が破壊されるというイコノクラスムが起こった。フランスは、三十年戦争中の一六三八年にルイ十三世が国をマリアに捧げたことにより（この場面を一八二四年にアングルが描いている）、後嗣のルイ十四世を授かったといわれ、カトリックを国教としてきた。

しかし、このブルボン朝を倒した革命政府は、政教分離（ライシテ）を断行する。修道院を解散し、教会への十分の一税を廃止して教会財産を国有化し、教会を国家の支配下に置いたため、組織としてのカトリック教会は消滅した。一七九二年から九四年にかけて激しい非キリスト教化運動が起こり、各地で民衆による聖堂やその財産の破壊と略奪が起こった。このときのイコノクラスムをとくにヴァンダリスムと呼ぶ。教会の財産が没収されたとき、重要な祭壇画は一七九三年に開館したルーヴル美術館に展示された。それらは信仰の対象ではなく、新たに美術作品という意味を与えられ、美術史という文脈に組み込まれたのである。

また、十八世紀半ばから普及した啓蒙主義は理性を重視し、奇蹟を否定し、受肉にさえも疑念を投げかけた。国民国家における愛国心の高揚や、産業革命後の近代社会では教会の権威は相対的に弱まってきた。一七五〇年から一八五〇年までは聖母信心の不毛の時期といわれるが、西洋のカトリック圏ではどこでも聖母崇敬が衰退し、フランスでは聖母に代わって理性の女神やマリアンヌというフランスの擬人像が人気を博す。

一八三〇年の七月革命に取材して翌年のサロンに出品されたドラクロワの《民衆を率いる自由の女神》もマリアンヌを描いている。フランスがアメリカ合衆国独立百周年を記念して贈り、一八八六年にニューヨーク港のリバティ島に建立された自由の女神は、「世界を照らす自由」の擬人像だが、その源泉の一つはドラクロワによるマリアンヌである。一八四八年にドーミエが描いた《共和制》は、三色旗を握り、三人の子を持つたくましい母親がフランス共和制の擬人像となっており、「慈愛」の擬人像に近い。これらもみな聖母の代替物といってよい。

一八一四年の王政復古でカトリックは再び国教となり、聖堂が復興され、その装飾も数多く発注され、聖母は再び人気を取り戻した。一八三〇年に始まる七月王政下でカトリックは国教ではなく、フランス人の多数派の宗教に転落するが、この三〇年代には再び聖母の聖地に巡礼者が大挙して訪れるようになり、聖母にまつわる奇蹟譚も脚光を浴びた。十九世紀だけで四百もの修道会が生まれ、その大半が女子修道会であった。そして、聖母があちこちに顕現するようになる。

†奇蹟のメダイ

七月革命の動乱に揺れる時期の、パリのバック通りで聖母が顕現した。一八三〇年十一月二十七日、貧者救済活動をしている愛徳姉妹会の修道女、カトリーヌ・ラブレーは十二の星の冠をつけて光の中に立つ聖母の幻視を見た。聖母の周囲には「原罪なくして宿りたまいしマリアよ、御身に頼みたてまつる我らのために祈りたまえ」というフランス語の文字が浮かび上がっていたという。このとき聖母はラブレーに、自分の姿をかたどったメダイを作るように命じたという。二年後、ラブレーの見た聖母の姿はパリ大司教の許可を得て金細工師アドリアン・ヴァシェットによってメダイに鋳造された。楕円形のメ

5-21　奇蹟のメダイ

ダイの表面には手を広げ指先から光線を発するマリア、裏面には十二の星の輪のうちに、十字架とMの文字、その下に茨に囲まれたキリストの聖心と剣の刺さった聖母の清心がある（5-21）。当時パリでコレラが流行っていたこともあり、メダイを身に着けることによって病気が治ったなどという報告が相次いだことから、「奇蹟のメダイ」や「不思議のメダイ」として大人気を博した。大小様々なメダイが数千万個も作られ、今日にいたるまで世界的に人気を博している。

この聖母の姿はあきらかに「無原罪の聖母」の図像に則っているが、通常は手を合わせている聖母は、両手を下方に広げている。中世に数珠を用いて同じ祈りを繰り返す「ロザリオの祈り」がさかんになったように、この奇跡のメダイは手ごろな信心道具として普及したのである。今でもパリのバック通りにある奇蹟のメダイ教会には、多くの信者が絶えることなく訪れ、メダイを購入している。私もいつもパリで時間があるときは立ち寄って土産用のメダイを買っている。白い衣に青いマントで手を広げる聖母は、現在流通している聖母の小さな複製像のうちでももっとも多い図像だと思われる。

また、一八四六年、フランス南東部グルノーブル近郊の村ラ・サレットの山中で二人の牛飼いの少年少女に聖母が顕現した。真珠をちりばめた白いローブの貴婦人が泣いており、彼らと方言で会話したという。そこには泉が湧き、その泉は様々な奇蹟的な治癒を起こしたことから、巡礼地となった。

こうして聖母崇敬が盛り上がり、聖母の無原罪受胎を定義するようにとの誓願が増したため、一八五四年十二月八日、教皇ピウス九世は「無原罪の御宿り」を認める回勅（ウビ・プリムム）を発した。そこでは次のように定義され、宣言されている。「人類の救い主キリスト・イエスの功績を考慮して、処女マリアは、全能の神の特別な恩恵と特典によって、その懐胎の最初の瞬間において、原罪のすべての汚れから前もって保護されていた。この教義は神から啓示されたものであるので、これをすべての信者は常に固く信じなければならない。」中世以来、民間に浸透しながら論争の絶えなかったこの教義がようやく公認されたのである。このピウス九世はイタリア統一運動（リソルジメント）の動乱で教皇領の多くを失う中、教皇の立場が衰退する中でカトリシズムの振興と教皇の権威の強化に努めた。一八六二年には日本の二十六聖人を列聖し、一八六九年から七〇年の第一ヴァチカン公会議で、教皇の決定は聖霊に基づくために必ず正しいという「教皇不可謬説」を採択した。教皇が聖母の無原罪懐胎を公認したのも、長い間親しまれてきたこの教義を正当化して、さらに聖母崇敬を盛り上げようとしたためである。

†ルルドとファティマ

その四年後、フランスのピレネー山脈中部の町ルルドで十四歳の少女ベルナデット・スビル

右 5-22　ファビッシュ《ルルドの聖母》1864年　ルルド
左 5-23　《ファティマの聖母》マカオ、聖ドメニコ聖堂

ーに聖母が顕現した。聖母は一八五八年二月十一日から七月十六日まで十八回も顕現した。九回目の顕現で「泉の水を飲み、洗いなさい」という言葉とともに泉が出現し、十六回目の顕現で、「私は無原罪の宿りです」という言葉があった。この顕現は一八六二年に認定され、そこに聖堂が建てられ、巡礼地となる。一八六四年、聖母が現れたマサビエルの洞窟の祠にリヨンの彫刻家ジョセフ＝ユーグ・ファビッシュによる聖母像（5-22）が設置された。ファビッシュは、ベルナデットに何度も詳しく聖母の有様を聴取してこれを作ったという。白い衣に青い帯をつけ、手首にロザリオをかけて手を合わせるこの姿が、「ルルドの聖母」として普及する。聖母が現れた場所に湧いた泉によって不治の病気が治癒するという奇蹟が続々と起こり、小さな聖堂は大聖堂に建て替えられた。泉による治癒を求めて世界中から膨大な病人が押し寄せた。ルルドには鉄道も敷設され、二十世紀には世界有数の巡礼地となった。現在でも毎年百三十以上の国から六百万人もの人々が訪れている。

聖母を見たベルナデットは修道院に入り、一八七九年に三十五歳で病没したが、一九三三年に列聖された。ルルドのものを模して祠に聖母像を置いた洞窟はルルドと呼ばれ、フランス人の神父によって各地に作られた。日本でも五島列島の福江島の井持浦教会をはじめ各地に作られている。奇蹟的な治癒効果のある「ルルドの水」も瓶詰めにして販売されている。

普仏戦争中の一八七一年一月十七日、フランス北西部の村ポンマンで、四人の子どもたちが夕空に金の星をちりばめた青い服の女性を見た。そして、天空に文字が一つずつ浮かんでメッセージを伝えた。この五日後、近くに迫っていたプロイセン軍が突如退却し、ポンマンから徴兵された兵士たちが無事に帰ってきたことで、これも聖母の守護と恩寵だとされた。翌年この顕現は公認された。

一九一七年五月十三日、ポルトガル中部の村ファティマで羊飼いの少年フランシスコとジャシンタのマルト兄妹とルシア・ドス・サントスの三人の前に聖母が出現した(5-23)。当初は疑われたが、噂を聞いてかけつけた何万人もの群衆の前で、太陽が狂ったように降下したり回転したりし、花びらが空から降るという不思議な現象が起こった。一九三〇年、司教と教皇の公認を得て、大聖堂が建てられ、有名な巡礼地となった。

以上、一八三〇年パリのバック通りに始まり、ラ・サレット、ルルド、ポンマン、ファティマのように聖母が顕現しては巡礼地になったのだが、これらの他にも膨大な顕現があり、二十世紀には世界各地で何百という聖母顕現が報告された。そのためフランスでは、十九、二十世紀は「マリアの時代」と呼ばれている。

しかし、カトリック教会は、顕現を正式に認めるのにはきわめて慎重であり、今まで公的に認定したのは二十四件にすぎず、二十世紀も九件のみである。うち一つは、一九七三年から八一年に秋田で起こっている。在俗修道会、聖体奉仕会でシスター笹川かつ子に聖痕が現れ、木製の聖母像が落涙して芳香を放ち、その後いくつかのメッセージが与えられたという。これは厳密には顕現とは言えないが、新潟教区長から奇蹟という承認を得た。百一回もの落涙を記録したこの聖母像は秋田在住の仏師、若狭三郎が一九六三年に桂材で制作したものだという。

カトリック教会が正式に否定する顕現もあるが、地元では奇蹟と信じられているものも多い。第四章でも触れたが、幻視や顕現というのは個人的な経験に基づくものにすぎず、これを無制限に認めると教会や聖職者の権威が揺らぎかねない。また、多くの顕現では、マリアがメッセージを発するが、これも正規の教義として認めるのは困難である。それらを認めていたら教義の統一性も崩れて収拾がつかなくなるからである。

一八五四年にピウス九世は聖母の無原罪受胎を教義化したが、その二十四年前にパリでラブレーに顕現した聖母が「私は無原罪の御宿りです」といったのはこの教義の公認を予告しており、四年後にルルドに現れた聖母が同じことをいったのはその追認だとされたように、教会や教義にとって都合のよいことはこれを補強する証拠として用いられた。

このように顕現した聖母は、「奇蹟のメダイの聖母」、「ラ・サレットの聖母」、「ルルドの聖母」、「ポンマンの聖母」、「ファティマの聖母」などと呼ばれて、それ自体が一つの図像を生み出して普及した。いずれも「グアダルーペの聖母」と同じく、「無原罪の御宿り」の図像のヴァリエーションといってもよいが、ポーズや衣装がそれぞれ異なっている。「ルルドの聖母」や「ファティマの聖母」は、聖母を見る少女や少年たちとともに表現されることが多い。

聖母顕現は現代もなお各地で起こっている。一九八一年、ルワンダのキベホで十六歳の修道女に現れ、「国中を血の川が流れる」と告げたというが、その十三年後、多数派のフツ族が少数派のツチ族を殺戮するルワンダ大虐殺が起こり、百万人以上が犠牲となった。ヴァチカンは顕現を公式に認め、キベホの「悲しみの聖母の聖堂」は新たな巡礼地となった。

また、同じ一九八一年、ボスニア山中のメジュゴリエで六人の子どもに聖母が現れた。この顕現は公式に認定されていないが、この地は一大巡礼地となり、年間四千万人が訪れるという。

4　「美術の時代」の聖母像の普及

†「美術の時代」と祈念像

第三章で述べたように、ベルティンクは、信仰の対象であった「像」はルネサンス期に「美術」に変化したとしている。聖母像は、人々が信仰する像であっても、著名な巨匠の手になるものであればコレクションの対象となり、個人の邸宅や回廊（ギャラリー）に飾られた。たとえば、ラファエロの祭壇画は当初の教会にそのまま設置されているものは一点もないのだが、ラファエロの作品は当初は崇敬の対象であっても、それは美術作品として西欧中の君主や貴族の収集の対象となったのである。それはやがて美術館に移行して、人々の鑑賞の対象となる。こうした「美術の時代」になって、聖画像はいくつかのレベルに分かれることになった。

また、ティツィアーノの《聖母被昇天》（3-18）のようにダイナミックな宗教画が登場すると、多くの宗教画でナラティブの要素が強調され、宗教画の祈念像としての機能は低下した。一五〇〇年初頭、ラファエロが《フォリーニョの聖母》（3-33）や《サン・シストの聖母》

（第三章扉）で、聖母子を他の人物と切り離して中空に引き上げたのは、聖母子の聖性を強調するためであった。同じ頃、リーメンシュナイダーがクレクリンゲンの《聖母被昇天》（3－20）で、彩色せずに白木のままの群像表現にしたのは、それによって聖母が現実的になりすぎず、そこに祈念像的な性質を付与するためであった。また、十六世紀初頭にはじまる「ロザリオの聖母」の図像は、ロザリオを授与する聖母子の祈念像的な要素と、聖母伝・受難伝というナラティブな要素を組み合わせ、礼拝にふさわしい機能を持つものであった。

北方で起こった宗教改革は像の聖性を認めず、その前で祈ることを偶像崇拝だとみなしたが、カトリック圏でもリアルで劇的になった宗教画には祈念像的な機能を求めがたくなった。そこで、中世の「ルカの聖母」が持ち出されるなど、霊験あらたかな聖像に注目が集まった。こうした像と融和させるべく、前章で見たようにルーベンスの《ヴァリチェッラの聖母》（4－5）のように古い画像を組み込む絵画タベルナクルムや、チェラーノの《サン・チェルソの聖母と聖フランチェスコと聖カルロ》（4－32）のように、実在の彫像を描くという作例も登場する。

カトリック改革の熱気の中から登場した「無原罪の御宿り」は、聖母伝の特定の情景ではなく、聖母が生まれながらに原罪を免れているという抽象的な教義を表すものであったため、ナラティブよりも祈念像的な性格を持っていた。そのため、これが聖母像の新たなスタンダードとして広く普及した。ムリーリョの作品（4－23、24）のように、美術作品であり、祈念像としても親しみやすい画像は、とくに大量に複製された。それらは、巨匠の手による美術作品であると同時に、祭壇に飾られて信者が語りかけ、蠟燭が献じられる聖像でもあった。

ルネサンスの静的な聖会話図が変容し、バロック時代には聖人たちが宙に浮かぶ聖母や聖人を目撃している幻視画が成立する。そこでは聖人が見る対象として祈念像的な聖母や神の姿が表現され、ナラティブに祈念像を組み込んだものと見ることができる。前章の最後に見たペスト時の誓願の奉納画（エクス・ヴォート）では、ペストの惨状というナラティブに重点を置くものと、聖母や聖人たちのような祈念像に重点を置くものがあったが、両者を混成させた幻視画の一種ととらえることができる。

†聖母像への働きかけ

教会内の聖画や聖像は教義上では神を見る窓にすぎないが、多くの信者にとっては、像自体に聖性が宿っており、生きている存在であった。その作者が問われることは少ない。奇蹟を起こす聖母像の多くは、土に埋もれていた、樹木に隠れていた、海から引き揚げられたといった、その発見譚自体が奇蹟として伝えられているものが多く、それが作者や制作時期よりも重要であった。聖母が顕現するように、聖母像も顕現するかのように発見され、その地に聖堂が建てられることが多かった。こうした像は、その地域の人にとって生きているように思われたのである。そして実際、聖母像は祝祭のときに神輿に載せられ、あるいは祭礼行列によって聖堂の外に出て巡り、多くの信者に迎えられる。

たとえば、作者不明ながら《マカレナの聖母》(5-24)は、セビーリャでもっとも篤い信仰を集める聖母像である。この像は「嘆きの聖母」であるが、豪華な衣装に身を包み、宝飾品で飾られている。しばしば衣装が着せ替えられ、聖週間(セマナ・サンタ)のときにパソ(山車)に乗せられて町に巡行することから、民衆には生きている像として印象づけられている。

東方正教会ではどこでもイコンが重視されるが、信者はイコンに蠟燭を灯し、ときに接吻する。このように画像に働きかけることで、聖なる存在とつながりを持つのである。カトリック教会でも、信者が画像に接吻することはないが、彫像の足に触ったり接吻したりする人は多い。サン・ピエトロ大聖堂にあるアルノルフォ・ディ・カンビオの《聖ペテロ》の足はここを訪れ

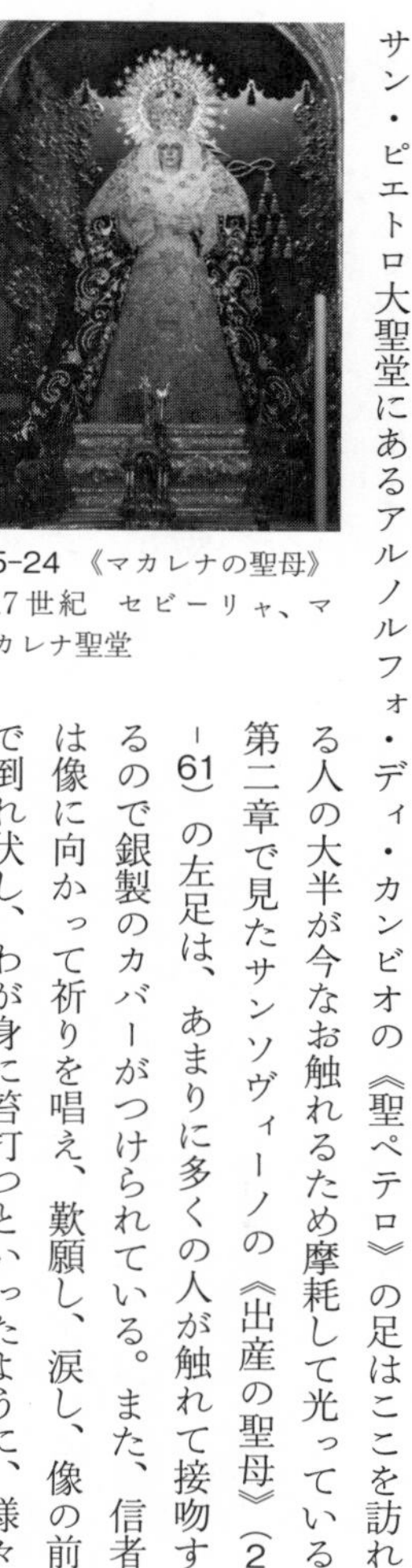

5-24《マカレナの聖母》17世紀　セビーリャ、マカレナ聖堂

る人の大半が今なお触れるため摩耗して光っている。第二章で見たサンソヴィーノの《出産の聖母》(2-61)の左足は、あまりに多くの人が触れて接吻するので銀製のカバーがつけられている。また、信者は像に向かって祈りを唱え、歎願し、涙し、像の前で倒れ伏し、わが身に笞打つといったように、様々

な身体的な反応を示す。

奇蹟の聖母像のある聖堂は、あえて窓の少ない薄暗い空間となっているものが多いという。ほとんどの教会では蠟燭が売られており、あるいは代金を入れる献金箱があり、信者は蠟燭に火を灯して献じて祈っている。教会の暗がりにたたずんでいる像は献灯されることによってほのかに照らされ、その光の中から信者に語りかけるのだ。信者は像に蠟燭を献じるたびに、その像と新たに出会っており、像はそのたびに顕現するのである。それらはつねに一定のイメージではなく、その日の天気や季節によって日々異なる姿に見える。聖母が落涙したとか目を動かしたという奇蹟は世界中で報告されているが、これもこうした変貌の延長線上にあるのだろう。一五三七年、ジェノヴァ近郊のチカーニャで、古くて黒ずんでいた聖母子像がミサの最中に衆人の目の前で色彩豊かで生き生きとした表情になったという奇蹟が起こったという。こうした像の変貌は、信者の心理的な欲求や希望の高まりに起因するものと思われる。公共的な像は、単にそこに存在するだけでなく、こうした信者からの働きかけによって命を得ているのである。

また、かつては多くの像がカーテンに覆われ、また厨子に入っており、特別な祝日にしか公開されなかった。とくに、奇蹟を起こす像は、公開されるとその力を発揮すると思われ、通常は隠されているものが多かった。畏れ多いため、うっかり見ると盲目になると伝えられるものさえあった。わが国の秘仏と同じく、ずっと秘匿されているものもあった。多翼祭壇画の場合は、平日は折りたたんだ面を見せ、祝日に開けることが多かった。秘匿と展示の繰り返しによって、礼拝価値は高まった。開示された像はそのたびに信者の前に新たに出現し、命を吹き込まれるのである。

†個人的な祈念像

こうした特別な像に対して、より身近な像が街角にも家庭にも用意されていた。イタリアではどんな街角にもエディコラ（祠）と呼ばれる小さな壁龕に聖母や聖人の画像や彫像が置かれているが、かつてはそこに灯がともされて街灯となっており、またその前に人々が祈禱し、花を添えるのが常であった。また、その周囲の壁にエクス・ヴォートが貼りつけられ、一種の野外礼拝所となっているところも多い。イタリアのウンブリア地方では、病人が出るとエディコラに行き、壁画を削って袋に入れて病人の首にかけるという風習があった。また、聖像に供えられた花が薬効を持つとされる地方もあった。こうしたエディコラの聖母は、日本の路傍の地蔵と同じく、その地域の守護神のような公共的な像でありながら、美術とは見なされていない。だが、住民にとってはもっとも身近な聖母のイメージとなっている。こうした聖母像は地域住民を結び付け、土地のアイデンティティとなっている。

5-25 レーゲンスブルクの巡礼者バッジ　1519年

また、庶民は教会や聖地に膨大なエクス・ヴォートを奉納する。かつては像の周囲に祈りの文句や自らの名前を刻んで記すことも広く行われていたが、それが様々な奉納物に発展し、さらに自らの体験を表現する画像を遺すようになったのである。それらは彼ら自身の体験のナラティブであるとともに、崇敬する聖母や聖人の祈念的なイメージも挿入されており、幻視画の庶民版というべきものであった。それらは美術とは見なされないが、墓碑と同じく、個人の信仰の痕跡であった。

信仰を集める聖像については、家庭でも礼拝し、旅や移住の際にも携行することができる小型の複製画や模型が多く作られた。信者はまた聖地巡礼の記念として聖像の版画やメダイやバッジ（5-25）を購入して家に飾るようになる。聖地巡礼の記念としての金属製のバッジやワッペンは中世後期から始まったとされる。それらは作者名を伴う美術作品ではない大量生産の工芸品であったが、メダイと同じく護符として人気を博した。

聖像の小型複製画（イマジネッタ）が病気や怪我の治癒などの奇蹟を起こす事例も数多い。黒い聖母やロシアのイコン、「グアダルーペの聖母」のように、複製されることによってアウラは失われても、その原型である由緒あるイコンや祈念像の権威は複製されるほど高まっていく。

そして、「奇蹟のメダイの聖母」や「ルルドの聖母」のように、原型となる像には由緒や聖性はなくとも、顕現した聖母を表現して複製されたもののみが大量に流通するという現象が起こった。こうしたキリスト教グッズは世界中で大量に販売されており、シルヴィ・バルネイによればフランスには年間三万八千トンのキリスト教グッズが輸入されており、ルルドでは一九九九年には二十四億フランの売り上げがあったという。また、ルルドの水のように、聖地の泉の水は古くから奇蹟的な効用があると思われ、聖母の絵のついた小瓶は現在も広く流通している。

こうしたグッズによってイメージが無数に増殖し、その一つ一つは美術作品でなくとも、信仰の道具として人々の心情や生活に定着している。信者は像を所有することによって、像に表現された存在との一体感を抱き、聖母や聖人に庇護されているという安心感を得ることができる。メダイやアクセサリーを身に着けるだけでなく、聖母や聖人の姿を刺青に彫る者も多かった。とくに、現在よりもはるかに危険であった船乗りは、護符として聖母や聖人のイメージを身に着けるのが一般的であった。現代では、スマートフォンの中にお気に入りの宗教画像を入れて護符のように身に着けている者も多い。

✝増殖する聖性

先に述べた中南米や次章で見る東洋では、聖母像はつねに美術というより崇敬の対象であり続けた。聖母イメージがいくら普及しようとも、その作者の名は、ほとんど問題にされなかった。また、聖母像はその成立期から世界中でしばしば奇蹟を起こすという伝承を持つものがあるが、そうした場合、当初の像が劣化すると、描き直し、作り替えられたりすることも多かった。中世のフィレンツェで大きな崇敬を集めた《インプルネータの聖母》は、当初の絵具はすっかり消えてしまっており、現在見られるのは十八世紀にあえてプリミティヴな様式で描いたものである。第二章で見た《オルサンミケーレの聖母》（2－41）は、最初の壁画の聖母像から三代目のダッディによる板絵が崇敬を集めた。崇敬の対象である聖像は、美術作品と異なり、像のオリジナリティや真正性はあまり問われることはないのである。作者の手わざや痕跡を重視する美術とちがって、聖地にある像には聖なる力が宿っており、その表面が多少変わっても、あるいは別の像に置き換えられようとも、力が減少することはないと考えられたのであろう。「グアダルーペの聖母」は、世界でもっとも大きな崇敬を集めているが、原本の聖画（5－14）のみが力を持っているわけではない。聖母の顕現したテペヤクの丘とその聖堂に神聖さが満ちており、「グアダルーペの聖母」の模写や複製画にもその力が分与されているのだ。グラツィアーノの調査では、現地の信者は、天にいる聖母とその画像との間に区別や上下関係を設けず、いずれもがあいまって崇敬の対象となっているという。また、「ルルドの聖母」は、元となる像は顕現を再現した彫刻にすぎず（5－22）、これが力を持っているとは思われていない。聖母顕現の聖地とそこから湧き出る泉の水が神聖なのだ。グアダルーペもルルドも、オリジナルの聖画像と、そこから派生するイメージはほぼ同等になっているのである。

以上見たように、ルネサンス以降、版画が普及したことによって、聖母像はそれまで以上に信仰の対象となったといってもよい。聖画像が美術として隔離され、格上げされたのはルネサンス以降の西洋だけの局所的で特殊な現象であったといえるだろう。膨大な聖母像のうちでも、歴史的に価値があるか、巨匠の手による限られた少数のものだけが美術館に入り、美術品として信仰とは異なる鑑賞の対象になったにすぎない。とくに、イギリス、アメリカ、プロイセンのようなプロテスタント層が指導する近代的な国民国家において、それが顕著だった。こうした国では、美術館や美術史という制度の中で、美術を宗教から分離させて普遍的な美の結晶である芸術作品として宗教画を位置づけようとした。

聖母のイメージは複製されることによって世界中に伝播し、社会全体に拡散し、個人レベルに浸透した。そして信者は、こうしたイメージを単に眺めて祈るだけでなく、献灯や献花、抱擁や接吻によって積極的に像に働きかけ、身に着けることで命を吹き込んできたのである。聖母像の大半はこうした信者との相互作用と交感によって成立しているのだ。それは、美術という狭い領域を大きく超えた大きな文化であるといってよい。

第 6 章

東洋の聖母

――インド・中国・日本への伝播と変容

《聖母子》16世紀末　大阪、南蛮文化館

1　インドの聖母

†アクバル帝と西洋美術

十六世紀初頭に始まる宗教改革では、聖画像の効力や聖母崇拝が否定されたが、カトリック側はそれを逆手にとって、画像を布教の道具として最大限に利用した。とくに非西洋圏への布教に力を注いだのはイエズス会であった。イエズス会は画像の伝播の速さとその効力を布教に最大限に活用した。それによって、スペインの植民地となった中南米のほか、インド、中国、日本などに西洋のキリスト教美術が流入し、そこで独自の展開をとげることになる。

こういった地域ではどこでももっとも人気があったのは聖母像であった。十字架のキリストや地域の聖人ではなく、幼児を抱く聖母はどこの地域でも歓迎され、熱心に崇拝されるようになった。そして、西洋の原画を模して類似の画像が作られるようになった。聖母がすぐに受け入れられた背景には、後に見るように各地に類似の女神信仰があったためであると思われる。それは、第一章の最後で述べたように、地中海沿岸や西欧で地母神信仰が聖母信仰に習合されれて黒い聖母を生み出した過程と似ているといってよいだろう。

インドの西海岸のゴアは十六世紀初頭からポルトガルの植民地となり、一五一〇年にドミニコ会、一五一七年にフランシスコ会、一五四二年にはイエズス会が進出して多くの教会が建てられ、一五三四年にはカトリックの大司教座が設置されてアジア全域を直轄する拠点となった。同じ頃、北インドにイスラム教を奉じるムガール帝国が興った。第三代皇帝アクバルは一五八〇年、イエズス会士をゴアからアグラ郊外の新帝都ファテープル・シークリーに招き、イエズス会はアグラに修道院を建てた。アクバル帝は諸宗教に興味を抱いて融和政策をとり、宮廷ではイスラム諸派のほか、ヒンドゥー教、ゾロアスター教、ジャイナ教、キリスト教などの学者を議論させることを好んだ。帝自らはイスラム教スンナ派の立場にあったが、諸宗教を統合したディーネ・イラーヒーという新宗教を創造してそれを統括しようとした。

アクバルは西洋美術にも関心を抱き、またキリスト教の儀礼にも興味を持って信者と同じように実践もしたという。宮殿の食堂には、キリスト、マリア、モーセ、ムハンマドの絵が飾られていたという。彼はアグラの聖堂にもたらされた《ポポロの聖母》の複製を原寸大に模写させると、それを前にしてターバンを脱ぎ、落涙したという。また、ファテープル・シークリーのイエズス会聖堂で《サルス・ポプリ・ロマーニ》(1-16)の模写を見て感動し、宮廷画家にそれを写すように命じたなどという逸話が、多少真偽は怪しいものの、イエズス会士によって報告されている。サンクトペテルブルクにあるアルバムには、《サルス・ポプリ・ロマーニ》のようなオディギトリア型の聖母子（6-1）が見られるが、左右は逆になり、キリストの手は祝福ではなく聖母に支えられている。

イエズス会は一五九五年には氏名不詳のポルトガル人の画家を連れてきて、皇帝のために作品を描かせたという。この画家が描いたという聖母子の絵（6-2）がハーバード大学所蔵のジャハンギール帝のアルバムに収められている。ヴィーリクスの版画を基に水彩で描いたものだが、衣文の陰影表現などが宮廷画家に影響を与えたと思われる。

ムガール宮廷では、ペルシャの影響を受けた細密画（ミニアチュール）であるムガール絵画がさかんであった。マノハール、ケス・ダス、バサワンといった宮廷画家たちは、イエズス会士のもたらした西洋版画の図像を基に、インド・ペルシャ風の様式によって風景を伴う色彩豊か

上6-1　《天使に囲まれた聖母子（サンクトペテルブルクのアルバム）》1600年頃　サンクトペテルブルク、東洋協会
下6-2　ポルトガル人の画家《聖母子》1595年　ハーバード大学美術館

な様式で描写し（6‐3）、部分的に遠近法や陰影法も取り入れた。後に述べる『福音書画伝』ももたらされ、その画像を模してペルシャ語のテキストに囲まれた細密画も制作された。また、宮殿にはキリスト教の主題の壁画も描かれたという。

イスラム教においては、イエス・キリストは人間であるが、ムハンマドに先行するもっとも重要な預言者として敬意を払われていた。その母マリア（マルヤム）は処女懐胎でイエスを産んだとされ、もっとも徳の高い模範的な女性にして敬虔の女王としてコーランでは第十九章などに何度も言及されている。女性の聖者のほとんどいないイスラム教にとって、ムハンマドの娘にして分身ファティマと並ぶ重要な女性としてマリアはなじみやすかったにちがいない。また、ムガール帝国はティムール帝国とモンゴル帝国という二つの大帝国の末裔と自任していたが、モンゴル帝国の始祖神話に登場する女性アラン・ゴアは、夫がいないのに光によって妊娠して子を産んだという。マリアはこの女性と重ねられ、ムガール帝国の始祖として崇められたという。ムガール宮廷で聖母の絵が多く描かれたのもそのためであろう。もちろんイスラムでは、偶像崇拝を厳しく禁じていたが、マリアは神ではないため、世俗君主の肖像画のように警戒されなかっ

6-3　バサワン《授乳の聖母》1590年頃　サンディエゴ美術館

右6-4 《受胎告知（『聖なる鏡』のうち）》1602年
クリーヴランド美術館
左6-5 《神殿奉献（『聖なる鏡』のうち）》1602年
同上

たのであろう。こうしてアクバルとジャハンギールの両皇帝の下で、聖母像が数多く制作されたのである。

イエズス会士ヘロニモ・ザビエルは、フランシスコ・ザビエルの甥の息子に当たり、一五九四年から一六一四年まで二十年間もムガール宮廷に滞在した。彼は一六〇二年から〇四年にかけて、ムガール宮廷の歴史家イブン・カシム・ラホーリの協力によって、『ミラート・アル・クッズ（聖なる鏡）』を著した。これは、彼がアクバルの求めに応じて福音書や黙示録などを、イスラム教のスーフィズムの比喩を用いて説明したもので、二つの版が伝えられている。アメリカのクリーヴランド美術館にあるものは二十四点の挿絵がそろっている。そのうち《受胎告知》（6－4）では、インド風の聖母に大天使ガブリエルが跪いているが、遠近法ではなく、モチーフを積み上げるような空間構成はムガール絵画の特質である。《神殿奉献》（6－5）では、ヒンドゥー教の寺院のような神殿に聖母子が立つが、西洋に由来する図像でもイスラムの図像でもなく、まったく独特の図像となっている。美術史家ベイリーはイエズス会士たちが行っていた宗教劇との関係を推測しており、画面右で書物を広げて立つ男は観客に情景を説明する神父のようである。

†ジャハンギール帝と聖母像

アクバル帝の政策を継承したジャハンギール帝も西洋文化に親しみ、宮廷では多くの画家を雇用して絵画を振興した。肖像画、花鳥画、風俗画などもさかんに描かれ、ムガール絵画の自然主義が大きく発展したとされる。帝はとくに聖母像を愛好し、謁見の間の壁にキリストと聖母の絵を掛けており、その様子はボストン美術館にある《ジャハンギール帝の謁見》(6－6)

上6-6 《ジャハンギール帝の謁見》(部分) 1624年頃 ボストン美術館
下6-7 《聖母像をめでるジャハンギール帝》1625年 デリー国立博物館

右6-8　《聖母子》1620-30年　ロンドン、大英図書館
左6-9　《キリストの生誕》1725年頃　デリー国立博物館

のジャハンギール帝の横顔の上にも描かれ、また聖母像をめでる皇帝の肖像画（6－7）も二点ほど残っている。美術史家の児嶋由枝氏によれば、この聖母像は日本に伝来した《悲しみの聖母》（6－24）と同じタイプのものであり、聖母のみを描いた細密画もロンドンのヴィクトリア・アンド・アルバート美術館にある。

ムガール美術におけるオクシデンタリズム（西洋趣味）について論じた美術史家ミカ・ナティフによれば、ジャハンギールが公的な謁見の間に聖母の絵を掛けたのは、単なる西洋贔屓ではなく、チンギス・ハーンの先祖アラン・ゴアを想起させ、帝国の系譜と正統性を顕示するためであった。そして聖母像をめでるジャハンギール帝の肖像画における聖母は、神の母というよりも、偉大な帝国の母家長となっているという。

この頃描かれたと思われる全身の聖母子像（6－8）もあり、これはローマの《サルス・ポプリ・ロマーニ》のタイプで、おそらくヴィーリクスやカヴァリエーリらの版画を通じて写されたものだろう。宮廷画家バサワンの手になる《授乳の聖母》(6-3)は、遠近法を無視した空間とともに西洋の図像とは異なる横たわる聖母である。ナティフによると、ムガール絵画には西洋の原画を忠実に写したものはほとんどなく、多くは画家と注文者の意図によって西洋的な要素を断片化して変容させているという。ここでも、陰影や衣装の表現を取り入れつつも、遠近法や西洋の伝統的な聖母子のポーズや母子の交流といった要素を拒絶して変容させている。

ジャハンギールを継いだシャー・ジャハーン帝の時代は、タージ・マハルが建てられるなど、インド・イスラム文化が頂点をきわめたが、建築に比して絵画の発展は少なかったとされる。一六五八年に即位したアウラングゼーブ帝は厳格なイスラム中心主義をとり、画家たちを宮廷から追放したため、ムガール絵画はここに終焉した。だが、宮廷以外でもラージプート絵画や民間などで絵画制作は続いており、十八世紀にも非常に華やかでインド的なキリスト生誕図の細密画(6-9)が描かれている。

2 中国の聖母

†元の聖母

中国や日本などでは十七世紀以降キリスト教が禁じられるようになったため、西洋のような豊かな展開を見ることはなかった。そうした地域では、ほとんどの画像が破棄されて遺品はきわめて限られており、再構成は困難である。

中国では唐時代にネストリウス派のキリスト教がやってきて景教として栄えていた。「大秦景教流行中国碑」によれば、六三五年、ペルシャ人司祭の阿羅本が宣教団を率いて「経像」を持って長安に来た。この経像の中には、キリスト像や聖母像が含まれていたと思われている。彼らは長安に大秦寺という大きな教会を建て、その教義は空海ら日本からの遣唐使にも影響を与えたと思われる。八四五年、武宗によって弾圧されるが、その後も残って活動していた。しかし、景教で用いられた画像や造形は知られていない。

元朝は中国史上もっともキリスト教がさかんであった。この頃景教もまだ残っていたが、イタリアのフランシスコ会士ジョヴァンニ・ダ・モンテコルヴィーノが教皇使節としてペルシャ、インドを経て大都（北京）に来て元の二代目皇帝テムルと謁見し、一二九九年、北京に最初のカトリック教会を建設。その後フランシスコ会の宣教によって信者も教会も増えた。

中国に現存するもっとも古いキリスト教の画像はこの時代のものである。一九五二年に揚州で発見された墓碑の線刻画（6-10、11）である。イタリアのジェノヴァから来た商人アントニオ・ヴィリオーニの妻のカテリーナという女性の墓で、一三四二年にこの地で没した。いちばん上に聖母子、その下に彼女の守護聖人の聖カタリナの殉教図が簡略な線描で表現されている。異国で没した妻のために、中国の職人に画像を見せて作らせたものと考えられる。聖母子は玉座のような椅子に座しており、ニコポイア型の聖母が原画であろう。高さわずか十三センチの

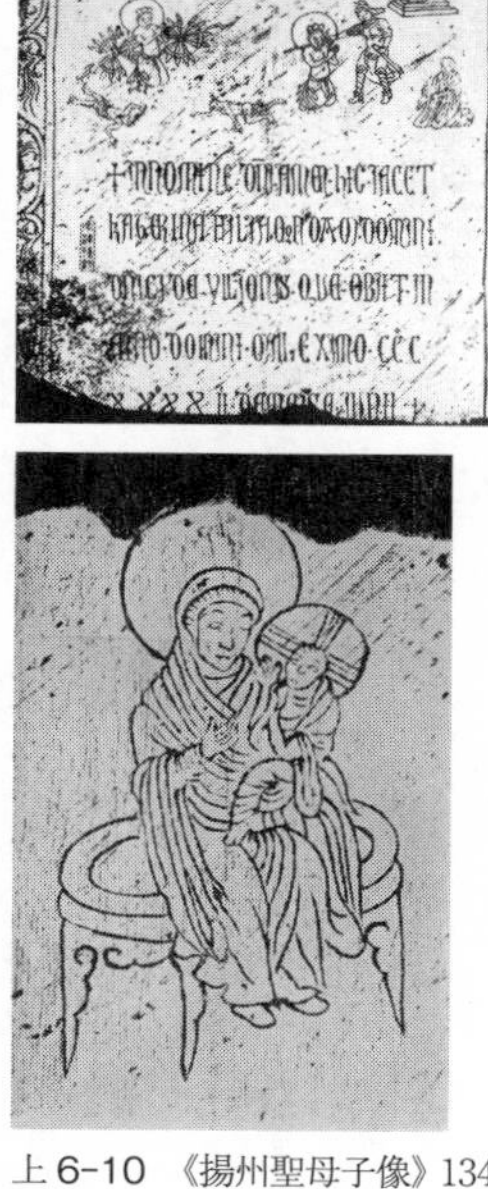

上6-10　《揚州聖母子像》1342年　揚州博物館
下6-11　同部分

この《揚州聖母子像》が中国でもっとも古い聖母像で、その後、聖母像は明末まで見られない。

†マッテオ・リッチと明の聖母

明のマッテオ・リッチ（中国名、利瑪竇）は、中国のキリスト教史上もっとも重要な人物である。彼はマカオで中国語と中国文化を学び、一六〇一年から万暦帝の宮廷で活躍した。キリスト教の教義を説いた『天主実義』を刊行したほか、地球を球体としてとらえた世界地図『坤輿万国全図』（一六〇二年）は中国人の世界観を変え、日本にも伝えられて影響を与えた。彼の活動によって中国の知識人の間にキリスト教徒が増え、キリスト教の文化も広がった。リッチは中国にキリスト教を受容させるため、先祖崇拝など中国の伝統的な習慣や文化を尊重し、それと融合させるという文化適応政策をとった。こうした順応主義は、彼の師であった東方巡察使ヴァリニャーノによる日本のキリスト教の拡大においても成功を収めたが、後にイエズス会以外の修道会から批判を受け、中国でも日本でも禁教の契機を作ってしまう。

日本では後に述べるように、一六世紀末から本格的に西洋文化が流入し、一五八三年にイタリアの画僧ジョヴァンニ・コーラ（ニコラオ）が来日して西洋画法を伝授した。このとき、弟子となったのがヤコブ丹羽（中国名、倪一誠）である。彼は一五七九年、中国人の父と日本人の母との間に生まれ、有馬の画学舎でコーラに学ぶと、キリシタンの需要に応じて聖画に腕を振るった。現在、東京大学総合図書館の所蔵する救世主像は、ヴィーリクスの版画に基づいて銅板に油彩で描かれ、裏面に一五九七年の年記と彼のサインがある。

一六〇一年、リッチの要請を受けたヴァリニャーノの命により、ヤコブ丹羽はマカオに派遣された。翌年、北京に派遣されてリッチのもとで聖母像を描き、万暦帝に献上された。それは古画と時画、つまり古い様式と当世風の様式による二幅の聖母画像であったが、万暦帝もその母后もその写実性を気味悪がり、結局、宮廷の宝物庫に納められてしまったという。一六〇六年に彼はイエズス会に入会し、一六一〇年に南昌の二つの教会にキリストとマリアの絵を描き、一六一一年には再び北京に赴いて救世主像を描いた。一六三八年にマカオで没したが、マッテオ・リッチに仕えたこのヤコブ丹羽が明のキリスト教美術に少なからぬ影響を及ぼしたことは疑いない。

6-12　丁雲鵬《天主（セビーリャの聖母）》1603年

一六〇五年に程大約（ていたいやく）が刊行した『程氏墨苑』という書物には、リッチがもたらしたとされる画像に基づく丁雲鵬（ていうんぼう）の木版画が四点収録され、その横におそらくリッチによるものと思われる教説が漢文で記されている。「宝蔵図」と呼ばれるこれら四点のうち、《信而渡海図》はヴィーリクスの版画《湖を歩くキリスト》を写したものである。他の一点もヴィーリクス版画《エマオへの道》に基き、もう一点はあきらかではないがパセやサドラーの《ソドムの罪》に基づいている。《天主》と題されたもう一点が《セビーリャの聖母》(6-12)である。これはヴィーリクスの版画を日本で模倣したものをさらに木版で写したものであり、ヤコブ丹羽などを通じて日本からも聖画がもたらされたことがわかる。

このころイエズス会では、画像が教化と瞑想の有効な手段となるという信念から、ロヨラの友人のイエズス会士ヘロニモ・ナダルは一五九三年にアントウェルペンで『福音書画伝(Evangelicae historiae imagines)』を出版した。これは、キリストの生誕からマリアの戴冠にいたる内容に、ベルナルディーノ・パッセリやマルテン・デ・フォスらの原画にヴィーリクス兄弟が版刻した大判の挿絵が百五十三点付されているものであった。挿絵にはアルファベットが振られ、図の下には対応する情景の説明とコメントが記されていた。出版されたのは一五九三年だが、一五七五年頃には完成していたと思われ、序文によればロヨラ自身がナダルに修道士の瞑想と祈りに役立つように制作を指示したという。この書物はイエズス会士によってインドや中国にもたらされ、先に述べたムガール絵画のほか、明では、『誦念珠規定』(一六二四年刊)、『天主降生出像経解』(一六三七年刊)という二冊の書物に木版画で模刻された。わが国にもこの書物の版画から模写した作品が残っている。

これら中国の版本は、西洋の銅版画挿絵の図様を忠実に写しているが、陰影はなく、背景の家屋や樹木はところどころ中国の伝統的な表現になっている。明末からさかんになった蘇州版画でも、部分的に西洋版画の影響が見られるものがある。

†中国の聖母子像

シカゴのフィールド博物館には、絹本の聖母子の軸（6-13）がある。一般に十六世紀後半から十七世紀の明時代のものとされるが、十八世紀だとする見解もあり、制作時期ははっきりしない。一九〇九年に西安の旧家から発見されたもので、当初は明の大画家、唐寅（とういん）の落款と印がついているが、唐寅の筆だとは思われない。聖母はベールを被って赤い円光をつけており、幼児キリストは左手で書物を抱え、右手で祝福をしており、図像的にはあきらかにオディギトリア型の聖母子である。そのうちでも、幼児キリストの手と頭の向きなどがローマのサンタ・マリア・マッジョーレ聖堂にある《サルス・ポプリ・ロマーニ》（1-16）に似ており、これを中国風に改変して写したものと思われる。このイコンのコピーは後に見るように日本にももたらされていた。ヤコブ丹羽も、一六〇四年に北京の小さな教会のために「聖ルカの聖母」を描いたと記録されていることから、原画はそれに遡るかもしれない。幼児キリストは中国の衣装に中国の童子の髪型をしており、聖母とキリストの顔も東洋風である。様式も、顔貌には輪郭

右6-13　伝唐寅《ルカの聖母》16世紀後半-17世紀　シカゴ、フィールド博物館
左6-14　伝唐寅《聖母子》16世紀後半-17世紀　ロンドン、大英博物館

線が施され、衣文も陰影というより東洋風の隈によって処理されている。そのため、この画像はキリスト教の聖母子ではなく、そこから派生した観音像ではないかという説もある。

同じく、唐寅の落款と印のある聖母子図（6-14）が大英博物館にある。聖母子はフィールド博物館本と似た衣装をつけており、衣文の隈取りといった様式も類似しているが、座像で幼児が蓮の花を持つなど、さらに東洋化しており、キリスト教的な礼拝像であったかどうかは不明である。

中国では三世紀から観音信仰が始まり、宋時代に観音の化身として伝説の女性が生まれて女性化が進む。明時代以降、子授観音や子育観音といった母子の姿の観音像が流行するが、これは本来、補陀落山の金剛宝石に結跏趺坐する観音に合掌する善財童子という図像が母子に変化したものであるという。日本でも禁教後のキリシタンによって観音と聖母が同一視されたように、一見聖母に見えるこうした画像も聖母でもあり観音でもあるといえるかもしれない。明時代には丁雲鵬の《迷子観音》のように、子を抱く観音の図像が現れるが、それらもキリスト教の聖母図像の影響とばかりはいえない。中国では母子像の観音が流行していたために、聖母子は容易にそれと習合したのであろう。

また、ポルトガルのリスボンには《礼拝堂の聖母》(6-15)と呼ばれる不思議な絵が残っており、これも明代の作品だとされている。六曲の屏風(ビオンボ)の一枚であり、大きな窓枠の中に聖母子がおり、幼児キリストに盆に載った葡萄を捧げる女性がいる。この窓枠の外で、男と子どもが祈っている。窓枠にはカーテンも見え、聖母の顕現の図像であることがわかる。聖母子はヤン・ディトマールの版画に基づいていることが指摘されているが、捧げものをする天使は普通の女性に変更され、聖母子の姿は観音に近くなっている。陰影が施されている中国の貴重な油彩画である。このような画像の多くは破壊されたと思われるが、今後も発見されることがあるだろう。

6-15 《礼拝堂の聖母》16世紀 リスボン、マヌエル・カスティリョ・コレクション

続く清朝でも当初はキリスト教の宣教師が活躍する。リッチ以降のイエズス会がキリスト教の典礼を中国化して適用していたことを他の修道会や教皇が

批判する典礼問題が起こり、一七二四年、雍正帝によって全面的にキリスト教が禁止され、宣教師たちはマカオに追放された。これ以降、一八五八年の天津条約でキリスト教が公認されるまでキリスト教美術は途絶える。

一七一五年に北京を訪れて清の宮廷に仕えたイエズス会士のイタリア人画家、ジュゼッペ・カスティリオーネ(中国名、郎世寧(ろうせいねい))は、西洋の油彩画と中国の伝統的な絵画を折衷させた、絹地に薄い陰影を施した絵画によって乾隆帝らに支持され、宮廷で人気を博した。彼の工房からは多くの作品が生み出されたが、キリスト教主題の作品は残っていない。

3 マカオの聖母

†聖パウロ天主堂のファサード

中国本土には、キリスト教の遺品はほとんど残っていないが、マカオには残っている。マカオは、香港に近い中国の半島にあり、現在では世界一のカジノの町として知られているが、長らくアジアにおけるポルトガル人の拠点であった。大航海時代の十六世紀半ばから十七世紀初頭にかけて、ゴア、マラッカ、長崎をつなぐ中継地点として大いに繁栄した。

マカオは長らくポルトガルの植民地であったため、多くの教会とともにカトリック文化が濃厚に残っている。また一六一四年の鎖国時に大量の日本人が追放されたため、日本のキリシタン文化が伝えられた地となった。天正遣欧少年使節は行き帰りに立ち寄って滞在し、この地のイエズス会学院で熱心に学習に励んだ。

マカオのシンボルといえる聖パウロ天主堂（セントポール大聖堂）は、かつてアジアでもっとも美しく大きな教会として有名であったが、十九世紀に火災に見舞われ、ファサード（正面部分）のみが残った（6-16）。マカオの中央の丘に建つこのファサードは堂々としており、どこから見ても壮麗である。

この教会は、日本にも滞在したイタリア人宣教師で数学者のカルロ・スピノラや画僧ジョヴァンニ・コーラが設計し、その弟子の画家ヤコブ丹羽や日本の職人たちが建設したと思われる。一六〇二年に着工し、一六二〇年から二七年に完成された。ヤコブ丹羽はこの教会に「聖母被昇天」を描いたと記録されている。ファサードは、マニエリスムからバロックへの過渡期に当たるイタリアの同時代の様式を示しており、キリスト、聖母、天使、悪魔、聖人などの彫刻や浮彫りで装飾され、全体でキリスト教の世界観を表している。

上の段の中央にはブロンズの幼児キリスト像があり、その下の段にはブロンズの聖母像（6

上6-16　マカオ、聖パウロ天主堂ファサード　1602年着工
下右6-17　同部分「聖母」
下中6-18　同部分《竜の聖母（黙示録の女）》
下左6-19　同部分《海難の聖母（海星の聖母）》

-17）がある。その周囲の枠には牡丹と菊の文様が見られ、周囲にいる奏楽の天使の乗る雲も日本風である。また、その横の聖母像の浮彫りなど数箇所に漢文が刻まれ、これらは日本人が作ったという有力な根拠となっている。この聖母像は衣の形状などから、おそらく《セビーリャの聖母》（6-30）に由来する。

中央の聖母像と同じ段の両端には、聖母を主題とした二点の浮彫りがある。右側の《竜の聖母》（6-18）は、七つの頭を持つ竜がおり、その上に聖母が手を合わせており、「聖母踏龍頭」という漢字が見える。これはあきらかに今までに見た「黙示録の女」であり、

「無原罪の聖母」である。左側には三本マストの帆船の上にやはり手を合わせた《海難の聖母》（6－19）がいる。これは、キリスト教の伝統図像ではなく、航海する船の安全を聖母が守っている図像であり、エクス・ヴォート（5－2）によく見られるものである。港町のマカオにおいては、航行の安全は切実な問題であったろう。

中国の沿海部や台湾、香港などでは、十世紀から媽祖（まそ）という道教の女神が信仰されていた。もともと福建省湄州島の林氏の娘が昇天して神になったと伝えられ、海上の救難に霊験がある航行や漁業の守護神として宋代から船乗りや漁民に信仰され、港に廟が建てられていた。台南の安平港にある林黙娘公園には、自由の女神のような堂々たる媽祖像が建っており、航行者の安全を守っている。マカオの南端にも媽祖を祀った媽閣廟がある。そもそもマカオという地名も、この媽閣廟（マーコッミゥ）に由来するといわれている。媽祖は天妃、天后、天上聖母と称されることもある。そして、図像的にも航海中の船の上空に現れるものが多い（6－20）。このレリーフはあきらかに媽祖と聖母マリアを同一視したものであろう。それまでマカオの現地の人々

6-20 《媽祖聖蹟図》18世紀　アムステルダム国立美術館

の神であり、航行を守護する媽祖と同じ役割を聖母に投影し、教会のファサードに「無原罪の御宿り」と並置してこのような図像を配置したと考えられる。そして、巨大な船と均衡を保つために、無原罪の図像では登場しないこともある竜を大きく表現したのであろう。ここでもやはり聖母は土地の女神と習合しているのである。

†マカオのキリスト教画像

このファサードの背後には地下納骨堂があり、この地で没した天正遣欧使節の原マルチノや使節派遣を企画した巡察使ヴァリニャーノの遺骨が納められている。付属する展示室には、東洋人の手によるものと思われる貴重な油彩画の大作が残っている。ヤコブ丹羽の作品だと考える研究者もいる。右手に剣、左手に聖体顕示台を持った大天使ミカエルを描いたものであり、おそらく疫病退散の護符のように聖堂内に祀られていたものであったろう。これときわめて似た《大天使ミカエル》が長崎の浦上天主堂にあったが、原爆で焼失してしまった。それは右手で槍、左手で天秤を持って悪魔を踏みつけているが、天使のポーズなどはマカオのそれとよく似ており、グイド・レーニの有名な大天使ミカエル像から派生した共通の原画によるものだと思われる。

また、マカオのギア砲台には、一六二二年に建てられた礼拝堂（6-21）があり、近年内部

上右 **6-21**　マカオ、ギア砲台（東望洋砲台）礼拝堂　1622年創建
上左 **6-22**　《聖母子》　同上
下 **6-23**　アンニーバレ・カラッチ《授乳の聖母》1582-90年

の壁画が修復された。内部には、勝利の旗を持ち、仔羊を抱く幼児キリストあるいは洗礼者ヨハネや装飾的な花木文様に交じって、「授乳の聖母」（6-22）が描かれている。キリストは背中を見せており、聖母のポーズからも、原画はイコンのようなものではなく、モラーレスの作品やアンニーバレ・カラッチの版画（6-23）のような十六世紀以降の作品に基づいているのであろう。

この壁画はヤコブ丹羽のような日本人絵師によって描かれたのか、あるいはその指導の下に現地の画家によって描かれたのかわからないが、装飾的な草木の文様から中国人画家によるものだとする意見がある。聖パウロ天主堂ファサードと同じく、十七世紀前半のマカオにおいて、キリスト教美術を生み出す美術家とそれを求める社会があったのである。しかし、この時期以降、日本の鎖国によって中継地点としてのマカオの役割は急速に低下して衰退し、十八世紀以降は清朝と貿易するイギリスなど列強の商人が数多く駐留するようになった。

マカオは中国のキリスト教美術と日本の南蛮美術とが交差する、東洋のキリスト教美術の中心地であったといえよう。

4 南蛮美術の聖母

†ジョヴァンニ・コーラの影響

日本にも、十六世紀半ば以降キリスト教が伝えられたが、日本人にキリスト教が受け入れられる際に重要な役割を果たしたのが、聖母信仰であった。宣教師たちの聖母画像は日本で大歓迎され、宣教の際に絶大な効果を発揮した。そして日本人もこれに倣ってキリスト教美術や世俗主題の洋風画を制作するようになる。こうした南蛮美術は、舶来品と日本で制作されたものに分かれるが、どちらであるか判然としないものも多い。

一五四九年に来日したザビエルはゴアから鹿児島に到着した八月十五日が聖母被昇天の祝日であったため、日本を聖母に捧げた。ザビエルは複数の聖母画像を持参しており、上陸して同行したヤジロウを通じて薩摩藩主島津貴久とその母に聖母の絵を見せたところ、彼らは深い感動をもって拝み、キリスト教について興味を持ったという。

ザビエルに続き、アルメイダ、フロイス、コエリョら優秀な宣教師が来日し、聖画をもたらしたが、各地に天主堂（教会）ができ、信者が増えると、需要は高まるばかりであった。一五八二年の記録では、教会の数は二百にのぼったという。それらの内部には必ず祭壇画や聖画があったと考えられる。一五七六年に京都に建てられた教会は「被昇天の聖母」に捧げられていた。

一五七九年来日した東方巡察使アレッサンドロ・ヴァリニャーノは、布教方針を革新した。教会とは別に信者の活動組織として信心組（コンフラリア）を組織し、信心組はそれぞれキリストや聖母、聖人などの信心対象を設定し、それを描いた聖画を祀って活動した。禁教時代に司祭が不在になったとき、人々の信仰生活を支えたのがこのコンフラリアであった。ローマではじまったマリア信心会（サンタ・マリアの御組）や、病人や孤児の世話などをする「慈悲の組（ミゼリコルディア）」も各地に広がった。また、ヴァリニャーノは信徒師弟を体系的に教育する必要性を感じ、コレジオ（学院）、セミナリオ（神学校）、ノビシャド（修練院）を設立した。聖母やキリストの画像は輸入品だけでは需要に追いつかず、日本人絵師に制作させる必要が生じため、セミナリオ内に画学舎を作った。一五八三年、イタリアの画僧ジョヴァンニ・コーラが来日し、多くの聖母像を描いただけでなく、この画学舎で西洋絵画の技法を日本人に伝授した。コーラは南イタリアのノラの出身で、日本に来る前にマカオでも制作していた。日本では長崎と有馬の信者や教会のために救世主像を描き、臼杵の教会に油彩の聖母像を制作したことがわかっている。マカオに送るための救世主の大画面や聖ステパノの画像を描いた記録もあるが、いずれも焼失してしまった。

現存する南蛮美術の中からコーラの描いた作品を特定することはできないが、彼の指導を受けた日本人絵師たちは、聖画ではない南蛮風俗画なども制作したと思われる。コーラは二十人ほどの絵師集団を指導していたと思われ、一五九三年のフロイスの観察では、画学舎で学ぶ日本人の作品はローマで制作されたものと区別しがたいほど巧みだと記されている。

当初日本での宣教はイエズス会のみであったが、一五九二年にフランシスコ会、一六〇二年にドミニコ会、一六〇三年にアウグスチノ会が渡来し、それぞれが活動した。一五九九年にフランシスコ会は江戸にロザリオの聖母に捧げた教会を建て、ロザリオ信心会も設立した。その後に来日したドミニコ会は多くのロザリオ信心会を組織し、さらにロザリオ信心を普及させた。

しかし、やがてキリスト教は禁止され、コーラも一六一四年にマカオに追放されて一六二六年に逝去した。その後の禁教下でほとんどの聖画が没収・破壊され、現存する作例はきわめて限られたものでしかない。日本でももっとも徹底的で苛烈なイコノクラスムが起こったのだ。

†現存する聖母像

奇跡的に現存する聖画のうち、もっとも優れたものが、大阪中津の南蛮文化館に所蔵される《悲しみの聖母》(6-24)と呼ばれる聖母像である。損傷が激しいが、福井で代々藩医を勤めて、近年まで医院を開業していた奥田家の土蔵の壁の中から竹筒に入った状態で一九一五年に発見された。その由来や作者など一切は不明だが、様式的に十六世紀後半のイタリア絵画であると推測できる。カトリック改革の画家シピオーネ・プルツォーネの様式に近い。日本に宣教師が来たのは、宗教改革の巻き返しであるカトリック改革運動の一環であったが、イエズス会を中心とするカトリック改革の美術は、平明で写実的な様式を特色としていた。プルツォーネはそうした傾向を代表する画家であり、イエズス会の聖堂などに規範的な聖画を制作した。

6-24 《悲しみの聖母》16世紀後半 大阪、南蛮文化館

この絵の伝わった福井は信長の重臣でキリシタンに寛容であった柴田勝家の領地であったため、キリシタンが多かった。江戸の初め、奥田無清という町

医者がおり、キリシタンであることが露見して江戸に送られ、福井藩の江戸屋敷で刑死したか拷問の末に亡くなったという。この人物こそがこの絵を所持してきた奥田家の祖先に当たる。

同じ南蛮文化館に、福井県下の仏寺の天井裏から発見されたものだという聖母子の板絵（本章扉）がある。厚い下塗りの上にセピア色の線描と陰影を施しており、手慣れた線描で、幼児の顔も日本人の手によるものと考え難いので、ベイリーのように、これこそがジョヴァンニ・コーラの手によるものだと考える研究者もいるが、舶来品である可能性もあるだろう。下描きのように見えるが、十分完成作としても見ることができる。

6-25 《聖母子》東京国立博物館

東京国立博物館に所蔵される油彩の《聖母子》（6-25）は、踏絵類とともに長崎奉行所宗門蔵旧蔵品で、一八七四年に東京国立博物館に移管されたものである。銅板に油彩で描かれたものであるが、踏み絵に使われたためであろう、中央には横に走る大きな剥落があって損傷が激しい。これも舶来品か日本人の手によるものかで意見が分かれるが、衣文や幼児の顔が稚拙であることから、日本で描かれたものだという可能性も捨てきれない。日本にもたらされた油彩画は、このような銅板が多かった。カンヴァスや板よりも堅牢であるためである。

同じく踏絵に用いられたため保存状態は悪い《雪のサンタマリア》(6-26)という聖母子の銅板油彩画が、やはり長崎奉行に押収された遺品として伝わり、現在は東京国立博物館に所蔵されている。あきらかにローマのサンタ・マリア・マッジョーレ聖堂にある《サルス・ポプリ・ロマーニ》(1-16)を写したものである。

右6-26　《雪のサンタマリア》東京国立博物館
左6-27　ヴィーリクス《サルス・ポプリ・ロマーニ》1600年以前　ロンドン、大英博物館

このイコンは第一章で見たように、ローマでもっとも崇敬を集めた由緒あるものであった。一五六九年、教皇ピウス五世は、第三代イエズス会総長フランシスコ・ボルハに対し、公式にこのイコンの複製を許可した。そのため、このイコンの複製が多数作られ、それらはドイツ、ポルトガル、ブラジル、ペルシャ、インド、エチオピアなど世界中にもたらされた。先に見たフィールド博物館にある中国の聖母子像(6-13)も、こうした模写に由来すると思われる。日本にあるものはこの中国の絵とちがって東洋風になっていないことから、ヨーロッパで制作されたコピーの一点が日本にもたらされたものである

と思われているが、日本で写された可能性も十分にある。《サルス・ポプリ・ロマーニ》を写したヴィーリクスの版画（6-27）が伝わり、それを油彩で写したのかもしれない。この絵は日本で《雪のサンタマリア》と呼ばれてきたが、サンタ・マリア・マッジョーレ聖堂ができるとき、聖母が八月五日に雪を降らせて教皇リベリウスに教会を建てるべき場所を教えたといういわゆる「雪の奇蹟」から来ている。そのサンタ・マリア・マッジョーレ聖堂の本尊たるイコンを写したことから、《雪のサンタマリア》と呼ばれたのだろう。

6-28 《雪のサンタマリア》長崎、日本二十六聖人記念館

　長崎の日本二十六聖人記念館にも、同じく《雪のサンタマリア》（6-28）と呼ばれる聖母の軸がある。こちらの方は、なぜそのような名称になったかについては諸説あるが、この絵を大事に伝えてきた長崎県外海（そとめ）地区出津（しつ）のかくれキリシタンの人々は昔からそう呼んできた。この絵はその様式から、ジョヴァンニ・コーラに学んだ日本人絵師によるものと考えられている。この聖母の赤い衣と青いマントの大半は、紺色の補修紙で覆われて見えなくなっている。同じかくれキリシタンの画像でも、後に見る生月島のものは稚拙であるのに対し、こちらはより西洋的であり、コーラに直接教えを受けた画家の手になることを思わせる。児嶋由枝氏の研究によれ

ば、元になった画像は、一六三四年に長崎で殉教したドメニコ会士アンサローネの故郷、シチリアのフランコフォンテにある《雪の聖母》という古拙な画像であり、日本人画学生がその絵の複製を自然主義的に修正して写したものだという。

仙台市博物館には、支倉常長が持ち帰った慶長遣欧使節関係資料に含まれる銅板の油彩画《ロザリオの聖母》(6-29)がある。ロザリオに囲まれた聖母が左手にロザリオを持って三日月の上に立ち、周囲に四人の聖人、空には奏楽し、ロザリオを持つ天使がいる。それほど質が高くなく、中南米の民間画工の手のよるものだろう。支倉常長はソテロ神父とともに、仙台藩主伊達政宗の使節として一六一三年からメキシコとの直接交易を求めて太平洋経由でヨーロッパに行き、スペイン王やローマ教皇に謁見し、一六二〇年に帰国した。スペインではフェリペ三世の臨席のもとで受洗し、ローマでは教皇パウルス五世のボルゲーゼ家にもてなされて等身大の油彩肖像画も描かれ、別の画家による半身像やパウルス五世像も持ち帰ったが、帰国直後に仙台藩でも禁教令が出され、二年後に失意のうちに没した。そんな中でこの聖母の画像は彼の信仰を支えたであろう。中央の痛々しい剝落は、この絵とその持ち主のくぐってきた過酷な

6-29 《ロザリオの聖母》仙台市博物館

運命を思わせる。

また、《セビーリャの聖母》（6－30）と呼ばれる銅版画も長崎のセミナリオで制作された。ヴァリニャーノの指示によって一五八〇年に開校したセミナリオでは、神学、語学、数学、音楽の教育のほか、一五九〇年に帰国した天正遣欧使節が持ち帰った印刷機を備え、活版印刷や銅版画印刷も行われた。印刷機は長崎、有馬、八良尾、有家と転々としたが、この版画は一五九七年に当時有家にあったセミナリオで印刷されたことが画面下の銘文からわかる。原画は、セビーリャ大聖堂にある十五世紀の壁画《アンティグアの聖母》（6－31）に基づいてヴィーリクスがアントウェルペンで制作した版画だとされるが、中央の天使はこの版画よりもセビーリャの実際の壁画に近い。この長崎の版画が、前述のように、わずか八年後に中国で刊行された『程氏墨苑』に木版で翻刻されている（6－12）。現存する《セビーリャの聖母》は、別の版画、《聖アンナと聖母子》とともに、一八六九年に

右6-30　《セビーリャの聖母》1597年　長崎カトリックセンター
左6-31　《アンティグアの聖母》15世紀　セビーリャ大聖堂

プティジャン神父がマニラで入手して日本にもたらしたものである。《聖アンナと聖母子》は、第三章で見た、ルネサンス以降さかんに描かれたアンナ三代図であり、聖母の無原罪を称える図像である。原画はマルテン・デ・フォスに基づくヤン・サドラーの版画で、一五九六年と有家の記載があり、舶載品でなく、日本で制作されたことがわかる。《セビーリャの聖母》よりも細かい線で緻密であり、日本での銅版画技術がかなりの水準に達していたことがわかる。

†マリア十五玄義図

キリシタン大名高山右近の領地であった大阪茨木の清渓村(きよたにむら)の民家から発見された二点の《マリア十五玄義図》(東家本6-32および京大本6-33)は、紙に泥絵で描かれており、南蛮文化時代に日本で描かれたキリスト教美術で最大のものである。原田家の屋根裏から竹筒に入って発見された京大本は、南蛮美術にしては珍しく保存状態がよい。東家の開かずの間から《ザビエル像》とともに発見された東家本の方は、聖母の顔などが剝落し、損傷が激しいが、描写はより優れており、京大本に先行するものと思われる。

カーテンの開いた上部の枠の中に聖母子がおり、その下に「至聖なる秘蹟は尊ばれ給え」とラテン語で記されている。そのため、聖体を対象とした信心組で祀られたものだという推定もある。下の段には、イグナティウス・デ・ロヨラとザビエルがおり、京大本にはさらにそれぞ

上6-32 《マリア十五玄義図》東家本　茨木市立キリシタン遺物史料館
下6-33 《マリア十五玄義図》京都大学総合博物館

れの背後に聖マティアと聖ルチアがいる。周囲にロザリオの十五玄義の場面が描かれており、左辺は五つの喜び、上辺は五つの悲しみ、右辺は五つの栄光となっている。一見、両者は似ているが、十五の小画面には「神殿奉献」など、基とする原画が異なっているものがあり、別の絵師によるものと思われる。原画はあきらかでないが、この絵は後に見るように多くのバリエーションを生んだ。美術史家の木村三郎氏は、どこかの教会の祭壇画であったと考えている。

日本の教会は畳敷きであり、こうした掛け軸を掛けて礼拝していたと思われる。また、美術史家の西村貞氏は日本のキリシタンの洗礼名でもっとも人気のあったマティアとルチアの名を持つ夫婦がこの祭壇画の施主ではないかと推測している。

ロザリオの祈りは、一五九七年に天草で印刷され、公教要理の教本として広く普及した『ドチリナ・キリシタン』や、一六〇七年に印刷された『珠冠のマヌアル』にも説かれ、日本のイエズス会でも普及していた。本来はドミニコ会特有の図像をイエズス会に適用したものであり、このタイプは第四章で見たベルナルディーノ・ガッティの作品（4-10）や一五九〇年のアントニオ・テンペスタによる版画のように「ロザリオの聖母」の図像にはよくあるものだが、この絵と同じ西洋の原画があったのではなく、日本でそれぞれの図像を組み合わせて構成したものであると考えられている。たとえば、聖母の部分はあきらかに、《悲しみの聖母》と同じ福井の奥田家から発見された二十点のフランス製銅版画のうちの一点、トマ・ド・ルーによる《ロザリオの聖母》から採られている。聖母は原画では聖母の象徴であるバラを持っていたはずだが、バラを見たことがない日本人によって椿として描かれてしまっているのが興味深い。また、幼児キリストは原画ではロザリオを持っているが、地球を持っているように変えられている。地球を持つ救世主の像は日本にいくつかもたらされ、また前述のヤコブ丹羽の作品のように日本人によっても描かれたことがわかっており、日本で人気のある図像であったのであろう。

ロヨラとザビエルが聖人となったのは一六二二年のことであり、神戸市立博物館にある有名な《ザビエル像》とともに、この絵の制作もこの列聖後の制作だと考えられる。列聖の前の段階である列福された時期でも制作されうるが、ザビエルの列福は一六一九年であり、列聖の時期とそれほど変わらない。いずれにせよ禁教後、ジョヴァンニ・コーラが追放されて約二十年後にこのような本格的なキリスト教絵画がひそかに描かれたのは驚くべきことである。

《マリア十五玄義図》のあった東家と同じ大阪茨木の清渓村からは、着色された浮彫り《ロレートの聖母》も発見されている。第四章で見たように、ロレートはイエズス会にとって重要な聖地であった。横向きの聖母子の図像は、ドナテッロやミケランジェロに由来し、イタリアのサンソヴィーノ工房周辺で制作されたものだと思われる。

福井で発見された二十点のフランス製銅版画は十六世紀末のものであり、そのうちには二種類の《聖ヒアキントスの幻視》がある。この聖人はポーランド出身の十三世紀のドミニコ会士で、一五九四年に列聖された。うち一点はルドヴィコ・カラッチがその年に描いたもので、現在パリのルーヴル美術館にあるものを、フランスの版画家ジャン・ピカールが翻刻したもの。典型的なバロックの幻視画だが、このような作例が日本の南蛮美術に影響を及ぼした痕跡はない。

また、近年フランスで発見され、長崎に里帰りした《聖母マリアの御絵》（6-34）は、無原罪の聖母子の両脇にアッシジの聖フランチェスコとパドヴァの聖アントニウスというフランシスコ会の二大聖人、その下に三人の聖女が描かれている。先に見た支倉常長請来品と同じ図像タイプだが、こちらはあきらかに日本人の手によるものと思われる。聖母を取り囲んでいる縄には三つの結び目があり、それはフランシスコ会の三つの誓願である清貧・貞潔・服従を表す。もともと浦上天主堂には、フランシスコ会系の《ロザリオ図絵》があり、十五の玄義の下に聖フランチェスコとパドヴァの聖アントニウスと洗礼者ヨハネが描かれていた。十五の玄義は、上から栄光、悲しみ、喜びだが、興味深いことにそれぞれの段の物語は右から左に進んでおり、日本ならではのことである。この絵も先に述べた《大天使ミカエル》とともに原爆の犠牲となってしまった。《聖母マリアの御絵》は、美術史家の越川倫明氏の推論通り、失われた《ロザリオ図絵》と同一の、イエズス会系の絵師よりは西洋画法に習熟していない絵師によるものであろう。

6-34　《聖母マリアの御絵》
カトリック長崎大司教区

京都の高台寺は秀吉の正室、北政所が建立した寺であり、彼女や秀吉ゆかりの美術工芸品が多く伝わっているが、その中に「無原罪の聖母」を表した刺繡がある（6-35）。花鳥に混じって、三日月に乗った聖母子が上下に二体表されている。中国で作られた祭服の一

6-35　《刺繡聖母子像》京都、高台寺（京都国立博物館寄託）

部だと推測されるが、キリスト教を弾圧した秀吉の正室がこのような織物を所持していたことは興味深い。

このほか、螺鈿（らでん）の厨子に入った個人祈禱用の三連画にも聖母はよく描かれているが、これらは日本に残ったものではなく、明治期以降に海外からもたらされたものである。螺鈿の工芸品は輸出用であったため、海外で中央の画面と組み合わされた可能性が高い。

†踏絵の聖母

キリスト教が禁止されても、その信仰が完全に途絶えたわけではなかった。踏絵はキリシタンを探索するために、一六二六年頃はじめて行われ、当初は上述の銅板油彩画やクルス（十字架）を踏ませていた。しかしすぐ破れ、あるいは磨滅してしまうので、信者から押収したキリストや聖母を表した大型のメダイを板に嵌め込んだ板踏絵がそれに代わった。やがてそれらも足りなくなり、一六六九年から長崎の鋳物師に作らせた真鍮製のものが長く用いられた。中でも「ロザリオの聖母」（6－36）は、メダイの図像を正確に拡大していることがわかる。もっとも人気のあった図像が踏絵に用いられるのは自然である。

「無原罪の聖母」を彫った銅牌（6－37）も東京国立博物館にあり、これも踏絵に用いられたと思われる。聖母の顔と光輪は観音菩薩のそれと酷似しており、日本人の職人によるものと思われる。聖母を取り囲む渦巻く雲の表現も和様であり、それは後に見る生月島のお掛け絵にも登場する。キリシタン史家の内山善一氏は「正に当時無原罪聖母に対する日本人信徒の崇敬を自らの手で表現した実例かと思考されるもので、まさに日本の聖母たるにふさわしい姿である」としている。

それらは長崎奉行所宗門蔵に保管され、現在は重要文化財として東京国立博物館に収蔵されている。ほかにも大阪の南蛮文化館などにいくつも現存しているが、いずれも大きく摩耗して

上 6-36 《踏絵聖母子像》（ロザリオの聖母）17世紀　東京国立博物館
下 6-37 《銅牌（無原罪の聖母）》江戸時代　同上

図様がかろうじてわかる程度になっており、いかに長い期間、多くの人間が踏まねばならなかったかを物語っている。

遠藤周作の『沈黙』で司祭が最後に踏絵を踏んでしまうクライマックスでは、踏絵のキリスト像が語りかける。「踏むがよい。おまえの足の痛さ

6-38 カルロ・ドルチ派《親指の聖母》18世紀 東京国立博物館

をこの私がいちばんよく知っている。」このキリストは、手を縛られて芦の枝を持たされ、民衆にさらし者になった姿を表した「エッケ・ホモ（この人を見よ）」で、踏絵の遺品に数多く見られるタイプである。キリストが神でありながらもっとも卑しめられた姿であり、これを踏むことはキリストを迫害したユダヤ人に同化するような罪悪感を覚えさせたに違いない。

踏絵を考案したのが誰であるかは不明だが、像を踏ませるというのは、日本的な発想である。本来、キリスト教は偶像崇拝を認めず、プロテスタントでは聖像を拝むことを禁じていた。布教のために聖像を積極的に用いたカトリックでも、聖像は神を見る窓であって、その中に神はいないと規定している。そのため、もし西洋で踏絵が行われたとしてもほとんど効果はなかったであろう。キリスト教に入信した日本人の多くは、神を表した像には何であれ仏像と同じような聖性を認めてしまい、それを踏むことをかたくなに拒んで命を落としたのである。

南蛮美術の遺品として、東京国立博物館にある《親指の聖母》(6-38)がある。これは、鎖国の最中、一七〇八年にシチリア出身の宣教師ジョヴァンニ・バッティスタ・シドッティが布教のためマニラから単身、屋久島に潜入したとき持参したもの。彼は翌日には捕縛され、江戸に送られて新井白石の尋問を受け、西洋の事情や知識を伝授して六年後に獄死した。十七世紀後半のフィレンツェで活躍したカルロ・ドルチの工房作か模写であるが、かなり優れた技術を示している。この絵は新井白石の目も引いたと思われ、白石は「サンタマリヤと申す宗門の本尊」として筆写している。その後この絵は明治になるまで人目に触れずに保管されてきたのだが、一人の無謀な宣教師が命を賭して日本にもたらした南蛮美術最後の聖母画像であった。

5　かくれキリシタンの聖母

†生月島のかくれキリシタン

仏教の観音菩薩は元来は女性ではなかったが、東アジアにおいて子安観音や悲母観音のように次第に女性のイメージとなったものである。先に述べたように中国でも観音と聖母マリアは

6-39　納戸神の祭壇　長崎県生月島

同一視された可能性がある。禁教下の日本では、長崎の五島や外海地方でマリア観音と呼ばれる陶製の像が聖母像としてひそかに信仰された。それらは福建省で量産されて日本に安価で輸出されたただの観音像にすぎず、マリアとして作られたものではない。しかし、人々はそれをマリアと同一視し、熱心に祈りを捧げた。辺境の厳しい環境のもとで信仰を維持させる原動力となったのは、聖母のイメージにほかならなかったのである。

かくれキリシタンの里のうちでも、生月島には納戸神あるいは御前様とも呼ばれる画像「お掛け絵」が存在する。こうした画像は生月島のみのもので、五島地方や外海地方には存在しない。

生月島のかくれキリシタンは禁教後、教会のかわりに信心組と呼ばれた集会を中心に信仰を続けた。彼らは様々な聖具を信仰の対象としてきた。御前様（納戸神）は狭義には「お掛け絵」を指すが、広義には、くるす（十字架）、こんたす（ロザリオ）、メダイ、お札様（ロザリオ十五玄義の場面を一つずつ記した木札）、おてんぺんしゃ（麻縄をなった苦行用の笞）、おまぶり（十字架状に切った紙片）、サンジュワン様（聖水）など、祭壇に祀られるものすべてを指すという。それらは通常は納戸の櫃に隠されており、オラショの唱えられる儀式や四旬節などの祭日に密かに取り出されて膳や盆の上に安置され、礼拝された(6-39)。彼らは、神棚や仏壇を祀るほか、天照皇大神と書いた掛物を床の間に掛けたり、鴨居の上に恵比寿や大黒を掲げたりしているという。これらを「表神」とすれば、お掛け絵は「隠された神」であった。その点で、これらの聖具は「秘仏化」しており、畏怖すべき霊威が付与された呪物として顕現していたのである。お掛け絵も美術的な側面のみでとらえられるものではなく、当然こうした秘儀的な聖具の一つとして考えられなければならない。

しかし、こうした霊験あらたかな聖画であるにもかかわらず、信徒たちが、古くなったお掛け絵を「御隠居様」といってしまっておき、新たに描き直す(「お洗濯する」)のは、長年にわたって取り締まりの目を逃れるために、彼らがそれらを秘匿してきたことと関係があるのだろう。表神を掲げてまで隠匿やカモフラージュに心を配るのは、二百六十年にわたる弾圧と潜伏の中で養われたものであった。秘匿方法としては、単に櫃や箱に入れて屋根裏や納戸に隠すだけでなく、壺や箱に収めて土中に埋めることが多かったという。このような厳しい環境では、紙や布はすぐに劣化し、たびたび描き直す必要に迫られたにちがいない。古い原画を唯一のイコンとして守り続けることは不可能となり、やむなく行われる描き直しは、「お洗濯」という語が想起させる肯定的な行為として正当化されるにいたったのであろう。何世代にもわたるこうした描き直しの過程で像容は和様化し、様式は西洋風から民画風になっていった。その結果、原型(プロトタイプ)

右 6-40 《聖母子と二聖人》平戸市生月町博物館 島の館
左 6-41 《聖母子と二聖人》長崎県生月島 個人蔵

からあまりにもかけ離れてしまって、今や主題すらわからなくなったものも多いのである。

†お掛け絵の聖母

お掛け絵のモチーフは、キリスト、聖母をはじめとして、カトリックの聖人、多くの殉教者など多様であるが、圧倒的に多いのが、赤子を抱いた聖母の画像であった。お掛け絵に表現された聖母はいずれも和装で髷を結っており、いずれも赤子を抱いている。単なる聖母子のほか、「ロザリオの聖母」「聖母子と二聖人」「受胎告知」「エジプト逃避」「聖母被昇天」「聖母子と聖アンナ」といった主題がある。

《聖母子と二聖人》(6-40、41)だけは、先に見た《マリア十五玄義図》、あるいはその源泉となった版画の図様をとどめている。ほとんどのお掛け絵が図像源泉をとどめぬほど特異な図像となっているのに対し、この画像だけは当初の図様が特定できるのである。六点ほど現存するというバージョンによって、ザビエルとロヨラの二聖人の表情やポーズが原型から徐々に離れていく変容過程を推定することができる。陰影表現は排され、聖母は和装化して胸をはだけ、頭に十字架の印をつけるにいたった。二人のイエズス会創始者は、イエズス会とのつながりを絶たれた島民にとっては、一般的な聖人ないし殉教者の代表であり、特定する手がかりもその必要もなくなったのであろう。聖母の持っていた花は、バラでも椿でもない風車のような花になってしまっている。聖母の下には、先に見た聖母の銅牌と同じような和風の雲が見られる。

右6-42 《受胎告知》平戸市生月町博物館・島の館
左6-43 《聖母子》同上

また、《エジプト逃避》は、手拭いをかぶり、杖と草鞋を前に置いた姿であるが、通常この主題には欠かせないヨセフや風景表現は見られず、あきらかに室内である。《受胎告知》(6-42)では、天狗のような羽を持った天使の表現も興味深いが、聖母がすでに赤子を抱いているのが特異である。聖霊の鳩のかわりに赤子が聖母に向かって飛んでいく図像はルネサンス以前の西欧に見られ、その後は異端的とされて禁止されたが、赤子を抱えた聖母が登場する図像はありえない。

また、足下に雲が描かれていることから、無原罪受胎の聖母と判断される聖母子像（6-43）でも、またそれをロザリオで取り囲んだ「ロザリオの聖母」の図像（6-39参照）でも、聖母はやはり赤子を抱いている。三日月とともに太陽と思しき球形が併置されたものがあり、これはキリストを太陽、マリアを月にたとえる西欧の象徴を踏まえているのだろう。聖母像には、観音や浮世絵美人風のものもあり、原画が聖母像以外に求められそうなものもある。これは、いわゆるマリア観音にも通じる現象である。

6-44《ダンジクさま（聖家族）》長崎県生月島　個人蔵

聖母像の多くは胸をはだけ、「授乳の聖母」のように幼児に乳を与えている。しかし、前に述べたように「授乳の聖母」の図像はカトリック改革期以降衰退し、日本にもたらされた形跡はない。しかも、西洋の「授乳の聖母」の図像は、はだけているのは必ず片胸だけだが、お掛け絵においてはほとんどが両胸をあらわにしている。はだけた胸は、日本での図像の改変だと見てよいだろう。かくれキリシタンの研究者中園成生氏の指摘するように、明治以前の日本では乳房を露出させることはエロスとは関係なかったため、日本人信者が、単純に女であり母である聖母の象徴や記号として描いたと思われる。

いずれにしても、生月島の信徒たちは、画像の当初の主題を知ることなく、また知ろうともせず、呪術的な力を持つその画像の前にひたすら頭を垂れ続けてきたのである。当初はキリスト教的な意味を担っていたイメージが、祖先崇拝と融合し、どんな神様かわからない人物像が次第に先祖のイメージを持って祀られていったこともあったようだ。

こうした典型的な例が一連の聖人像であろう。生月島の殉教者で画像となっているのは、「アントーさま」「パブロー（幸四郎）さま」「ダンジク（マリヤ彌市兵衛）さま」の三種類である。《ダンジクさま》（6-44）は、羅竹（ダンジク）の中に潜んだが露見して殉教したキリシタン家族三人を描いた画像だが、それは、中園成生氏の指摘するように、聖ヨセフと聖母子という聖家族を表す画像、あるいは聖母戴冠のような、父なる神とキリストと聖母の画像に由来する可能性も否定できない。

つまりそこでは、聖母像と同じく、神でも聖人でもない世俗人物像が聖人や殉教者に見立てられたり、あるいは聖家族図が殉教者の一家に見立てられたりする現象が起こっている。信徒たちには、図像の正統性や意味よりも、それが聖画として伝承されてきたという歴史が重要であったのである。その図像が父祖から伝世したという事実とその時間の厚みのみが聖性を醸成させていったといえよう。

6-45 《マリア観音》17世紀　東京国立博物館

✝かくれキリシタンにとっての聖母像

生月島と同じくかくれキリシタンが多い五島や外海には、奇妙なことに画像を飾る風習がない。先に見た《雪のサンタマリア》(6-28)を例外として、「ハンタマルヤ」と呼ばれたマリア観音(6-45)がほとんど唯一の信仰対象となってきたようだ。マリアといっても、中国で作られた青磁や白磁による子安観音や悲母観音をマリアに見立てたものにすぎず、それらはマリア信仰とまったく関係がない。福建省の徳化窯で多く作られた白磁仏が江戸期に多く輸入されたため、聖像に不足した信者たちがその観音像に聖母のイメージを重ね、代用に信仰したものである。聖母画像においても、多くは西洋風の聖母像が徐々に原型を崩していき、子を抱く世俗の日本女性が聖母に見立てられるにいたったと思われる。これらの地域で、釈迦や弥勒などの神仏の像を「デウス」や「ゼスス」として祀るのも同じ見立てによる。

このマリア観音も、キリシタン史家の片岡弥吉氏によれば、「もっともらしい十字架などをつけた観音」はむしろ贋作に多く、純然たる観音像でも「かくれキリシタンたちが祭っていたという由緒があって始めてマリア観音になるのであってこの由緒のはっきりしないものは、いかにももっともらしい注釈がついていようともマリア観音たりえない」という。呪物としての画像は個々の意味や主題を探るべきものではなく、様々な聖具や聖遺物と同じく、父祖から継承されたものであれば霊性を発揮しえたのである。

つまり、かくれキリシタンの画像は、プロトタイプとしてのイコンが変容した結果だけでなく、様々な外部の異教的・世俗的な画像、キリスト教とは無縁のイメージまでが混入し、あるいはすっかり代替され、それらが秘匿され、定期的に刷新されつつも、継続的な秘匿と顕現の繰り返しによって聖性を維持させてきたイコンであるといえるだろう。西洋的な原画が変容した過程をうかがわせるものもあるが、多くは発酵とでもいうような特異な変質をとげており、突然変異の鬼子のようなものもあるのである。

かくれキリシタンの信仰自体も、キリスト教の土俗信仰による変容とか、仏教や神道および民間信仰がカトリックと習合した特異な混成教とかいわれてきたが、むしろ複合的・重層的なこうした信仰形態そのものを歴史的所産としてとらえるべきであろう。外海地方のかくれキリシタンには、「天地始之事（てんちはじまりのこと）」という伝承があり、主人公として丸や（マリア）が多く登場するが、そこでは聖書の内容と土地の伝説が融合していた。同じように、お掛け絵においても、聖母マリアが創造主デウスと融合していたとしても不思議ではないし、キリスト教主題を持つ原画には遡りえない画像が礼拝対象となっていても驚くにあたらない。正統のキリスト教美術、あるいは南蛮美術からの連続や逸脱といった観点からだけでは、お掛け絵はつまらぬものにしか見えない。かくれキリシタンという特殊な民俗宗教が生み出した固有の芸術、その信仰と同じく複雑に屈曲した歴史を背負い、重層的な要素を宿した民衆芸術にして今も機能するイコンである。

また、画像や彫像でなくとも、様々なものが信仰の道具になりえた。天草や生月の漁民は、まん丸い石を見つけると、「サンタ丸や」として聖母マリアのイメージとして家に飾ったという。海岸で珍しい貝殻を見つけても、それも神秘のしるしとして大切に祭壇に安置した。木札十六枚からなる「お札」は、十五玄義に親札を加えたもので、五枚ずつ、喜び、悲しみ、グリュリョウザ（栄光）の三組に分けられ、表に異なった形の十字架、裏には玄義の意味や祈りが記されていた。

長崎の外海地方と五島列島では、多くの信者がキリスト教信仰をひそかに守ってきた。一八五四年の開国後、再び宣教師が来日し、彼ら信者たちが発見されたが、キリスト教は一八七三年まで解禁されず、その間に多くの過酷な弾圧と悲劇があった。一八六五年にフランス人宣教師によって建てられた大浦天主堂を見に来た日本人の婦人が、プティジャン神父に「サンタマリアの御像はどこ」と尋ねたのが、有名な「信徒発見」の発端である。長く厳しい弾圧にもめげず、まだキリスト教徒が残っていたことはヨーロッパで大きなニュースとなり、教皇ピウス九世は歓喜したという。

しかしこのとき天主堂を訪れた浦上村のキリシタンたちは、「浦上四番崩れ」と呼ばれる流刑と拷問を受ける。多くのキリシタンが拷問で命を落とした津和野では、三尺牢という小さな牢に閉じ込められた少年、安太郎に聖母が顕現したとされ、この乙女峠に聖堂とその記念像が建てられている。

二〇一八年、「長崎と天草地方の潜伏キリシタン関連遺産」が世界遺産に登録された。江戸時代二百六十年間の禁教令下における厳しい弾圧の中、宣教師不在でありながら、信者のみで信仰を守り通したことが評価されたという。「潜伏キリシタン」という聞きなれない言葉は、このとき急にクローズアップされた。禁教下にひそかに信仰を守り、解禁後、正統なキリスト教に復帰した信徒たちのことを指す。一方、かくれキリシタンとは、同じく信仰を守りながらも、欧米からもたらされたキリスト教に復帰することを拒み、独自の信仰を堅持した信徒のこと。両者は禁教下では同一であったが、解禁後の信者の態度によって対応が分かれたのだ。

世界遺産には、後者のかくれキリシタンは含まれていない。平戸の生月島は、先に見たように「お掛け絵」を用いたユニークな信仰を持つかくれキリシタンの中心地であり、今なお多くの信者が独自の信仰を守っている。二百六十年の間にその信仰は土着化して先祖崇拝などと結びつき、キリスト教とはいいがたい民俗宗教に変容したように見える。しかし、こうした興味深い文化やその遺跡は、世界遺産から排除されている。かつて日本で普及したキリスト教が、長らく弾圧されたにもかかわらず、劇的によみがえったという西洋回帰のハッピーエンド物語に沿うものだけが選別されたのである。キリスト教から離れていってわけのわからぬ土俗宗教になってしまったかくれキリシタンは、こうした物語にとって都合が悪いのだ。その背景には、禁教や鎖国を否定的にとらえる植民地主義的な歴史観がうかがわれる。そもそも世界遺産などという制度自体が、欧米のこうした一元的な価値観に基づく偏ったものにすぎないのだが。

ともあれ、日本での「信徒発見」が、聖母像のことを尋ねる発言であったというのは示唆的である。潜伏キリシタンであれかくれキリシタンであれ、その信仰の中心にあったのは聖母であったのだ。キリシタン史家の五野井隆史氏は、『日本キリスト教史』において、聖母の人気は日本人の観音信仰と関係するとしている。

観音菩薩が西方浄土への案内者・仲介者として崇敬され信仰されてきたように、神の御子キリストの母である聖母マリアも、神デウスと人間との仲介者として、あるいはそれ以上の存在として信仰され、ついには観音菩薩にかわる存在としてキリシタンたちの心中深く入りこみ、崇敬されていったのだ。

日本の南蛮文化時代は短く、その後の長く厳しい弾圧の中で大半のキリスト教美術が失われたとはいえ、わずかな伝世品のうちもっとも多いのは聖母画像である。日本においていかに聖母が短期間に人気を博したかを物語っていよう。キリスト教にこうした聖母のイメージがあったからこそ、日本では短期間で膨大な信者が獲得されたともいえるだろう。そして、過酷な弾圧の中で信者を励ましたのはひそやかに拝まれた聖母像だったのである。

聖母の記念日はいくつもあるが、もっとも重要なのは八月十五日の聖母被昇天祭であり、次に九月八日の聖母生誕祭、十二月八日の無原罪受胎記念祭である。ザビエルが来日したのが、八月十五日であったので彼は日本を聖母に捧げたと述べたが、この日は日本では一九四五年の終戦の記念日に当たる。一九四一年、太平洋戦争が始まったのが無原罪受胎の十二月八日であり、一九五一年、サンフランシスコ講和条約調印で日本が国家として主権を回復したのが聖母誕生日の九月八日。日本の運命は、奇しくも聖母の記念日にまつわるものが多いのだ。

第７章
近現代の聖母
——衰退から変奏へ

堂本印象《栄光の聖母マリア》1963年　大阪、カトリック玉造教会

1　十九世紀美術の聖母

†宗教美術の衰退

第五章で見た十九世紀以降頻出した聖母顕現は、書物や版画によって人口に膾炙し、鉄道が発達したことによってその地への巡礼も流行した。そのような聖母の画像は、いわゆる美術の主題というより民衆的でフォークロワに属する図像であり、美術の動向とはほとんど関係がなかった。

前述のようにフランス革命後、各地で政教分離（ライシテ）が推進され、近代国民国家が成立した十九世紀以降、キリスト教は美術の主要な主題ではなくなった。宗教画は歴史画の一つにすぎなくなり、信仰や宗教心を呼び起こすことは表現の目的ではなくなる。もちろんそれぞれの美術家や注文主にはまだ信仰が保たれており、それが表現されることもあった。しかし、制度としての宗教よりも個人的な宗教性――それは精神性といってもよいものだが――の方が宗教美術政策の動機となっていく。それゆえ、近代の宗教図像は、伝統的な図像の規範や原則から逸脱したものが目立つようになるのである。

フランス、イギリス、ドイツなど西洋の各国では十八世紀以降次々に国や王による美術アカデミーができ、パリのサロンに代表されるような官展や団体展が作品発表の主な舞台となった。また、フランス革命後に開館したルーヴル美術館をはじめ、公衆に開かれた美術館という制度も成立した。それに伴って美術の動向も十八世紀に世俗化を強め、官展で発表される作品も、新古典主義の流行による古代や神話の物語、十九世紀初頭のロマン主義における文学や異国趣味、十九世紀半ばに写実主義が起こると産業革命後の市民社会を主題とするものが増えた。そして教会や王侯に代わって市民がパトロンとなったため、風景画や風俗画といった世俗ジャンルに人気が集まるようになる。十九世紀後半の印象派の芸術はまさにそのような環境で登場したのであった。そして、主題や物語よりも純粋に視覚的な造形性を追求するモダニズム美術にいたって、宗教的な主題は表面的には姿を消すのである。

かつて美術の主流であった宗教美術は、教会や寺院と不可分の関係にあり、宗教空間の中で息づくものであった。仏像なら寺の厨子の中、イコンなら教会の祭壇の上というように、本来の場所の光や雰囲気の中ではじめてその真価を発揮する。宮殿を飾る壁画や調度品にしても、その建築と完全に一体化し、調和していた。十九世紀に美術館や展覧会といった制度ができ、絵画や彫刻がニュートラルな展示会場のために制作されるようになると、美術作品は教会や宮殿といった建築や場所の制約を受けない、自立した存在であると目されるようになる。そして宗教美術は、神話や風俗を描いたものと同等に格下げされたのである。

もちろん、教会や個人が注文するキリスト教主題の祭壇画や祈念像の需要は途絶えることはなかったが、それらが美術として注目されることはほとんどなくなった。したがって、聖母の顕現を表現した美術作品も、版画や印刷物として民衆の間で普及するにとどまったといってよい。第五章で述べたように、奇蹟のメダイ（5－21）も《ルルドの聖母》（5－22）も、複製によって広く知れ渡って多くの信者や家庭に受容されたが、それらの作者が意識されることはほとんどなく、美術品としてというより、祈りの対象として飾られ、消費されるようになった。それらは、もともと美術品を飾るような上層階層だけでなく、一般大衆にまで画像が受容されるようになったということでもある。

一方、先に述べたように各国で官展が催され、さらに美術館が設立されると、こうした民間図像とは別の、作者名が表に出る美術というものが注目されるようになった。作品はその内容や主題よりも作者の評価や技術によって判断されるのである。ラファエロやムリーリョのように作者とともにその宗教図像が信仰を集めることはなくなり、十九世紀以降の美術家は宗教画だけでなく多様なジャンルを手掛けるのが一般的となった。一方、民衆に人気のある聖母図像は版画や冊子の形で普及する。

†ドイツとナザレ派

十九世紀初頭から半ばにかけてルネサンスや中世の見直しやリバイバルが起こったが、その中で聖母の主題も顧みられるようになった。ドイツのナザレ派に始まり、イタリアのプリズモ、イギリスのラファエル前派、フランスのリヨン派などは、ルネサンス以前の実直な描写によって宗教画を見直し、そのプリミティヴィスムによって敬虔な宗教性を呼び起こそうとした。

ナザレ派とは一八〇九年にヨハン・フリードリヒ・オーヴァーベックとフランツ・プフォルら六人の若い画家がアカデミックな新古典主義に反発してウィーンで聖ルカ兄弟団を結成、翌年ローマに行き、サン・イシードロ修道院跡で共同生活を行ったグループである。彼らは中世の工房を理想とし、プロテスタントからカトリックに改宗し、ラファエロやペルジーノやベアト・アンジェリコ、あるいはデューラーやクラーナハらのプリミティヴな様式を規範として宗教画を復興しようとした。その背景には、美術にキリスト教精神の必要性を説くヴァッケンローダーやシュレーゲルの著作の影響があった。

彼らの精神的支柱にしてわずか二十四歳で夭折したプフォルの《ズラミットとマリア》（7－1）はナザレ派を代表する作品として知られている。デューラーのモチーフをちりばめたこの二連画は、プフォルの構想した架空の物語の主人公の二人の女性を描いたものだが、同時に

右7-1　プフォル《ズラミットとマリア》1811年　シュヴァインフルト、ゲオルク・シェーファー美術館
左7-2　オーヴァーベック《聖母被昇天》1855年　ケルン大聖堂

彼自身と友人オーヴァーベックのそれぞれが理想とする花嫁、あるいはドイツとイタリアを象徴しているとされる。また、右のマリアは聖母に、左のズラミットはマリアの予型とされる雅歌にあるシュラムの乙女を暗示し、マリアの背景には聖母子像、上のアーチ内には十字架が見え、ズラミットは閉ざされた庭にいる聖母子の図像となっている。

オーヴァーベックは親友プフォルの没後、この絵の主題を継承するように、《イタリアとゲルマニア》をラファエロ風の様式で描いたほか、ラファエロのような明澄な聖母子や聖家族図も多く描いた。一八五五年、彼はケルン大聖堂のために大作《聖母被昇天》（7-2）を描く。ティツィアーノらの劇的な被昇天と異なり、マンドルラ（舟形光背）の中の彫像のような聖母が昇天している。通常大きく描かれるはずの聖母を見上げる使徒たちは画面下方に小さく見え、聖母の下には大きくアブラハムらの始祖や預言者、アダムとエヴァが描かれる。この図像は、被昇天であると同時に「無原罪の御宿り」でもあり、前年の一八五四年に教皇ピウス九世の回勅によってこの教義が公認されたことと関係する。ピウス九世は画家オーヴァーベックを大いに称賛していた。ローマを拠点としたこうしたナザレ派の活動によって、宗教画や壁画が再評価され、その影響が広がったのである。

†イタリアとプリズモ

「無原罪の御宿り」を公認したピウス九世の在位期間（一八四六から七八年）、イタリアでは宗教画が復興することになった。教皇はリソルジメント（イタリア統一運動）の高まりに対抗して教皇の権威を高めようとし、教皇不可謬説を採択した第一ヴァチカン公会議を主催し、長崎二十六聖人を列聖するなど精力的な活動を展開する一方、ラファエロを起用したルネサンスの教皇レオ十世を見習い、美術の偉大なパトロンになろうとした。

ヴァチカン宮殿には「無原罪の御宿りの間」が設営され、当時イタリアでもっとも有名であった画家フランチェスコ・ポデスティに壁画が依頼された。ポデスティは一八五五年から六四年にかけて無原罪の教義についての論争の場面や、教義の宣言などの壁画と天井画を制作した（7-3）。ラファエロのスタンツェに隣接するこの空間の壁画を制作することは画家にとってこれ以上ない名誉であり、ポデスティは全身全霊でこの事業に取り組んだ。壁画は枢機卿の意向により、聖母の栄光の姿よりもピウス九世の制定や宣言に重点が置かれ、生気のない堅い画面である。現在ヴァチカンを訪れる膨大な観光客のほとんどはこの部屋を通り過ぎても壁画には気に留めていないようである。

イタリアでは一八二〇年代以降、ナザレ派に触発された画家たちによって、ローマとフィレンツェを中心にプリズモ（純粋主義）と呼ばれる復古運動が起こり、やはり十五世紀以前の純粋な信心の表れた宗教画を目指した。この傾向を代表する画家トンマーゾ・ミナルディは新古

上7-3　ポデスティ《無原罪の御宿りの教義を発布するピウス9世》1855-64年　ヴァチカン宮殿
下7-4　ミナルディ《聖スタニスラウス・コストカを迎える聖母》1824-25年　ローマ、サンタンドレア・アル・クイリナーレ聖堂

典主義の教育を受け、オーヴァーベックと親交を結んでラファエロ様式を模倣した宗教画を描く一方、ローマのアカデミーで教え、多くの弟子を養成した。

一八二四年、ミナルディはサンタンドレア・アル・クイリナーレ聖堂にあるピエール・ルグロによる彫像《死の床の聖スタニスラウス・コストカ》の背景に設置するために、この聖人を迎えに来る聖母の絵（7－4）を描いた。一五五〇年、ポーランドの有力な貴族の家に生まれたコストカは、修道士になりたいという希望を家族に反対され、徒歩でローマに来てイエズス会の修練院に入った。病弱でしばしば熱にうなされ、ミサの最中に幻視を見て意識を失ったが、信仰の熱によって泉の水を熱湯に変えるといった奇蹟を起こし、その信仰心と清らかな心によって修練士の模範となって愛された。しかし、わずか十カ月後に十八歳の若さで亡くなる。死期の近いことを悟ったコストカは、八月十五日の聖母被昇天の祝日に聖母の下に召されることを願ったところ、ちょうどその日の明け方に没したという。この純真無垢な若者は一七二六年に聖人に列せられた。彼が過ごしたイエズス会の修錬院の敷地には、その後、ベルニーニによって楕円形の聖堂サンタンドレア・アル・クイリナーレ聖堂が建てられ、そこに一七〇二年、フランス人彫刻家ピエール・ルグロによる彫像が設置された。死の床にあるコストカを表したこの作品は、数種類の色大理石を用いた色彩豊かな彫刻で、薄暗い空間で見ると本物の遺体のように見えたという。これと組み合わせて設置されたミナルディの絵画には、聖人に向かって手を広げて来迎する聖母や花を投げる天使たちが描かれ、絵画と彫刻が一体となったバロック的な総合芸術となっている。

プリズモは十九世紀の新古典主義とともに衰退したかに思われた宗教画を復興しようとしたが、共通する様式を持たず、美術家どうしのつながりや共作などはほとんど見られなかった。

7-5 モレッリ《聖母被昇天》 1870年 ナポリ王宮パラティーナ礼拝堂

イタリアにおける宗教美術の復興は、アングルの影響を受けてシエナのアカデミーで教えた画家ルイジ・ムッシーニ、その弟子でプラートとシエナを中心に宗教画のフレスコを多く描いたアレッサンドロ・フランキ、そしてナポリのドメニコ・モレッリらに継承された。

モレッリは若い頃ナポリからローマに来てオーヴァーベックやプリズモの影響を受けた。その後しばらくは宗教画から離れていたが、一八七〇年にナポリ王宮の礼拝堂の天井に《聖母被昇天》(7-5)の大きな天井画を描く。そこでは聖母が地から天に上るという伝統的な図像は放棄され、聖母の墓や見上げる使徒たちは省かれ、白衣の天使たちに支えられて雲の上の青空を漂う聖母が仰視法で表現されている。プリズモの画家たちの多くが初期ルネサンスのプリミティヴな様式を採用したのに対し、ここではティエポロ(4-34)に近いバロック性が見られる。

†イギリスとラファエル前派

スコットランド出身の画家ウィリアム・ダイスは一八二七年にローマでオーヴァーベックに会い、その理念や作風に決定的な影響を受け、イギリスで宗教画やフレスコ壁画を描いた。聖母像も数多く描き、一八四五年にロイヤル・アカデミー展に出品された作品（7-6）は、アルバート公によって買い上げられた。古拙といってよいほど単純化され、静謐な画面はナザレ派やイタリア十五、十六世紀絵画に倣ったものだが、当初は非難された。

イギリスでは、一八三三年から四〇年頃にかけて、オックスフォード運動という宗教運動があった。これは、当時の自由主義的風潮に反対して教会の歴史的権威を見直し、聖餐式のような典礼を重視する復古運動であり、英国国教会でありながらローマ・カトリック教会の伝統を取り入れてその教義に近づけようとするアングロ・カトリック主義に発展した。ダイスはその指導者とも親しく、思想的影響を受けた。彼はナザレ派とラファエル前派をつなぐ存在であったといえよう。

7-6　ダイス《聖母子》1845年　英国王室コレクション

ラファエル前派の画家たちが時代遅れに見える宗教画に取り組んだのにはこうした背景があった。一八四

右7-7　ロセッティ《受胎告知》1849-50年　ロンドン、テート・ブリテン
左7-8　ミレイ《両親の家のキリスト》1850年　同上

八年にダンテ・ゲイブリエル・ロセッティ、ウィリアム・ホルマン・ハント、ジョン・エヴァレット・ミレイによって結成されたラファエル前派は、やはりアカデミーの古典主義に反発し、その名のとおりラファエロ以前のプリミティヴ様式に回帰しようとした。

翌年ロセッティがこのグループの頭文字PRBを入れた最初の作品《聖母マリアの少女時代》は、明るい色彩で細部まで克明に描写したものであり、当時人気のなくなっていた宗教主題をあえて取り上げたものであった。一八五〇年の《受胎告知（私は主のはしためです）》（7-7）は、リージェント通りのオールド・ポートランド・ギャラリーに出品されたが、寝間着姿で寝台から起きた物憂げなマリアと、羽もなく、当初は光輪もなかった天使の組み合わせという異様な図像によって物議をかもした。

同じ年にミレイがロイヤル・アカデミー展に出品し

た《両親の家のキリスト》(7-8)は、さらに大きな非難を浴びた。父ヨセフの大工仕事を手伝って手を怪我した少年キリストに母マリアが心配して頬を寄せている。文豪ディケンズは、この聖母の「醜さはあまりにもひどく、……もっとも下等なフランスのキャバレーかもっとも安いイギリスの飲み屋にいる怪物だ」と酷評した。宗教画というより、身近な人間をモデルに、大工道具の細部まで律儀に写生した風俗画のようである。

ホルマン・ハントはもっとも宗教的な画家であり、聖書の情景を描くために一八五〇年代半ば以降、三度もパレスチナに旅行した。一八五一年から五三年に描かれた《世の光》はセント・ポール大聖堂をはじめ、いくつかのバージョンがあるほど人気を博したキリストの祈念像である。一八六〇年に完成した《神殿でのキリストの発見》では、少年キリストに駆け寄る中近東の衣装をまとったマリアを描き、《嬰児たちの勝利》(7-9)では聖家族のエジプト逃避の主題に加え、殺された嬰児たちを加え

上 7-9　ハント《嬰児たちの勝利》1883-84年　ロンドン、テート・ブリテン
下 7-10　バーン=ジョーンズ、モリス《羊飼いの礼拝》部分　1882年　ボストン、トリニティ聖堂

た独自の図像を示している。

ロセッティに学んだエドワード・バーン＝ジョーンズは、素朴な味わいの受胎告知をいくつか描いたほか、ウィリアム・モリスとともにステンドグラスの伝統を復興しようとし、ボストンのトリニティ聖堂のためにキリスト生誕のステンドグラスを制作した（7－10）。

彼らの理論的支柱であった批評家ジョン・ラスキンは、プロテスタントとして聖母に対して反感を持っていたが、『ヴェネツィアの石』で、聖母像に見られる気高い永遠性を称えている。

†フランスとリヨン派

フランスでは七月王政と第二帝政期にカトリックが復興し、革命後に荒廃した聖堂が再建され、教会や国家の注文によって宗教美術の需要が高まった。その際、ドイツのナザレ派の影響もあり、ベアト・アンジェリコの古拙の様式が再評価され、流行した。リヨンでは敬虔なカトリックの信仰や神秘主義を特色とする一群の画家たちが登場した。その代表であるルイ・ジャンモはアングルに学び、多くの教会装飾を手掛けた。その傍ら、自ら構想した魂の遍歴譚である『魂の詩』の連作に熱中し、一八五五年のパリ万博に展示されたが、一般の観客には教条的でわかりにくく、不評であった。彼は一八四四年に《聖母被昇天》（7－11）を描いたが、そこでは通常の図像と異なり、下部には棺を囲む使徒たちの代わりに、暗がりで天使に導かれる聖母の姿が描かれている。
同じくリヨン出身で、アングルの優秀な弟子であったイポリット・フランドランは、サン・ヴァンサン・ド・ポール聖堂に聖人や聖女、殉教者の行進を描いたが、それはラヴェンナのサンタポリナーレ・ヌオーヴォ聖堂のモザイクを思わせるフリーズであった。

やはりアングルに学んだ新古典主義の画家アモーリ＝デュヴァルは、パリのサン・メリ聖堂やサン・ジェルマン・アン・レ聖堂の壁画を描き、サン・ジェルマン・ロクセロワ聖堂のサント・マリー礼拝堂には《聖母戴冠》（7-12）の壮麗な壁画を制作した。金地と明るい色彩を多用し、ベアト・アンジェリコやビザンツの様式を復興しようとしている。

右 7-11　ジャンモ《聖母被昇天》1844年　サンテティエンヌ近代美術館
左 7-12　アモーリ＝デュヴァル《聖母戴冠》1844-66年　パリ、サン・ジェルマン・ロクセロワ聖堂

2　世紀末から二十世紀の聖母

†母子像の流行

十九世紀後半のフランスのアカデミズムを代表する画家ウィリアム・アドルフ・ブーグローは聖母子を多く描いた。毎年サロンに出品し、美術アカデミーの会員にして国立美術学校の教授も務め、ルノワールやセザンヌを落選させた保守的で頑迷なアカデミズムの権化として長らく悪名高かった画家である。彼は神話や文学に材をとった作品のほか、感傷的な少女像や官能的な裸婦の絵を得意とした。一八八八年の《聖母子》(7-13)はオディギトリア型のイコンのようにマフォリオンをまとった聖母と幼児キリストを正面向きにとらえており、一九〇〇年に描かれた《聖母子と天使たち》は、「勝利の聖母」のイコンを現代的に描き直したような作品である。それらは古典的で非常に巧みに描写されているが、宗教性や神秘性はあまり感じられない。かといって自然な雰囲気でもなく、時代錯誤的な違和感すら漂わせる。

ブーグローと同じくアカデミズムの画家パスカル・ダニャン＝ブーヴェレも聖母を描いた。

彼は写真も参照した自然主義的な風俗画で知られるが、《バラの聖母》（7-14）のように素朴な信仰を感じさせる聖母像をいくつか残した。

風俗画の中の母子像は近代社会における庶民の生活風景としてしばしば描かれた。印象派の画家たち、モネ、ルノワール、ベルト・モリゾ、メアリー・カサットらの母子の作品はよく知られている。一八六六年にフィラデルフィアからパリに来たカサットは、プロテスタントの家庭に育ったが、ラファエロなどの聖母子像に感銘を受け、母子の情愛を生涯のテーマとして多くの母子像を描いた。こうして母子像は聖母子に限らず、風俗画の主題として定着したといってよい。モネやルノワールのように自らの家族を描いたものではなく、一般的な母子像という主題が生まれた。

聖母子でない母子の主題に、「信仰」、「希望」とともにもっとも重要な美徳（対神徳）である「慈愛（カリタス）」があった。これは

右7-13　ブーグロー《聖母子》1888年　アデレード、南オーストラリア美術館
左7-14　ダニャン=ブーヴェレ《バラの聖母》1885年　ニューヨーク、メトロポリタン美術館

十四世紀に「授乳の聖母」の図像から派生して生まれたと思われ、二人以上の子どもを抱えた母親として表現される。愛を表す炎や蠟燭を持っている場合もあり、子どもの一人に授乳している母親もよく見られる。聖母子や「慈愛」の擬人像が近代社会で世俗化したものが母子像だと見ることができる。聖母子への嗜好が、キリスト教や教会の制約から逃れてより普遍的な母性を表現したものに発展したと見てもよいだろう。

†ポスト印象派と聖母

モダニズム美術の開始を告げたポスト印象派の画家たちはいずれもキリスト教主題と関わっている。牧師を志していたゴッホにとって、芸術は自らの宗教観や信仰の表現にほかならなかった。彼の作品は伝統的なキリスト教主題を扱っていなくとも、すべてキリスト教美術として見ることができる。サン・レミの精神病院で療養しているとき、ドラクロワの作品の白黒の石版画に基づいて《ピエタ》(7-15)を描き、キリストの受難に自らを重ねているようである。

初期のセザンヌはルネサンスやバロックの絵画を基にし、分厚い絵の具で塗り込めた《マグダラのマリア》や《冥府のキリスト》のような作品によって暗い宗教的熱情を吐露している。

ゴーギャンはブルターニュの素朴な農民信仰に触発されて、《説教の後の幻影(ヤコブと天使の戦い)》や《黄色いキリスト》のように、大胆な色面による革新的な絵画を描く。また自らをキリストに重ね合わせた自画像によって、世間から孤絶した芸術家の苦悩を表現した。彼はタヒチにおいて、西洋と異なるキリスト教の信仰の姿を《イア・オラナ・マリア（われマリアを拝す）》（7-16）に描いた。タヒチのマタイエア村は宗主国フランスからもたらされたカトリック信仰がさかんであった。ゴーギャンは肌の黒い現地の女性と幼児を聖母子として描いたのである。手を合わせる二人の女性はボロブドゥール寺院のレリーフから借用されている。聖母は各地でそれぞれの地方の造形を生み出してきて、土地の女神と習合した黒い聖母を生んできたのだが、この作品はゴーギャン流の黒い聖母にほかならなかった。

ゴーギャンの影響によって平面性と装飾性を追求したモーリス・ドニは、熱心なカトリック信者であり、キリスト教主題の絵を多く描き、晩年はいくつかの教会装飾も手がけている。一

上7-15　ゴッホ《ピエタ》1889-90年　アムステルダム、ゴッホ美術館
下7-16　ゴーギャン《イア・オラナ・マリア》1891年　ニューヨーク、メトロポリタン美術館

八八九年に描いた《カトリックの神秘》（7-17）は、受胎告知の聖母を描いているが、お告げをする大天使ガブリエルのかわりに助祭と聖歌隊員の少年が向かい合っている。二年後ドニは同じ構図を点描様式で描いてアンデパンダン展に出品した。美術史家の喜多崎親氏の研究によると、当時のフランスではビザンツ美術の復興があり、聖堂に用いられていたモザイクが、最先端の新たな技法である点描と造形的共通性があると思われたことと関係するという。ドニは一八九八年、《フィエーゾレの受胎告知》で、彼が敬愛する画家ベアト・アンジェリコが生涯を送ったフィレンツェ近郊の小都市フィエーゾレを背景にした受胎告知を描き、その後もドニ

上7-17　ドニ《カトリックの神秘》1889年　サン・ジェルマン・アン・レ、モーリス・ドニ美術館
下7-18　タナー《受胎告知》1898年　フィラデルフィア美術館

の自宅のあるブリウレを背景にしたものなど、繰り返し受胎告知を描いている。

ドニが《フィエーゾレの受胎告知》を描いたのと同じ一八九八年、パリのサロンにヘンリー・オサワ・タナーは《受胎告知》(7-18)を出品した。通常の受胎告知には欠かせない大天使ガブリエルは、ここでは単に光の柱として表されている。タナーはアフリカ系アメリカ人の画家で、フィラデルフィアでトマス・エイキンズに学び、一八九一年以降パリで活躍した。《バンジョーのレッスン》のように、白人の視線に迎合することなく黒人の風俗を描いたが、このような近代的な宗教画によってパリで名声を得た。パリはアメリカよりも人種差別が少なかったという。タナーはこの作品を制作する前年にエジプトやパレスチナを旅行しており、マリアの姿にはそのとき目にした風俗が取り入れられている。この作品は翌年、フィラデルフィア美術館が購入し、タナーはアメリカで最初に認められた黒人画家となった。

†象徴主義の聖母

世紀末の象徴主義の画家ウジェーヌ・カリエールは、褐色や灰色のもやのかかったような人物像をモノクロームに近い色調で描いたが、母子の姿を繰り返し描き、「母性の画家」と呼ばれる。多くは赤子や少女を抱き、それに接吻する母親であり、母親の深い愛情を感じさせる。粗い筆触によって具体的な容貌や属性が曖昧にされ、余分なモチーフが省かれているため、母

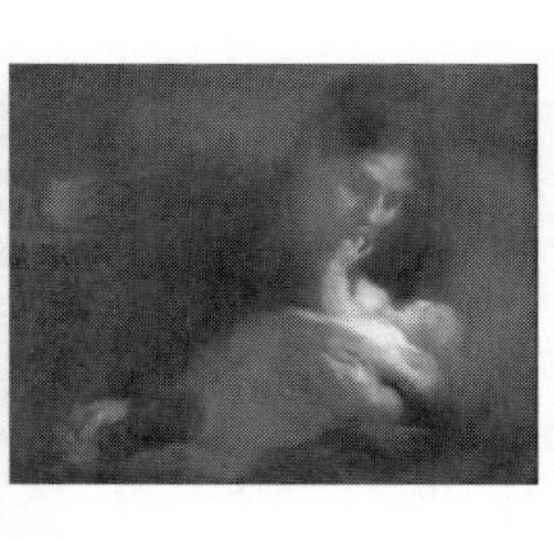

右7-19　カリエール《母性》1892年頃　パリ、オルセー美術館
左7-20　ムンク《マドンナ》1895-1902年　倉敷、大原美術館

性というテーマそのものが浮かび上がっているが、これは従来の聖母子像を抽象化し、母性を抽出したものだと見ることができる（7-19）。

同じく象徴主義に分類され、二十世紀のドイツ表現主義に大きな影響を与えたエドヴァルト・ムンクは、一八九二年から九五年にかけて、《マドンナ》（7-20）という作品を油彩と版画で五種類ほど描いた。これは従来の聖母図像とはまったく異なるものであり、その解釈についても意見が分かれている。古代彫刻《ニオべの娘》のポーズでのけぞった官能的な女性像の周囲に、精子のようなものと胎児が取り巻いている（油彩画では当初の額縁に描かれていた）。

精子の存在は十七世紀にレーウェンフックによって発見されていたが、ようやく一八七五年、ドイツの生理学者オスカー・ヘルトヴィヒによってそれが卵子と結合して受精にいたることが発見されたところであった。その成果をいち早く導入して、こうして表現したのである。世紀末の時代、ムンクは男と女、愛、嫉妬、不安、生と死など、根源的な問題を繰り返し追求したが、彼にとって女性とは、生命の根源であると同時に、男を魅惑し、苦しめ、悩ます存在であった。ここでも、そのようなムンクの女性観と世紀末特有のファム・ファタル（宿命の女）が表現されているようだが、同時に、マドンナというタイトルと精子の存在によって、受胎と誕生の神秘を示している。胎児が宿る瞬間をとらえた受胎告知の聖母だという見方もあるが、図像の源泉の一つ《ニオベの娘》は、死にゆく女性であり、出産は死と隣り合っていたことも暗示する。聖母というより、普遍的な女性の性と死、生命の誕生を扱っているといえよう。

†ピカソとマティス

十九世紀後半から起こった印象派やポスト印象派に始まり、二十世紀初頭の抽象にいたるモダニズムの流れは、事物の再現描写よりも色彩や線といった造形的な美を追求するものであり、主題は二の次であった。もちろんカンディンスキーのように抽象画の中にも宗教性や精神性が込められたものは多いが、聖母のような主題が美術の中心的な主題として追求されることはなくなった。本来、モダニズムは宗教性と相容れないが、いくつかは注目すべき作例があった。

ポスト印象派の試みを推進してキュビスムによって二十世紀美術の扉を開いたピカソは生涯にわたって母子像を描いた。一九〇〇年代初頭の青の時代とバラ色の時代に、一九〇二年の

《海辺の母子像》（7-21）のように、やせ細った貧しい母子の姿を何度も描いたが、そこにはカリエールの影響もあった。その後、分析的キュビスムから総合的キュビスムにいたる実験を経て、一九一七年のイタリア行きを契機に新古典主義に転向する。一九二一年に自らの息子が生まれると、二三年までに古典主義的な様式で十二点もの母子像を描いた。それらは、白や褐色を基調に、半裸の豊満な母子が躍動的に表されている。《母と子》（7-22）は、海辺で母の膝に抱かれた裸の幼児が母に手を伸ばしている。母親は古代風の衣装をつけており、あたかもキリスト教以前のギリシャ時代の母子を暗示するかのようである。描写は単に古典主義的であるのではなく、キュビスムを経験したことを示すように立体的に描写されている。二十年前の

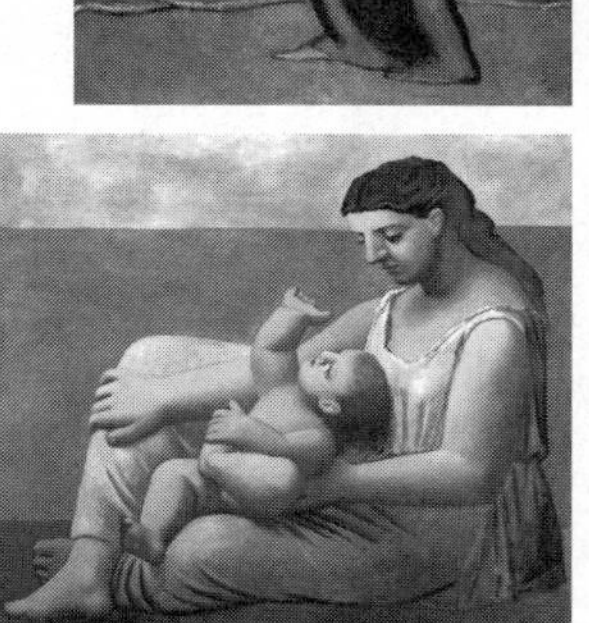

上 7-21　ピカソ《海辺の母子像》1902年　箱根、ポーラ美術館
下 7-22　同《母と子》1921年　シカゴ美術館

《海辺の母子像》も同じ海辺の母子だが、その表現も雰囲気も大きく異なる。一九二〇年代の明るく健康的な母子像は、ピカソの妻オルガと息子パウロの肖像ではなく、より普遍的な母性や慈愛を表しているようであり、ピカソ流の聖母子にほかならないといってよいだろう。

ピカソとともに二十世紀美術にもっとも大きな影響を与えたアンリ・マティスは、第二次大戦中にニースに近いヴァンスに疎開し、その縁でドミニコ会の小さな礼拝堂の制作を依頼された。すでに八十歳近かった彼は非常な熱意を傾けて、四年近くにわたって内外の壁画、ステンドグラス、祭服のデザイン、祭壇や十字架像などに取り組み、ついに自己の芸術の到達点であると確信するほどの作品となった。外壁には聖母子と聖ドミニクス(7-23)、内部には十字架の道行きや聖母と聖人像の壁画があり、床から天井に届くステンドグラスは青、緑、黄色の単純な構成によって生命の木を表す(7-24)。白いタイルで覆われた内部空間はステンドグラスから差

上 7-23　マティス　ヴァンス、ロザリオ礼拝堂外壁　1951年
下 7-24　同礼拝堂内部

し込む光によって豊かに彩られる。この「霊的な空間」は、本質的に相容れないように見えるモダニズムと宗教性が一致した稀有な例であり、二十世紀の宗教芸術の可能性の極を示す金字塔であるといえよう。

壁画は白い壁面に輪郭線のみで描かれており、聖母も幼児キリストも顔はない。下絵の段階では顔が描かれたものもあったが、最終的にはもっとも単純な線描になった。見る者がそれぞれの理想とする聖母を投影できるようにするためだという。もっとも大きな壁面には、両手を広げる幼児キリストを支える聖母が描かれ（7-24）、その周囲には木の葉や花のような形体とAVEという文字が見える。AVEとは、聖母を称える「アヴェ・マリア」、あるいは聖母頌詩の冒頭「アヴェ・グラティア・プレナ」を指す。外壁の壁画は、青いタイルで囲まれた長方形の中に、聖ドミニクスの隣にいる聖母子（7-23）がきわめて切り詰められた線描で表現されている。幼児キリストの手は聖母に伸び、聖母と幼児の顔が重なっている。母子の情を表すエレウサ型であり、聖母の美術史上もっとも単純で力強い聖母像である。

この礼拝堂と同時期、フランスにはル・コルビュジエのロンシャン礼拝堂やルオー、レジェ、シャガールらの関わったアッシーのノートルダム聖堂のように、現代芸術家による聖堂が多く建てられた。これは、ドミニコ会のマリー＝アラン・クチュリエ神父とピー＝レモン・レガメ神父の創刊した『ラール・サクレ（聖なる芸術）』という雑誌を中心とするカトリック復興運動が推進したものであり、それぞれ記念碑的な聖堂となっている。マティスのロザリオ礼拝堂はその最高の成果であった。

マティスの友人で、パリ国立美術学校でともにモローに学んだジョルジュ・ルオーは、二十世紀にキリスト教美術を追求した数少ない画家である。五十八点からなる大型の版画集『ミセレーレ』は彼が十五年間にわたって制作した代表作である。そのうちの一点《高慢と無信仰のこの暗き時代に地の果てより聖母は見守る》という一九二七年の作品（7-25）がある。薄暗い地で幼児を抱いて目を閉じる聖母は、この世の苦しみを一身に背負っているようだ。同じような母子像は「母たちに忌み嫌われる戦争」というタイトルがついており、第一次大戦で多くの息子の死を体験した母親を表しているのであろう。

7-25　ルオー《高慢と無信仰のこの暗き時代に地の果てより聖母は見守る》1927年

†戦災記念碑としての聖母

一九一四年、第一次大戦が勃発したとき、アルザスのニーダーブリュックの市長で銅工場を経営していたジョセフ・フォークトの妻は、もし戦争で町と家財が無事であったら聖母像を建てると誓願した。この町は無事で、夫人の願いがかなったため、戦後その息子レオンによってアントワーヌ・ブールデルに聖母像が依頼された。ブールデルはその後四年をかけて石膏やブロンズなど多くの習作や模型による試行錯誤を経て、ニーデルブリュック郊外のアイヒシュタインの丘に高さ六メートルの《アルザスの聖母（捧げものの聖母）》（7-26）を建立した。ベールを被った聖母は幼児キリストを高く掲げ、キリストは両腕を広げる。これは磔刑のポーズで、キリストが犠牲になったことを示しており、この聖母子はピエタを暗示する。だが二人の堂々たる姿は、死に打ち勝つ像のようでもある。聖母の下半身を流れる衣文は中世の「シェーネ・マドンナ（美しき聖母）」を思わせるが、ブールデルはゴシック彫刻の優美で表現主義的な表現を復興しようとしたようである。この像は灰色の石灰岩で作られたが、石膏像がパリのブールデル美術館にあり、ブロンズのバージョンも各地にある。二十世紀を代表する聖母像であるといえよう。

7-26 ブールデル《アルザスの聖母》1923年 ニーデルブリュック

第一次大戦で息子を亡くした母の数はかつてないほど膨大であった。そのため、その戦没者記念碑には聖母像や母子像が選ばれることが多かった。こうしたテーマはドイツで多く見られる。ドイツ表現主義の彫刻家エルンスト・バルラッハも同じような機能の母子像を制作した。それは、一九三一年にハンブルクの市庁舎前に建てられた第一次大戦の戦没者慰霊碑である。

建築家クラウス・ホフマンが高さ二十一メートルの石柱を作り、その一面にバルラッハによる母子像の浮彫りが施された（7-27）。それは、妊娠した母と子どもを側面で表したもので、エジプト美術のようなプリミティヴで明快な造形である。別の面には、「この町の四万人の息子たちがあなたに命を捧げました」という銘文が彫られている。一九三八年、バルラッハの作品を「退廃芸術」と認定したナチス政権によってレリーフは削り取られ、代わりにハンス・マルティン・ルヴォルトによって上昇する鷲のモチーフに変えられたが、一九四九年に復元されて今にいたっている。

ナチスの推進した美術は、一九三七年から四四年までミュンヘンで開催され、毎回千点以上の作品が展示された「大ドイツ美術展」に表れたが、そこでは農村風景やヌードとともに、健全な母子像が人気を博した。たとえば、一九三八年の大ドイツ美術展で最高賞を受賞したカー

上 7-27　バルラッハ　戦没者慰霊碑　1931年　ハンブルク
下 7-28　ディービッチュ《母》1938年　所在不明

ル・ディービッチュの《母》(7-28)は、絵葉書となって大量に流通している。こうした母子像は聖母像の代替物であったと見てよいだろう。

バルラッハと同世代の彫刻家で版画家のケーテ・コルヴィッツは、母子を生涯の主要なテーマにした。一九〇三年の素描《亡き子を抱く母親》(7-29)は、彼女が七歳の次男ペーターを抱いている自分を鏡で見て描いたものである。動物のように野性的な姿であり、母性というものが根源的な本能であることを感じさせる。この十年後、第一次大戦に従軍したペーターは戦死して、作品は現実のものとなった。彼女はその後、子どもを抱く母親の彫刻を何度も作ったが、バルラッハと同じく、「退廃芸術」としてナチスの迫害に遭い、第二次大戦では孫が戦死

上 7-29　コルヴィッツ《亡き子を抱く母親》1903年　ワシントン、ナショナル・ギャラリー
下 7-30　同《ピエタ》1937年　ベルリン、ノイエ・ヴァッヘ

し、その大戦中に自身も没した。彼女の《ピエタ》（7－30）は、原作を拡大して複製したものが、一九九三年以来、ベルリンの国立戦没者追悼所であるノイエ・ヴァッヘ（新衛兵所）の中央に設置されている。ベールを被った母親が裸の息子の遺体を抱くピエタの図像ではあるが、息子は成人にしては小さい。作者自身と戦没した息子がイメージされていると思われ、戦争で死んだすべての若者とその母親の悲劇を象徴する慰霊碑となっている。しかし、国立の施設に宗教性の強い像を置くことの是非などで大きな論争が起こった。

このように、二十世紀の戦争で大きな悲劇を体験したドイツには、現代のピエタともいうべき母子像によってそれを象徴させる記念碑がいくつも作られたが、第二章で述べたように、ピエタ自体が元来キリスト教の教義を超えて、子を失った母親の悲嘆を代弁する装置であり、それが公共化したものにすぎないのだ。《ボンのピエタ》（2－25）のような激しい表出性がドイツの伝統であり、それが継承されていると見ることができよう。

†シュルレアリスムと写真

両大戦間の一九二〇年代に起こったシュルレアリスムでも聖母はしばしば取り上げられた。マックス・エルンストは一九二六年に聖母が膝の上で幼児キリストをうつぶせにして尻を叩いている《幼児を罰する聖母》（7－31）を描いている。背景の窓からは同士の詩人アンドレ・ブ

上7-31　エルンスト《幼児を罰する聖母》1926年　ケルン、ルートヴィヒ美術館
下7-32　ダリ《ポルト・リガトの聖母》1950年　福岡市美術館

ルトンとポール・エリュアールと自身の三人が、この情景を冷静にのぞいている。赤子の尻は叩かれてすでに赤くなっている。

聖母と幼児に一般的に見られた母子の情愛（エレウサ）や、聖母が幼児を礼拝する（マードレ・ピア）といった従来の聖母子の関係を逆転し、聖母が幼児を罰する場面を示すことにより、カトリックの聖母崇敬や伝統的な西洋美術の価値を挑発するものとなっている。冒瀆的な表現ともいえるが、幼児キリストの光輪が落下するなど、ユーモアも漂っている。

同じくシュルレアリスム運動に参加したサルバドール・ダリは、エルンストと対照的に、戦後カトリックに関心を抱き、磔刑や聖母子といった伝統的な主題に取り組む。聖母のモデルはいつも妻のガラであった。《ポルト・リガトの聖母》（7-32）はいくつかのバージョンがある。故郷フィゲラスの近くでダリ夫婦が移住したポルト・リガトを背景に、聖母が幼児に手を合わせている。二人は中空が透けており、あらゆるモチーフが浮遊するダリ流の仕掛けを示している。

二十世紀における私的な領域の最たるものが写真である。とはいえ、現在のように誰でも気軽に写真を撮るのではなく、集団写真でなければ人生の節目に町の写真屋に撮ってもらうのがせいぜいであった。日ごろは写真とは無縁であった人にとっても、家族が死んでしまったときなどは、遺影を求めて写真屋の扉を叩いたにちがいない。写真家にとってこうしたデスマスクや葬式写真は大きな収入源であった。それらは公共的な追悼モニュメントに対し、私的な追悼が視覚化されたものであり、そこに込められた思いは公共モニュメント以上に深い。

一九二〇年代から三〇年代にニューヨークのハーレムで中産階級のために多くの写真を撮ったジェームズ・ヴァン・デル・ジーも多くの葬式写真を手掛けた。一九三〇年代の写真に、死んだ赤子と聖母の複製画を合成したものがある（7-33）。赤子と絵との境界はぼかされており、つながっているように演出している。被昇天の聖母の下にいる天使は、あたかも死んだ子どもを迎えに来ているようであり、あ

7-33　ヴァン・デル・ジー《死せる子ども》1930年代　ニューヨーク、ヴァン・デル・ジー財団

の世で聖母に守られてほしいという親の願望に応えたであろう。ヴァン・デル・ジーは、自らの母親など複数の人物の死の床の写真にも同じ絵を背景にし、また別の聖母の絵を合成したものも制作しており、こうしたフォトモンタージュは彼の写真スタジオで人気を博していたことがわかる。

ヴァン・デル・ジーは一九二七年に娘レイチェルを十五歳で亡くしたが、多くの花束に囲まれて眠る娘と、生前に撮った彼女の横顔とを組み合わせ、背後にはキリストの姿が挿入されている。子どもを亡くした親が、一枚でも子どもの面影を残したいと思うのは自然である。写真が発明された十九世紀中頃から、死の床にある子どもの写真は膨大な数が残っている。ヴァン・デル・ジーの葬式写真は、聖母やキリストの画像をモンタージュすることで、注文者の悲嘆を緩和しようとしたのである。新たなメディアにおいても、聖母は人々の大きな悲嘆に応える役割を果たしたといえよう。

3　近代日本の聖母

†山下りん

明治以降、キリスト教が解禁された日本では、キリスト教信者は南蛮文化時代ほどでないにせよ、徐々に増えていった。キリスト教美術も試みられるようになるが、それは南蛮文化時代のそれとは比較にならぬほど小規模であった。

山下りんは、一八七六年に日本で最初にできた美術学校である工部美術学校で西洋画を学び、ギリシャ正教会に入信してイコンを学ぶためにロシアに派遣された。当時のイコンは、ビザンツの形式的なものではなく、ルネサンス以降の陰影の施されたラファエロ風のものが増えていたが、りんはそうした様式を積極的に習得した。

一八八三年に帰国してからは、東北地方を中心に日本全国の正教会のために三百点を超す聖画を描いた。《受胎告知》はギュスターヴ・ドレの版画から借用されたもので、キリストや聖母の像とともに彼女は何度も同じタイプのものを描いた。宮城県栗原市にある金成ハリストス正教会にある《至聖生神女》(7-34)はその典型で、オディギトリア型の聖母子イコンをラファエロ以後の様式で描いている。

7-34　山下りん《至聖生神女》宮城、金成ハリストス正教会

しかし、山下りんをのぞくと、キリスト教主題をもっぱらにした美術家は日本にはきわめて少なく、また優れた聖母の美術も思い浮かばない。彫刻家の舟越保武や晩年の藤田嗣治も聖母子を主題としているが、彼らの活動の中ではさして重要であるとはいえない。

それよりも、西洋の聖母に触発されて生まれた日本的な主題の方に優れたものが多いようである。まず幕末以降、西洋美術の情報が大量に入ったことによって母子のテーマが流行した。それは洋画よりも日本画に多かったようである。ラファエロの《小椅子の聖母》(3-32)を、幕末に蕃書調所(ばんしょしらべしょ)で洋画を研究していた島霞谷(かこく)は、日本の衣装と髪型に変えて墨で写している。これは、蕃書調所の所蔵していた一八三七年のオランダの雑誌『和蘭宝函(おらんだほうかん)』にラファエロの《小椅子の聖母》の銅版画挿絵が載っていたものをアレンジして写したものである。また、下村観山も日本画で模写している。上村松園は和装の女性が子どもを抱く母子図を何度も描いたが、聖母子という宗教色を除いた母子図は、日本人にも受け入れやすかったのだろう。もっとも日本には江戸期の浮世絵でも、歌麿は何度か母子の風俗を描いたため、その伝統をひいたとも考えられる。

†悲母観音と騎龍観音

狩野芳崖の絶筆《悲母観音》(7-35)は、近代日本画の出発点として名高い作品である。一八八六年に岡倉天心らと欧米視察から帰って来たフェノロサは、ジョルジョーネの《カステルフランコ祭壇画》(3-6)の複製石版画を購入してきて芳崖に見せ、日本にはまだ完全なマドンナ(聖母)の完全な版画がないからこれを木版画にしてほしいと言ったという。芳崖はその絵の上半分を墨で写したというが、フェノロサが見本として示したというジョルジョーネ作品は静的な聖会話図であり、縦長の構図ということ以外に《悲母観音》との共通点はない。

芳崖はそれよりもマリアに匹敵する東洋の聖母を描こうとして、《悲母観音》に取り組んだものと考えられる。その主題について、芳崖自身が岡倉天心に語ったところによると、「人生の慈悲は母の子を愛するにしくはなし、観音は理想的の母なり、万物の起生発育する大慈悲の精神なり、創造化現の本因なり」というものである。創造主に言及している点が、キリスト教の影響を思わせる。かつては魚籃観音など古い観音像に基づいてそれを新たな様式で描いたとされてきたが、美術史家の古田亮氏によれば原型となる古い図像はなく、また、中国で流行していた子授観音のような母子観音の絵画作例は日本ではこれ以前に見られないという。縦長の構図といい、こうした上下

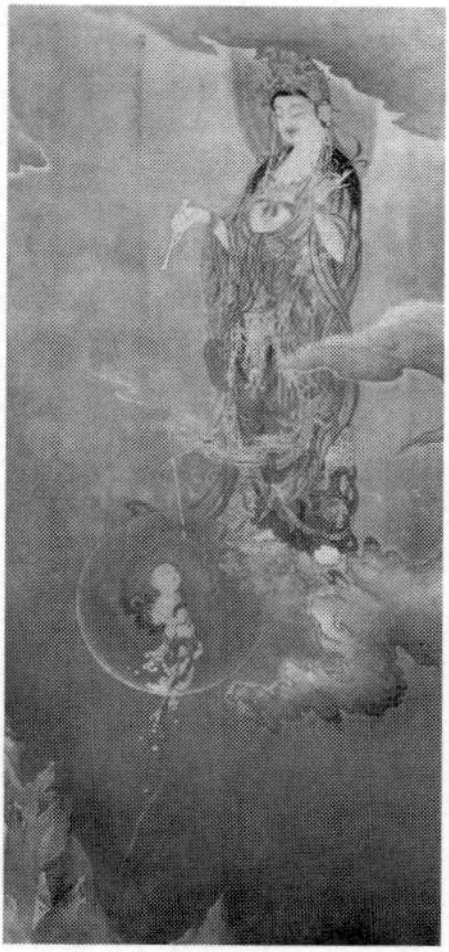

7-35　狩野芳崖《悲母観音》1888年　東京藝術大学大学美術館

の運動感といい、「無原罪の御宿り」の聖母の図像に近い。画面下方の透明な球体には童子が入っており、観音のもとに上がっていくようだが、童子の入った球体は聖母の乗った月のようである。もともと聖母マリアは江戸期には観音と習合してひそかに信仰されていた。制作中に死んだ妻よしのことを芳崖が「観音さま」と呼んでいたというが、観音には亡妻、嬰児には夭折した孫の新治をモデルにしたという。美術史家の佐藤道信氏は、《悲母観音》には「現世の母子を媒介とした観音と聖母マリア、童子と幼児キリストが、重ね合わされているのだと考えられる」という。芳崖がマリアを意識していたにせよしないにせよ、理想の母性を描いた《悲母観音》こそは、西洋の影響を受けつつ伝統を守ろうとした近代日本を象徴する聖母像であったといってよいだろう。

一八九〇年に第三回内国勧業博覧会に出品された原田直次郎の《騎龍観音》(7-36)は、東洋的な主題を扱いながらも、ドイツで学んだこの画家の西洋での学習成果が見られる意欲的な作品である。主題は『仏像図彙』の「三十三観音」のうちの「龍頭観音」であるが、キリスト教主題でも、竜や蛇は多く描かれており、ここに教会の聖母や聖女の影響が見られるとしても不自然ではないだろう。

原田が留学したバイエルン王国の首都ミュンヘンは聖母信仰が篤く、町の中心のマリエン広場にそびえる高い円柱の上の聖母像をはじめ、あちこちに多くの聖母像が設置されている。先行研究でも既に指摘されてきたように、蛇を足で踏みつける「無原罪の聖母」の像はミュンヘンのフラウエン聖堂やアザム聖堂にも設置されていた。ミュンヘンを代表する美術館アルテ・ピナコテークには、ルーベンスの勇壮な大作《無原罪の御宿り》（7-37）を見ることができた。ここでは、聖母子は蛇を踏むだけでなく、悪竜と戦っているようである。またバイエルン近郊のバロック教会では竜を踏む聖マルガリタ像（7-38）も見られる。聖マルガリタは、飲み込まれた竜から奇跡的に逃れたことから、しばしば竜を踏む姿で表現されるが、竜の上に女

上右 7-36　原田直次郎《騎龍観音》1890年　護国寺（東京国立近代美術館寄託）
上左 7-37　ルーベンス《無原罪の御宿り》1623-25年　ミュンヘン、アルテ・ピナコテーク
下 7-38　ヨハン・ルイドル《聖マルガリタ》1720-28年　イッシンク、聖マルガリタ教区聖堂

性が乗る姿として、「龍頭観音」の図像に近い。「龍頭観音」は伝統図像を扱ったと書いたが、原田以前にはほとんど表現されてこなかった珍しい主題である。原田は「無原罪の聖母」や聖マルガリタから女性と竜の組み合わせを着想したのであろう。

若桑みどり氏もこの作品を西洋の「無原罪の聖母」の図像と関連付け、狩野芳崖の《悲母観音》を念頭に置いた観音には昭憲皇太后の容姿を重ね、神功皇后のように海外雄飛を象徴する日本国家の守護女神であるとしている。

この作品は、博覧会出品の翌年に護国寺に奉納された。原田の甥の原田熊雄は、「叔父の考えでは、名画を能く欧州では大寺院に収めるので寺に預かる意味で護国寺に持つて行つたのだ」と回想しているが、この作品は日本の伝統的な仏画の図像を、西洋の教会で親しまれている聖母の祭壇画のような公共的な大画面に昇華しようとした試みであったと思われる。芳崖の《悲母観音》と同じく、聖母は観音に置き換えられながらも、従来の仏画にはほとんどなかったモニュメンタルな大画面となっている。

古来、日本には公衆に見せるという公共的な美術は少なく、私的な鑑賞が主であった。しかし、明治初年に博覧会が開催されるようになると、美術も公共性を帯びるようになり、画家の意識も変化した。そして、西洋の大画面や記念碑性にならい、愛国的なテーマも採用された。十九世紀末のドイツではナショナリズムが高揚し、「ゲルマニア」や「バヴァリア」がローマ神話のミネルヴァと重ねられて国家の表象となっていたが、この作品も近代日本を象徴する擬人像として構想された可能性があり、五年後の第四回内国勧業博覧会に原田が出品した《素戔嗚図》とともに、愛国主義的な含意があったと思われる。

一九〇九年に中沢弘光が第三回文展に発表して最高賞を受賞した《おもひで》(7-39)は、やはり観音を描いたものだが、注目に値する。本人によれば、光明皇后の伝説を主題としており、観音は法華寺の十一面観音で、背景は興福寺と海龍王寺の境内を写したものだという。光明皇后が池に観音の姿を見る情景を描こうとしたが、それは困難なので現代の尼僧が観音に思いを馳せるものにしたという。法華寺の十一面観音は、蓮池を渡る光明皇后の姿を写して作られたという伝承がある。中沢はそこから光明皇后が池に観音の姿を見た情景を発想したのだろうが、結局、尼僧の前に観音が顕現するものにした。阿弥陀如来と観音・勢至菩薩が聖衆とともに来迎するのは浄土教美術の主題であったが、この作品では観音のみが強い光の中に現れており、来迎図よりも西洋の幻視画に近い。しかし、池辺に立つ尼僧は観音を見ておらず、「おもひで」というタイトルからもわかるよ

7-39　中沢弘光《おもひで》1909年　東京国立近代美術館

うに、かつてそこに現れた観音の姿を思い浮かべているのであろう。結果的に、中途半端な感が否めず、発表当時から非難された。原田直次郎の《騎龍観音》も激しい非難を呼び起こし、森鷗外が擁護したことはよく知られているが、こうした非難の根底には観音という伝統的な仏教主題を油彩の写実的な表現で描写することへの違和感がある。聖母であれば自然に見える主題であっても、これらは仏画を洋風にしただけのように見えてしまうのだ。

†牧島如鳩の観音図

日本美術院で活躍した荒井寛方はインドに渡った経験から多くの仏画を描いたが、一九三九年の第二十六回再興院展に《観音摩利耶》(7-40)という三曲一双の屏風を出品した。左隻には彼が模写に従事していた法隆寺金堂壁画から採られた観音菩薩の立像、右隻にはゴシック聖堂の前に坐るエレウサ型の聖母子と天使を描いている。観音とマリアを一対として対比させるのは、両者が類似していると認識したためであろう。摩利耶という漢字も仏母の摩耶夫人を想起させ、仏教とキリスト教をひ

7-40 荒井寛方《観音摩利耶》1939年 東京国立近代美術館

とつながりとして見る考えを示す。

こうした仏耶習合を推進したのが、異色の画家牧島如鳩(にょきゅう)である。彼は荒井寛方とちがって美術の潮流とは隔絶して活躍していたため、忘れ去られていたが、近年、足利市立美術館の江尻潔氏の精力的な調査によって再評価されつつある。彼はロシア正教の伝道師でもあり、ニコライ学院で山下りんに学び、イコンや聖母像を多く描いたが、仏画も数多く手掛け、晩年は東京本郷の願行寺に身を寄せて没した。磔刑のキリストと千手観音を合体させたような《一人だに亡ぶるを許さず》や《千手千眼マリア》など、キリスト教や仏教の図像を融合した独自の宗教画が注目される（いずれの作品も東日本大震災後に焼失してしまった）。「基督と如来と云ふも一つなり南無妙法の信に極めり」「御仏を信ぜば神も一つなり耶蘇も仏陀も救世主なり」と歌う彼にとっ

上 7-41　牧島如鳩《龍ヶ澤大辯才天像》1951 年　足利市立美術館寄託
下 7-42　同《魚籃観音》1952 年　足利市立美術館

て、キリスト教も仏教も唯一神にいたる道のちがいにすぎなかった。

大作《龍ヶ澤大辯才天像》(7-41)は、いわき市竜ケ沢の弁財天社を再建するときに人々に現れた霊験に基づいたものであり、神社に納められた。竜に乗った弁財天が童子とともにこの地に下って来ており、原田の《騎龍観音》よりも自由で伸びやかな幻視をとらえている。江尻氏によれば、これは「共同体が見た夢の記述」であり、この画家は「仰々しい教えや体系づけられた宗教よりもこのような素朴で純粋で敬虔な信仰を好んだ」という。画家自身、この作品を描く前に「お示し」を受け、そのとおりに描いたものだという。

その翌年に制作された《魚籃観音》(7-42)は、如鳩の代表作。不漁に悩むいわき市の小名浜の漁民のために制作され、中央に大きく鰯の稚魚の入った玻璃の壺を持つ魚籃観音、右背景に菩薩や天女、左背景に聖母や天使がおり、下方には小名浜港の景観が広がる。観音は裳として網をまとい、網には多くの童子が散華のように魚を持って群がっている。前に見たような、下部に実際の都市景観の広がる「慈悲の聖母」の図像に近い。完成したこの大作を人々はトラックの荷台に載せて練り歩き、以後豊漁が続いたという。震災の直前まで海の見える漁協の組合長室に掛けられていたという。シエナ市民がドゥッチョの《マエスタ》(2-38)を大聖堂まで運んだという逸話を想起させる。震災の少し前から足利市立美術館に寄託されていたため難を逃れ、以後この作品は、震災被害者の鎮魂という新たな文脈のうちに生きている。

7-43　福田豊四郎《秋田のマリヤ》
1948年　秋田県立近代美術館

牧島の作品は日本の絵馬や西洋のエクス・ヴォートのような民衆の純粋な信仰の所産であり、展覧会用の美術とは異なる宗教画本来の力を示している。いずれも重要文化財に指定された狩野芳崖の《悲母観音》（7-35）や原田直次郎の《騎龍観音》（7-36）とともに、近代日本の三大観音といってよい。

日本画家の福田豊四郎は戦後まもない一九四八年に《秋田のマリヤ》（7-43）という作品を描いた。故郷ののどかな農村風景で赤子に授乳する母の姿は、戦争記録画に腕を振るったこの画家にとってこの上なく平和を感じさせるイメージであったろう。画家がこの日本的な母子図にあえて「マリヤ」というタイトルをつけたのは、西洋の聖母につらなる母子図の普遍性を強調するためであったろう。聖母は、単なる宗教的な聖像というにとどまらず、西洋の公共的な美徳のすべてを象徴するイメージであった。近代日本の画家たちもこうしたものを求めて新たな母子像に取り組んだのである。いずれも西洋の聖母像に刺激され、それに対応する日本の聖母であるといってよい。

7-44　長谷川路可《聖母子》1950-54年　チヴィタヴェッキア、聖殉教者記念聖堂

†カトリック聖堂の壁画

ロシア正教会が山下りんや牧島如鳩のような優れたキリスト教画家を生み出し、またプロテスタントに入信した荻原守衛や岸田劉生が個人的な信仰表現を模索したのに対し、西洋の宗教美術を牽引し、日本でも南蛮文化時代に優れた宗教美術を生み出したカトリック教会は近代の日本でこれといった美術活動を推進しなかったように見える。

そのような中で、日本を代表するカトリック画家は長谷川路可である。松岡映丘に日本画を学んだ路可はフランスに留学してフレスコ技法を学び、戦前からいくつかの教会にフレスコ壁画や聖画を描いた。また、牧島如鳩と同じく、寺院のために仏画を描くこともあった。一九五〇年から五四年にかけて、ローマ北西の港町チヴィタヴェッキアの日本聖殉教者記念聖堂に、長崎二十六聖人殉教図などの壁画を描いた。この聖堂は一八六二年にピウス九世によって日本の二十六人の殉教者が列聖されたことを記念し、支倉常長一行が上陸した町に建てられたフランシスコ会の聖堂である。殉教場面の上のアプスには鮮やかな青の地に、ザビエルと聖フランチェスコに囲まれた聖母子の立像が描かれた（7―44）。この構成は第一章で見たヴェネツィアのトルチェッロ島の聖堂のアプスのモザイク（1―6）に想を得たのだろう。聖母は桃山時代の正装に身を包み、幼児キリストは右手で天を指し、左手で白い鳩を抱えている。聖母像の本場イタリアの教会に描かれたものでありながら、路可はあえて日本風の聖母を表現したのである。

京都の日本画家、堂本印象は一九二二年に聖母子の三連祭壇画の影響を示す三曲屏風《訶梨帝母》（京都国立近代美術館）を描いたが、一九六三年に大阪のカトリック玉造教会（大阪カテドラル聖マリア大聖堂）の内部に横十メートルにも及ぶ巨大な《栄光の聖母マリア》（本章扉）の壁画を制作した。和服を着た聖母の左右には小さく高山右近と細川ガラシャが祈っている姿がある。堂本は聖母像の依頼を受けてから二度渡欧し、多くの教会で聖母像を観察してきた結果、「日本には日本の聖母像があって然るべきだ」と思いいたり、日本にキリスト教の伝来した桃山時代の設定にしたという。大きな金地の背景は左右のステンドグラスからの光を反映し、幻惑的な効果を上げている。彼はこの制作によって教皇ヨハネ二十三世から聖シルベストロ騎士勲章を授与された。この教会は、大阪や神戸に名建築を多く遺した建築家長谷部鋭吉の遺作であり、内部は堂本印象の壁画のほか、羽淵紅州によるステンドグラス、オーストリアの彫刻家ルンガルチェによる磔刑像を備えており、日本には稀有な総合芸術的な空間となっている。近代日本の生んだ聖母像の最高傑作といってよい。

美術史家の前田富士男氏は、「日本画の長谷川と堂本が戦後の日本のカトリック美術を代表する作家となったのは、彼らの力量とともに、世界に対して日本美術の独自性を見事な作品をもって説得力ゆたかに示しえたからにちがいない」と評価する。そして、油彩画とちがって反自然主義的な日本画の画法はイコンの画法に近いがゆえに、「明治時代以降の日本のキリスト教美術の大きな成果がイコンと日本画を基軸として展開した」と分析している。

以上の例で見てきたように、日本の聖母像は、観音と習合したり和装の姿となったりすることによって日本の文化や伝統に無理なく移植されたとき、西洋のそれに匹敵する生命力を持ちうるといってよいのではなかろうか。

7-45　本郷新《嵐の中の母子像》
1960年　広島、平和記念公園

†戦後の母子記念碑

戦後、母子像の彫刻は女性ヌードとともに数多く作られ、公共彫刻として公園や駅前に設置された。中でも、本郷新の《嵐の中の母子像》(7-45)はもっとも有名であり、一九六〇年から広島の平和記念公園の南端に建っている。右手で乳飲み子を胸に抱え、左手でもう一人の幼児を背負おうとする母親は、二人以上の子どもを抱える母親という点で、西洋の伝統的な「慈愛」の擬人像と同じだが、この像は、嵐の中を身をかがめて必死で歩いているという点で特異である。一九五九年、広島で第五回原水爆禁止世界大会が開かれたのを機に、翌年原水爆禁止日本協議会が広島市に石膏像を贈ったものであり、広島市婦人会連合会が平和記念公園に設置するための募金活動をしてブロンズに鋳造し、ここに設置されるにいたったという。嵐は原爆の爆風を思わせ、その中で子どもを守ろうとする母親の姿から、核兵器に反対し、核のない平和を希求するメッセージを読むことができるが、当初からそのように意図されたわけではなかった。

本郷新は一九五二年欧州に旅行して多くの聖母像を目にし、帰国後、戦後日本の新しい母子像を求めて制作したのがこの像であるという。広島の平和記念公園に設置されたことで反核や平和という強力な文脈が与えられ、力強く雄弁なモニュメントとなったのである。様式的にも機能の点でも、先に述べたベルリンの戦没者追悼所に置かれたコルヴィッツの母子像（7-30）と似ているが、そこでは死んだ息子を抱く母親であったのに対し、ここでは二人の子どもは生きており、母親はそれを守ろうとしているため、追悼よりも希望を感じさせるものになっている。おそらくこの像の影響であろう、この後全国に戦争犠牲者を追悼する母子像が次々に出現する。それらは聖母という宗教色をまとわないため、広く受け入れられたのであろう。

一九七四年に靖国神社遊就館の正面に建てられた《母の像》（7-46）は宮本隆によるもので、

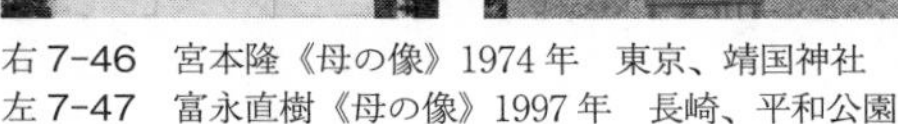

右7-46　宮本隆《母の像》1974年　東京、靖国神社
左7-47　富永直樹《母の像》1997年　長崎、平和公園

台座に「強くきびしく　やさしかった母　おかげで私がある　お母さんありがとう　私たちのかなしみがくりかえされることのないように」とある。一人の子を抱き上げ、二人の子にはさまれた母親は西洋の「慈愛」の擬人像の伝統をひくが、靖国神社の境内に設置されることで、夫である戦没者を送り出して銃後の家庭を守った母親という意味が付与されている。子どもは洋服で母親のみが和服であることで、時代性も示されている。また、三重県の上野公園にある《母の像》や大阪護国神社に設置された《母に感謝の像》は、モンペ姿の母親が一人の子どもを背負い、抱き、一人の子どもを連れているが、同じような意味を持っている。

このように、戦争にまつわる母子像がすっかり市民権を得たかに見えた一九九六年、長崎の平和公園に母子像を設置しようとしたところ、大きな反対運動が起こった。被爆五十周年記念事業として、一九五五年に設置された北村西望の《平和祈念像》と対をなすように、北村の弟子で日展の重鎮であった彫刻家、富永直樹による母子像（7-47）の建設が伊藤一長市長によって発表されたが、平和公園の中央にある「原子爆弾落下中心地碑」を撤去してその場所を予定したことへの反対、母子がバラのついた華美なスカートをはいていて当時の現実とかけ離れているという批判、ピエタを思わせる母子像を設置することが政教分離に反するという反対が市民団体や被爆者団体から起こった。

そして隣接するカトリック浦上教会を拠点とするカトリック団体までもが、「マリアに似た偶像」は自分たちへの侮辱であり、偽物の隣に浦上天主堂の遺構を置くわけにはいかないと反対した。この聖堂の正面には、指の欠けた《悲しみの聖母》が立ち、内部の小聖堂には痛々しい《被爆のマリア》が安置されており、原爆の悲惨さを物語っている。それに比べれば、問題の母子像は軽く見えてしまうだろう。結局この母子像は公園の片隅に設置された。それに要した公費返還を求める裁判となったが、二〇〇七年、被告の伊藤市長が狙撃されて死去。原告の訴えは退けられ、控訴も棄却された。

問題の像は、幼児を抱く母の像だが、幼児は片手を垂らしており、死んでいるようである。西洋の図像によくあるように、ピエタを予告する眠る幼児キリストを思わせるが、碑文によると、「原爆の悲惨さと、被爆により亡くなられた多くの方々のご冥福を祈り、ひいてはこの尊い犠牲が今日の平和の礎となったことを念頭におき、偉大なる母の慈悲心と、永久に平和であれと念じ、あたたかく深く母の胸に眠る傷心の子供の姿を配することによって、21世紀に羽ばたく日本の未来を表現して」おり、「子供の姿はあの日の日本の姿を、母の姿は日本を支える世界の国々の姿を表し、この支えを受けながら今日の平和な日本の礎が築かれたことを、私たちは忘れてはならないという制作者の思いが込められています」とある。非常にこじつけめいた無理な説明で、まともに受け取るわけにはいかない。

広島では好意的に受け取られた母子像が、長崎では大きな反対にあったのはなぜであろうか。前者は原水爆禁止日本協議会や広島市婦人会連合会といった市民団体が贈ったものであったのに対し、後者は行政が公金を使って一方的に設置したことが大きいだろう。さらに、長崎という古来キリスト教色の強い環境では、非宗教的な母子像というのが信者からも非信者からも受け入れられなかったという要因もあるだろう。それほど、母子のイメージは聖母マリアと深く結びついているということである。また、西洋では、二人以上の子どもを伴っているのは聖母ではなくて「慈愛」の擬人像だとされるが、本郷新や宮本隆の母子像は子どもが二人以上いたため、聖母には見えなかった。富永直樹の母子像は幼児が一人しかいないため、聖母を連想させたのである。ベルリンのノイエ・ヴァッへのコルヴィッツの像（7-30）も、一人の息子であったため、キリスト教主題であって政教分離に反すると問題になったのである。

また君島彩子氏の研究によれば、グアム島、サイパン島、硫黄島、レイテ島といった太平洋戦争の激戦地には、戦没者の供養のためにマリア観音が戦後次々に建てられた。単なる観音でなく、マリア観音としているのは、日米両軍の兵士や現地人の犠牲者など、日本人以外の戦死者をも供養するためであり、聖母を取り入れることですべての戦没者を慰霊しようとしているという。レイテ島の「マドンナ・オブ・ジャパン」は、観音が大きな十字架を持っている。単なる母子像では霊的な力がないため、特定の宗教によらないで聖なる存在が求められたときに、かくれキリシタンの伝統のあるマリア観音が新たに召喚されたというのは興味深い。

4 現代美術と聖母

†第二ヴァチカン公会議と宗教美術

第二次大戦後、二十世紀後半の芸術はモダニズムとともにますます宗教性を希薄化させたかに見える。しかし、教会側は現代にふさわしい芸術を求めていた。前述の「アール・サクレ」運動もその表れである。

一九六二年から六五年にかけて、教会の現代化とエキュメニズム（教会一致運動）をテーマに開催された第二ヴァチカン公会議では、聖母マリアについての独立した文書は出さなかったものの、「はじめに」でも述べたように、『教会憲章』第八章「キリストと教会の神秘の中の神の母、聖なる処女マリアについて」で、聖母は教会の象型（ティプス）にして範例（エグゼンプラ）であると規定した。

美術については、『典礼憲章』第七章「教会芸術と教会用具」に以下のように述べられている。

いつくしみ深い母なる教会はつねに芸術の友であった。（122）
教会は、いかなる芸術様式をも自らに固有のものとみなさず、諸民族の特質と諸条件、またさまざまな典礼様式の必要に従って、それぞれの時代の表現方法を認め、慎重に保存すべき芸術の宝庫を幾世紀にもわたって造り上げてきた。現代の芸術、そしてあらゆる民族と地域の芸術も、聖なる建物と聖なる儀式に正当な敬意と誉をもって奉仕するものであるかぎり、教会において自由な活動の場をもつべきである。（123）
信者が崇敬するために聖画像を教会堂内に置く習慣は、確実に保たれねばならない。（125）

つまり、美術は教会や信仰にとって有益であるとし、時代や地域による芸術の多様性を受け入れるとし、その価値をあらためて確認したのである。

この公会議を主催した教皇ヨハネ二十三世は一九六〇年にヴァチカン美術館内に現代美術部門を創設し、公会議を終結させた次のパウロ六世はそれを継承した。彼は現代美術とキリスト教とがかけ離れてしまっている状況を憂慮し、一九六九年にシスティーナ礼拝堂で芸術家のための特別ミサを行い、広く芸術家の協力を呼びかけた。その結果、世界中の美術家や収集家から多くの作品がヴァチカンに寄贈され、ルオー、ダリ、ベーコン、藤田嗣治といった美術家たちの作品が収蔵されるにいたった。一九七三年、この現代キリスト教美術コレクションは、システィーナ礼拝堂を取り囲む「ボルジアの間」に開館した。

そこには、マティスのロザリオ礼拝堂に関する作品やジャコメッティによる磔刑像など、見るべきものもあるが、大半はキリスト教的テーマを扱ったというだけの、その美術家の本領ではない作品ばかりであり、古代からルネサンスにいたる名品が所狭しと並ぶ恐ろしく充実したヴァチカン美術館の中では見劣りがしてしまうのは避けられない。大半の観光客はこのコレクションを足早に通り過ぎており、二十世紀にはすでに古来のキリスト教美術の場はないということを露呈する結果になってしまっているようだ。

現代においては、単に伝統的なキリスト教のテーマを繰り返して表現しても共感を得にくいといってよい。だが、現代美術ならではの表現手法によって宗教性や精神性を表しえたものには注目すべきものがある。たとえば、茫漠とした色面のみによる大画面によって超越的な存在や人間の悲劇的感情を表現しようとし、静謐で瞑想的なヒューストンのロスコ・チャペルを作ったマーク・ロスコや、大画面に絶対者の存在を感じさせるような垂直のジップを走らせて「十字架の道行き」の連作を描いたバーネット・ニューマンなどである。

†ウォーホルのマリリン

アメリカのポップ・アートを創始した画家アンディ・ウォーホルは、生涯を通じて熱心なカトリック信者であったが、大衆消費社会を冷徹に映したその芸術はおよそ宗教的な熱情とは対極にあるように見える。しかし、彼の没後、その芸術に宗教性を読み取る試みがさかんとなり、かつて私もそのような見地からウォーホルの芸術を解釈してきた。以下、聖母に関わる作品に絞って見ておこう。

ウォーホル芸術の代名詞の一つがマリリン・モンローである。この女優は死してなお世界中で有名だが、その要因のかなりの部分はウォーホルの作品に負っているだろう。マリリン・モンローは一九五〇年代にその人気の絶頂期を迎えた。一九五〇年代は「アメリカナイゼーション」の時代であり、アメリカの文化は、軍事力や経済力以上に世界を風靡した。そのときにマリリン・モンローはアメリカ文化の精華として、ヨーロッパでも日本でも圧倒的な人気を博した。一九六二年八月五日に彼女が三十六歳で自殺したというニュースは世界を驚かせた。若くして死んだモンローは伝説化し、永遠のアイドルとなり、愛の「女神」とまで称えられる存在になっている。

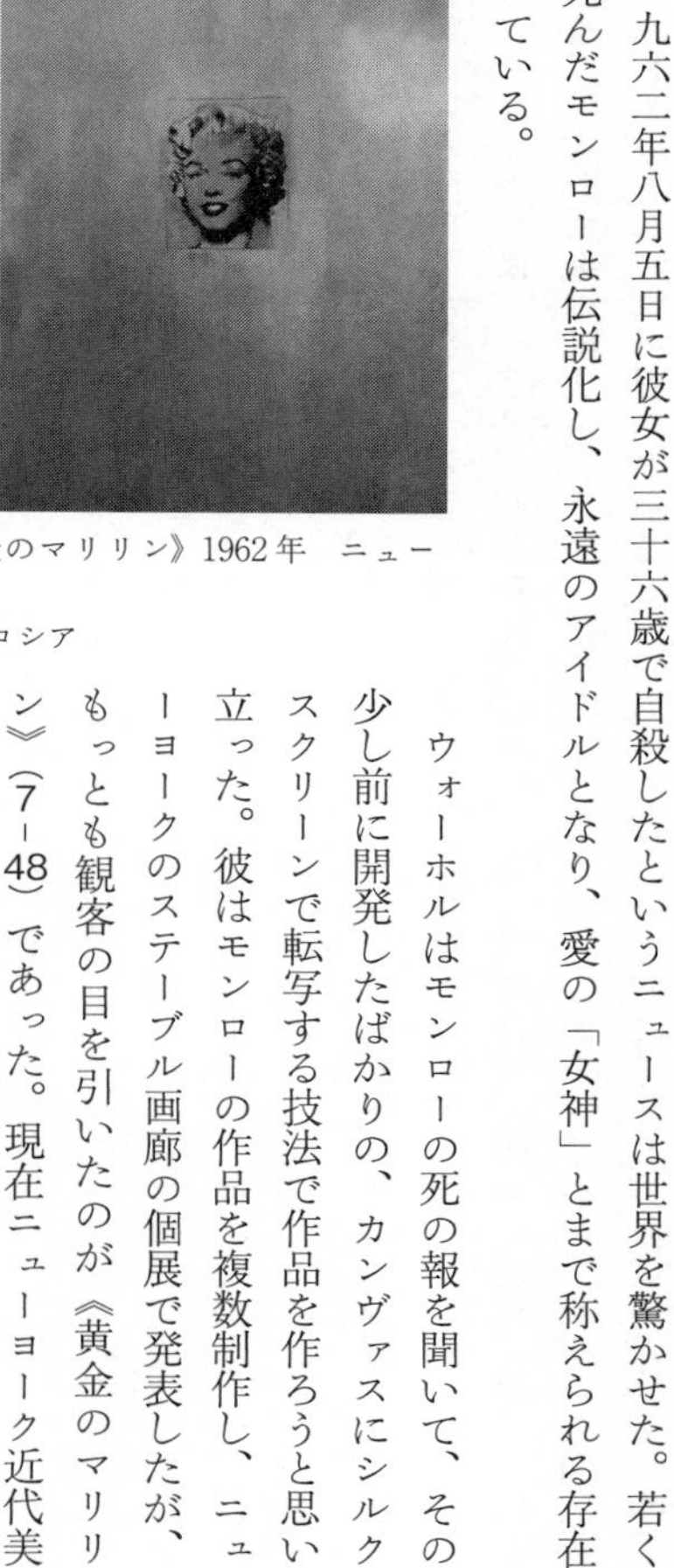

右7-48　ウォーホル《黄金のマリリン》1962年　ニューヨーク近代美術館
左7-49　《聖母》17世紀　ロシア

ウォーホルはモンローの死の報を聞いて、その少し前に開発したばかりの、カンヴァスにシルクスクリーンで転写する技法で作品を作ろうと思い立った。彼はモンローの作品を複数制作し、ニューヨークのステーブル画廊の個展で発表したが、もっとも観客の目を引いたのが《黄金のマリリン》(7-48)であった。現在ニューヨーク近代美術館に展示されているこの作品は、大きな金地の中央に一つだけマリリンの顔がある作品で、金地に浮かぶ顔ということでビザンツの聖母のイコン(7-49)を想起させる。

ウォーホルが最初に認識した美術は、日曜ごとに家族とともに通った教会で目にするイコンであったろう。ピッツバーグのその教会、セント・ジョン・クリソストム聖堂には、豪華なイコノスタシス（聖障）があった。幼少時から見慣れており、ピッツバーグを離れた後も生涯にわたって日々その前に頭を垂れて瞑想したキリスト教のイコンは、ウォーホル芸術の源泉となったと思われる。作者の個性を感じさせず、他者にゆだねられた芸術の理想的な姿こそ、ウォーホルが生涯にわたって見つめてきたイコンにほかならなかった。イコンにおいて作者は重要ではなく、作品の個性もオリジナリティも必要とされないが、教会や家庭で日常的に崇敬されている。そもそも最初のイコン、つまりキリストの聖顔布は、神の姿を描いたものというよりは神の痕跡であり、人の手を経ずに（アケイロポイエートス）成立したということが重要であった。それらは、原型の聖性を失わぬよう忠実にコピーされなければならず、描き手の主観や個性を介入させることは禁じられた。ウォーホルが理想としたのは、誰が作ったかわからないが、神を見る窓として機能しているこうしたイコンだったと思われるのだ。彼の作品の多くは《黄金のマリリン》のように、イコンとの様式的共通性を持っている。最晩年の《自画像》も、血を思わせる赤い画面に浮かび上がる首がまさにキリストの聖顔布を思わせる。

《黄金のマリリン》は、マリリンが神格化されたような作品であり、誰もが追悼の意味を感じたであろう。大きな金地はきらびやかで豪華だが、その中央に小さく浮かぶマリリンの顔は人工的な色彩をほどこされ、周囲の金地とつりあっていないように見える。彼女の人格や内面、女優としての演技力などは考慮されず、ひたすらその外見が消費されていたのだ。金地は、華やかなハリウッドや銀幕の世界を、マリリンの顔はそこで作られた虚構のスターを表すようであり、大きな金地に小さくはめこまれた顔は、結局この女優が大きすぎる名声や人気に押しつぶされ、しかも最後まで素顔を見せることなく逝ったという運命をも彷彿させる。

こうして大衆に性的な夢を与え続けたこの女優の死は、哀悼とともに一種の罪の意識を大衆の心に引き起こしたという。この黄金の絵は、世間的な華やかさがうわべや虚構にすぎないということを感じさせ、同時に悲劇的な女性を祀った聖なるイコンにもなっているのだ。

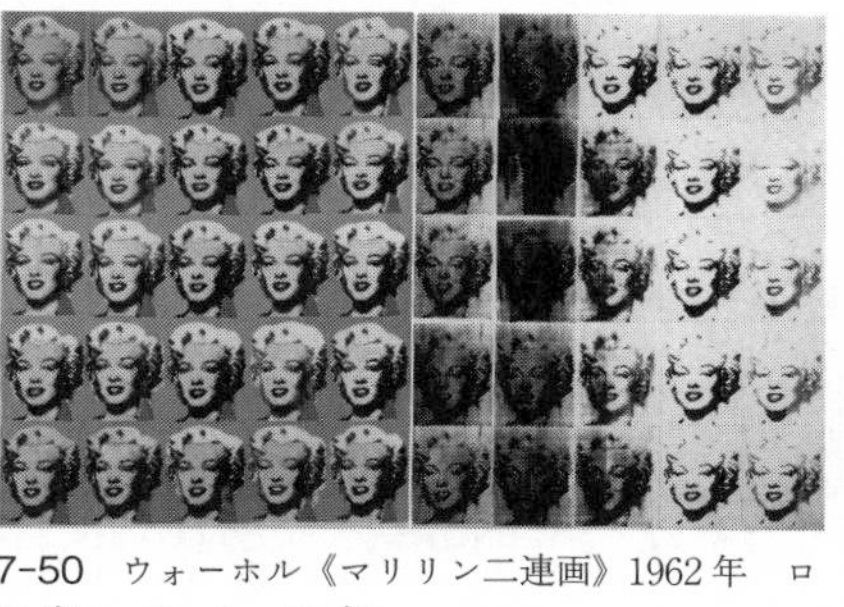

7-50　ウォーホル《マリリン二連画》1962年　ロンドン、テート・モダン

このステーブル画廊の個展のときに出品されたもっとも大きな作品が、現在ロンドンのテート・モダンにある《マリリンの二連画（マリリン・ディプティク）》(7-50) である。二連画（ディプティク）というのも、前に見たように中世以来の宗教画の形式であり、《黄金のマリリン》と同じく、この女優を追悼する意味が感じられる。ここには五十点の顔が転写されているが、左半分は色彩を施されたマリリン

の顔が二十五点並び、右半分には白黒の顔が同じ数並んでいる。色彩のある左の顔はどれもほとんど同じに見えるが、白黒の右の顔は、インクが濃すぎて顔が判然としないものや、薄すぎて顔の輪郭が消えかかっているものがある。ウォーホルは、シルクスクリーンの技法は同じ絵が何度も作れるのがよいと述べたが、まったく同じではなく、刷りによって微妙に異なることも認識していた。

この作品は次のように解釈できるだろう。つまり、左の色彩豊かなマリリンは、メディアや映画の中の、いつも魅力的な笑顔を浮かべた生きたマリリン、つまりマリリンの社会的な姿であり、死してなお人々の記憶に残る公共の記念碑としてのマリリン。これに対し右の白黒のマリリンは、薄幸で死んだ生身のマリリンである。転写の繰り返しによってインクがかすれたり濃くなったりする濃淡の違いは、人による思い出の曖昧さや脚色を示すものであり、生身のマリリンのとらえどころのなさや誰も知らなかった惨めな素顔を示しているのではなかろうか。

左右で色彩とモノクロームに分けて対置したことにより、公と私、メディアと実態、生と死など、いろいろな対比が連想され、きわめて見事な効果をあげているのである。この大作は、マリリン・モンローの悲劇的な死とその生を想起させ、記念碑的で鎮魂的な意味を印象づけるものであった。

†ジャッキーとピエタ

マリリンがウォーホルによって殉教聖女のように神格化されたとすれば、ジャッキーは「嘆きの聖母」となったということができる。一九六三年十一月二十二日、ジョン・F・ケネディ大統領がテキサス州ダラスで暗殺された事件は、全米を揺るがし、世界に衝撃を与えた。ケネディが十一月二十五日にアーリントン墓地に埋葬されるまで、このニュースで持ちきりになっていた。連日、大統領の悲劇的な死が報道されるという、悲しみの押しつけのような風潮に違和感を抱いたのだろう。ウォーホルは、大統領を悼み、追悼するという気持ちよりも、お祭りのように悲劇性を鼓舞するその報道のされ方に興味を覚え、事件の直後から新聞や雑誌などのケネディ暗殺関連の記事や写真を収集し始めた。そして、未亡人となったジャクリーン（ジャッキー）・ケネディに注目する。ジャッキーは暗殺現場にともにおり、夫の埋葬までずっとテレビや新聞のカメラに映され、悲劇のヒロインとしてその一挙手一投足が報道されていた。

7-51　ウォーホル《16のジャッキー》1964年　いわき市美術館

ウォーホルはこのようなジャッキーの写真を集め、そのうちからジャッキーが写った八点を選び、その顔の部分を切り取って元になるイメージを用意した。この八種類のジャッキーの顔を、一つずつ同じ大きさの長方形のカンヴァスに転写したものを基本のユニットとしている。この八種類の写真は裏焼きされて左右逆のものも作られ、計十六種類のジャッキーの顔がシルクスクリーンにされた。

これは単独でも作品となるし、横に並べて二対にしても、いくつかを並べてフリーズにしたりもできる。そして、縦横に四枚から七枚ほどずつ組み合わせて十六点から三十数点のカンヴァスを構成したものを作品とすることもあった（7-51）。そしてカンヴァスの地の色の数を制限し、青を基調として、その青を変化させたものが大半を占め、金色に塗ったものや白いカンヴァスも交じっていた。

第二章で述べたように、古来わが子キリストの遺骸を前に悲しむ「嘆きの聖母」や、マリアがキリストの遺体を膝に抱き、キリストの頭に顔を寄せる「ピエタ」の主題、単独で泣き顔を見せるマリアの像は数多く作られてきた。親よりも子どもが先に逝くことが多い時代には、こうした像は、子を喪った親の悲しみを代弁するものであり、やり場のない悲しみを受け止める装置であった。夫が殺され、悲しみを公衆に晒されることによって、悲劇と同情の物語を求める大衆の欲求に応じたジャッキーの姿は、ウォーホルによって聖化され、現代の聖母像になったといえよう。

ウォーホルも壁画を制作した一九六四年のニューヨーク万博では、ヴァチカン市国のパヴィリオンにミケランジェロの《ピエタ》(2-26)が特別に出品されており、大きな話題を集めていた。ミケランジェロ初期の代表作のこの大理石像は、清らかなマリアの内に秘めた悲しみが胸を打つ名作だが、生涯を通じて熱心なカトリックであったウォーホルは、ヴァチカンのパヴィリオンを訪れてこの像を見たにちがいない。晩年、ウォーホルはこの像のあるサン・ピエトロ大聖堂前の広場で教皇に謁見しているほどである。

また、ニューヨークでもっとも大きい教会であるセント・パトリック大聖堂には、二十世紀初頭からウィリアム・オードウェイ・パートリッジによる大きな《ピエタ》(7-52)が設置されており、ウォーホルが死ぬまで週に何度も通い続けたニューヨークのセント・ヴィンセント・フェレール聖堂にもミケランジェロの《ピエタ》のコピーがあった。制作中の《ジャッキー》にピエタのイメージが投影されたと考えても不自然ではなかろう。

7-52　パートリッジ《ピエタ》1906年　ニューヨーク、セント・パトリック大聖堂

ウォーホルが一九六〇年代に取り組んだ「死と惨禍」の連作は、交通事故や死刑や自殺を扱って

おり、現代における死についてのもっとも真摯な表現であったが、これらもキリスト教の哀悼図や殉教図に通じるものであった。

†カタリーナ・フリッチュ

ウォーホルは晩年、レオナルド・ダ・ヴィンチの名画に基づいた《最後の晩餐》の連作に取り組み、その死の直前の一九八六年、原作の向かい側にあるミラノの画廊で発表した。だが《最後の晩餐》は、レオナルドの直接的な引用ではない。ウォーホルは当初、レオナルドの《最後の晩餐》を模した立体の置物を購入して、これを撮影するなどして作品化しようとしたがうまくいかず、十九世紀の百科事典にあった線描だけによる挿絵を元にいくつかの《最後の晩餐》を描いた。こうした試行錯誤を経て、ウォーホルは、ファクトリーの隣にあった韓国人のキリスト教グッズ店で買った十九世紀のレオナルドの模写を選び、それを転写したのだが、このタイプが最終的にもっとも多く制作されることになった。オリジナルの複製を避け、わざわざ安っぽい模写の複製画を選んだのは、レオナルドの原画は損傷や剥落が多くて不鮮明になっていたこと、また巨匠の持つアウラよりも信仰の対象として広く流通して消費されるイメージの方が重要であると考えたためであろう。

ウォーホルはまた一九八二年に、《十字架》のシリーズを制作している。これはあきらかにキリスト教の象徴だが、美術史上無数に描かれてきた磔刑図のようなものではなく、あえて人が首にかけているペンダントトップのような十字架の形を選んだ。赤や黄色のそれらが黒地に浮かぶ作品だが、作品の画面はかなり大きい。つまり、記号のように日常に溶け込んでいるクロスを拡大することによって、その本来の意味を思い出させるものであった。このようにウォーホルは、民衆的なキリスト教イメージを現代美術の舞台に導入したといってよいだろう。

同じような傾向の例として、現代ドイツの彫刻家カタリーナ・フリッチュを挙げることができる。彼女は、黒く塗った巨大なネズミや青く塗った雄鶏など、ありふれた事物を巨大化して単色を塗った彫刻で知られている。フリッチュの代表的なモチーフが聖母像である。それは、キリスト教グッズ店でよく見かける「ルルドの聖母」を鮮やかな黄色でむらなく塗ったものだ。由緒ある教会や美術館にある名高い聖母像ではなく、あえてどこでも目にする民芸品のようなルルドの聖母像に、けばけばしい黄色を一面に塗ることで、本来の礼拝価値は薄れ、現代アートになってしまう。金色ならわかるが、なぜ黄色なのだろう。ゴーギャンの《黄色いキリスト》はフランスのブルターニュ地方で拝まれている素朴なロマネスクの磔刑像が風景の中に立っている作品だが、黄色というのは金色の荘厳さに反するのではなく、その印象を留めながらも退化して安っぽくなった印象を与えるといってよいかもしれない。

一九八七年、彼女は十年に一度開かれる国際的な現代彫刻の祭典であるミュンスター彫刻プロジェクトにこの聖母像を出品した（7-53）。等身大の黄色い聖母像を、ミュンスターでもっとも人通りの多いショッピング街であるザルツ通りのカールシュタット・デパートとドミニコ会聖堂の間の広場に設置したのである。突然出現したこの黄色い聖母像に対して、無関心に通り過ぎる人、聖像に敬意を表して花を供える人、また、聖像をペンキなどで汚したイコノクラスムを想起して怒る人など、様々な反応があったという。これがヌードや抽象彫刻であれば、人々の多くは最初から美術作品と認識して足を止めたであろう。聖母像というものは、彫刻作品とは認識されず、美術と相容れない特殊なモチーフになってしまったということをあきらか

上7-53　フリッチュ《聖母》1987年　ミュンスター
下7-54　同《フィグーレングルッペ》2006-08年　ニューヨーク近代美術館

にしたといってよい。

二〇一三年、フリッチュの《フィグーレングルッペ（人物群像）》（7-54）がニューヨーク近代美術館の彫刻庭園に設置された。これは、この黄色い聖母像、緑色の大天使ミカエル像、紫色の聖ニコラウス像、真っ黒の聖女像のほか、棍棒を持った白い裸の巨人や女性のトルソ、脚の骨格標本、壺のようなものを載せた台座が密集して立っており、その手前の床には黒い巨大な蛇がのたうっている。聖母像の足元にあるこの蛇は無原罪受胎のときに聖母に踏まれる蛇を想起させるが、この群像が全体として宗教的な意味をもっているわけではない。キリスト教的な像が四体あっても、それ以外の像と組み合わされ、ばらばらの色彩を施されることによって、この群像の主題を把握することはできなくなっている。しかし、近代彫刻の流れが展望できるニューヨーク近代美術館の彫刻庭園という場所の一角に設置されることで、ロダン以降のモダニズム、あるいはそれ以降のポストモダニズムという文脈が与えられ、この群像には美術作品という意味と機能が与えられている。しかし、ロダンやピカソなど近代彫刻のほとんどがブロンズの単色である中で、この群像はつやのない派手な色彩によって文字通り異彩を放っている。

フリッチュの黄色い聖母は、このように等身大の像を床や地面に直接置くことが多いが、彼女は小型のマルチプル作品も数多く作っており、ミュージアムショップなどで販売している。これは商品であり、同時に美術品でもあることによって、祈りの対象という本来の性格が剝奪される。それによってフリッチュはハイアートつまり純粋芸術と、ロウアートつまり民衆芸術との区別を曖昧にし、ハイアートの特権性に疑問を投げかけているといってよい。そしてそこから、美術とは何かという問題を提起するのである。

もともと彼女の黄色い聖母作品は、人々が祈る祈念像と純粋美術との区別や差異を問題にしたものであった。黄色い聖母のモチーフである「ルルドの聖母」は、いかなる大きさであれ、白い像であれば、どこにあっても不自然ではない。しかし、それが派手な黄色に塗られると、そこに違和感が生じ、不思議な印象を保ったまま、カタリーナ・フリッチュという現代アーティストの名前を伴って美術作品として受容されることになる。

これに対し、どこででも目にする聖母像はなぜ美術品とは見なされないのだろうか。巡礼地やキリスト教グッズ店で売られている磔刑像や聖母像やイコンは、美術品として受容されるのではなく、ありがたみのある置き物であって、家庭の棚やケースに飾られて神のご加護を感じさせる装置である。日本の仏壇や神棚と似た機能を持っているといえよう。いかに精巧に作られてあっても、それらは美術品ではなく、お守りとして飾られ、身に着けるものである。

第五章で触れたように、十九世紀に聖母信仰が高揚し、多くの聖母顕現が起こって様々な巡礼地が繁栄した。それに伴って置き物やメダイやロザリオなどキリスト教に関連するグッズが無数に作られ、無数の人間に購入された。それらはみな無名の職人によって大量生産され、膨大な民衆に享受されてきた。これに対し、現代美術はどうであろうか。評価を得た作者は一種のブランドのように称揚され、作品は巨額の金銭で取引されるが、ごくわずかな知的な人々に受容されるのみであり、そこから精選されたものが美術館に収蔵される。こうした、共通する前提知識を持つ層のみで流通し、完結する美術業界を、哲学者アーサー・ダントは「アート・ワールド」と称した。現代美術というものは、もっぱらこの狭いアート・ワールドの中でのみ評価され、享受されるのであり、聖母像の複製を飾る多数の一般大衆とはかけ離れているといってよい。

もっとも、近代社会における美術館は大衆に開かれ、かつての大聖堂のように人々が集い、くつろぐ空間でもある。一九二九年に開館したニューヨーク近代美術館は、宗教性や政治性とは異なるモダニズムの価値観に基づく現代美術の価値を象徴する場であり、日本を含めて世界中に影響を与えた。ニューヨークの代表的な観光名所でもあり、アート・ワールドの住人でなくとも楽しめる場所である。

†スキャンダルと聖母

現代美術と宗教は一見結びつかない。現代美術はすべてまったく宗教と無縁だとみることもできれば、すべて宗教的だとみることもできる。あきらかに伝統的な宗教美術とは異なっているが、内実は個人的でうかがい知ることができないものが多い。決して明瞭ではないものの、精神性や神秘性という点も含めれば、多くの作品が宗教的ということができる。このような現代美術における宗教の問題を論じた美術史家ジェームズ・エルキンスが指摘するように、現代美術を取り巻くアート・ワールドに宗教

7-55　セラーノ《母子Ⅱ》1989年

が登場するのはスキャンダルのときだけである。美術を巡るスキャンダルは、日本では猥褻か政治に関わるときがほとんどだが、欧米では宗教がらみが多い。

一九八七年、写真家アンドレス・セラーノは、小便を満たした瓶の中の磔刑像を撮影した写真《ピス・キリスト》を発表して物議をかもした。彼は同じく、黄色い小便の中の聖母子像の写真も発表している。セラーノは血液や精液など、人間の体液をモチーフにしてきたのだが、政治家や宗教家などがそれを神への冒瀆だと非難し、その後二十年にわたって展示のたびに毀誉褒貶を呼び起こしている。二〇一一年にアヴィニョンで展示されたときには、数人の暴徒によって《ピス・キリスト》は破壊されてしまった。聖母子像をやはり小便の瓶に浸した《母子》(7-55)は、黄色い光に輝いており、小便ということを知らなければ単に美しい聖母子の写真である。二〇一一年には、ベールを被った女性が血の涙を流している《血の聖母》という

作品も制作している。セラーノは、それまで現代美術の中には入ってこなかった民衆的な信仰をテーマにし、それを小便や血とともに提示することで人々に衝撃を与えたのである。セラーノ自身は懐疑的とはいえカトリック信者であるという。

一九九九年、クリス・オフィーリの《聖処女マリア》（7－56）という絵画が物議をかもした。この作品はニューヨークのブルックリン美術館で開催された「センセーション展」に出品されたもので、この展覧会はイギリスのサーチギャラリーが主催し、ダミアン・ハーストらイギリスの気鋭の若手アーティストの作品を展示し、ロンドン、ベルリンと巡回してきたもの。オフィーリは前年に黒人で初めてターナー賞を受賞した有望な新人アーティストであった。オレンジ色の背景に青い衣をまとった黒い聖母が描かれ、その周囲に天使か蝶のように見えるのは、ポルノ雑誌から切り抜いた黒人や白人の尻と女性器の写真である。聖母の胸の部分には、乳房か幼児キリストの代わりに象の糞が貼りつけられている。画面は二つの象の糞の上に置かれて壁に立てかけられていた。糞にはそれぞれ、VIRGIN、MARYと記されている。当時のニューヨーク市長ルドルフ・ジュリアーニはこの

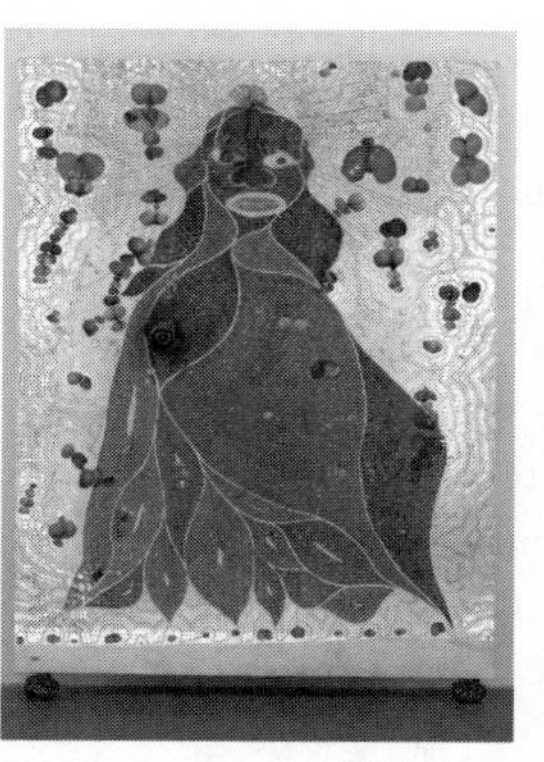

7-56　オフィーリ《聖処女マリア》1996年　ニューヨーク近代美術館

作品はカトリック信者を侮辱していると厳しく非難し、ブルックリン美術館に対して市からの援助を打ち切ろうとして訴訟になった。観客の一人が画面に白いペンキをかけるという騒動もあり、展覧会は予定されていたオーストラリアへの巡回が中止となった。

ナイジェリア人の両親の子としてロンドンに生まれたオフィーリは、カトリック系の学校に通い、教会の奉仕活動をするときに、聖処女が出産したと聞いて戸惑ったという。そして、「ナショナル・ギャラリーに行って聖母の絵を見たとき、それらがいかに性的なものに満ちているのかわかった。ぼくのは単にそれらのヒップホップ版なんだ」と語っている。聖母の周囲におびただしく貼りつけられた女性器の写真は、聖母イメージに向けられてきた性的な視線を顕示し、オフィーリが研修先に選んだジンバブエで発見した素材である象の糞は、野生の痕跡や自然の生命力を示すとともに、聖母の始祖である大地母神を想起させる。これは聖母を冒瀆するものというより、西洋でもアフリカでも様々な意味を担わされてきた聖母の現代化されたイメージであることがわかる。戯画化した黒人として表現された聖母の顔とともに、まさに「ヒップホップ版の聖母」なのだ。オフィーリが影響を受けたという黒人美術家のバスキアも晩年はアフリカの民族芸術に傾倒したが、キリスト教イメージは強くなかった。オフィーリはアフリカ的な民族性と西洋のカトリシズムとを、現代のヒップホップカルチャーのうちに軽やかに融合させたといえよう。多くの文化人も巻き込んだ騒動を呼び起こしたこの作品も、その後オークションで約五億円で落札され、現在は現代美術の殿堂であるニューヨーク近代美術館に展示されている。

ニューヨーク近代美術館の中庭にひっそりと置かれたフリッチュの黄色い聖母像とともに、オフィーリの聖母像は、かつては美術の中心として君臨していた聖母が、現代美術のるつぼの中にあってその宗教性を失いかけても、なお強烈な存在感を保ちうることを示しているようだ。

おわりに　生き続ける聖母——なぜ美術と結びつくのか

本書で概観してきた聖母の美術史を思い切ってごく簡単にまとめてみよう。聖母はまず中世に様々な女神を習合した像やイコンと一体化して信仰されたが、ルネサンス期に人間らしく表現されると、あるものは美術作品としての価値を帯びるようになる。宗教改革によって西洋の一部では衰退するものの、布教とともにアジアやアメリカに伝播。バロック期には幻視表現が流行して聖母はより現実化する。産業革命後の近代社会では、美術の中で存在感を失う代わりに、各地に顕現して新たに信仰を集め、そのイメージが大量に複製されて世界中に普及した。

聖母の美術は古今東西におよんでおり、これのない文化を見つけるのが困難なほどである。世界のキリスト教人口は約二十二億人で総人口の三分の一を占め、うちカトリックの人口は十二億人におよぶ。そこで信仰されているのはもちろん、聖母像はそうでない人々にも人気がある。何度も書いたように、聖母マリアはキリスト教という一宗教の枠にとどまらない普遍的な母性を表すものであり、苦しいときに人間が求める「母なるもの」を具現したものだからである。キリスト教の布教の及んだ地域では、つねに聖母がもっとも歓迎され、聖母像が多く作ら

上8-1　ナザレ、受胎告知教会
下8-2　同教会内部

れ、熱烈に信仰されたのは当然であったが、それ以外の地域でも聖母のイメージは広く普及した。

†マリアの実像

聖母が普遍的になるにつれ、一方で歴史的に実在したマリアの実像は希薄になっていくようである。もともと聖書にはわずかな記述しかなく、その姿かたちも人格もほとんど何も伝えられていない。

聖書の舞台となったパレスチナには、キリストとマリアの生涯にまつわる様々な名所がある。マリアとヨセフの出身地は、現在アラブ系の住民が大半を占めるイスラエル北部のナザレである。そこには、聖母マリアが受胎告知を受けた場所に建てられたという中東最大の教会（8-1、2）があり、その裏にはヨセフの大工仕事場だったという場所に建てられた教会もある。そこには歴史的な信憑性や重みは感じられず、安っぽいモダニズムの二十世紀らしい教会空間も興ざめであった。首都エルサレムのオリーブ山の麓には聖母被昇天教会があり、その地下には聖母の死を描いたイコンで覆われた壮麗な聖母の墓もある。五世紀に建立され、十二世紀の十字軍時代に再建されたものである。また、トルコのエフェソスにも聖母が晩年を過ごしたという家がある。

エルサレムに隣接する町ベツレヘムは、キリスト生誕の地とされるが、現在パレスチナ自治区となっており、有名なバンクシーの落書きのある高い分離壁で囲まれ、通過するときに厳しい検問がある。ベツレヘムの聖誕教会と巡礼路は、二〇一二年、パレスチナ自治政府によってユネスコに世界遺産を申請され、イスラエルやアメリカの強い反対を押し切ってかろうじて認められたという経緯がある。この教会の創建は四世紀に遡り、六世紀に現在の姿となった。クリプタ（地下礼拝堂）にはキリストが生まれたという洞窟やキリストが生誕した地点を示す星型の穴があり、世界中から来た大勢の観光客が長時間並んでは穴に手を突っ込んで触れていた（8－3）。しかし、ナザレの両親から生まれ、そこで育ったイエスが遠く離れたベツレヘムで生まれたというのは不自然であり、イエスをベツレヘム生まれのダヴィデ王の末裔にしようとする欲求から後世に捏造されたものにちがいない。もっとも、四世紀以降そう信じられ、多くの巡礼が訪れたという歴史の厚みは尊重されなければならず、私も

8-3　ベツレヘム、聖誕教会内部

長く列に並んで参拝した。

つまり、現代のイスラエルを旅しても、巡礼者や観光客を見込んで適当に作ったような眉唾もののあやしげな名所旧跡ばかりを目にして、生身のマリアの存在はかえって遠ざかっていくように感じてしまうのである。キリスト教の拡大とともにあまりにも膨張して大きくなりすぎた聖母の輝かしいイメージに対して、パレスチナの寒村でひっそりと生きて死んだであろうマリアという庶民の一女性のイメージはまったく釣り合わないのだ。かろうじて名前だけは残っているものの、とりたてて個性もなく、さしたる美点もなかったであろうこの地味で平凡な女性に、没後かなりたってから膨大な属性が勝手にどんどん付加され、世界中で過剰なまでのきらびやかな装飾がごてごてと施されてしまったため、実像や原型はどこかに埋もれてしまったように見える。

しかも世界中で何度も出現しては、ありがたいメッセージまで述べ伝え、その像もしばしば涙や血を流す。このような過剰な伝説化・神格化や華美な粉飾の後には、マリアの実態などはよくわからないだけでなく、もはや重要でないといってよい。アメリカの神学者ジョーン・マッケンジーは、「キリスト教伝説、芸術、詩文学、音楽、および讃美歌に現れるマリア像はすべて空想の産物であり、神学のマリア像さえそうである」(内藤道雄訳)と喝破している。マリアという歴史上の人物ではなく、聖母の神格化されたイメージ、その普遍的な性質と世界に遍在する現象、それが歩んできた長い歴史と豊かに育まれた文化こそが重要なのだ。本書では、タイトルも含めて「聖母マリア」ではなく、一貫して「聖母」とだけ表記してきたのはそのためである。

†聖母の普遍性

聖母マリアが普遍性を持ち得たのは、それが当初から曖昧な存在であったためでもある。世紀末のフランスの作家ユイスマンスは、『大聖堂』で、「マリアの顔立ちがはっきりしないのは、それぞれの人が、もっとも好きなマリアを思い浮かべて理想のマリア像を作ることができるためだ」と書いたが、聖母は誰にとっても理想の女性イメージを投影できる大きな器であった。わずかな情報しか残っていなかったために、かえっていかなる虚飾も捏造も何でも容易に受け入れてしまったのだ。

とはいえ、人々は自分の心に浮かぶ理想の女性というよりは、聖地の黒い聖母や名高いイコンのような特定の具体的な聖母像に心を寄せ、それに参詣し、祈り、接吻し、奉納し、家庭でもそのミニチュアや複製を飾り、あるいは身に着けて祈ってきた。みなそれぞれの理想とする聖母のイメージを思い描いており、決まった聖母像を心に抱いているといってよいだろう。イコンの厳粛な聖母、ラファエロの清らかな女性、ムリーリョの可憐な少女、あるいはそれらを合わせたようなルルドの貴婦人……聖母と聞いてすぐに連想するイメージはみなちがうであろうが、みな具体的な聖母像なのだ。

見えない神が受肉して具体的な姿となったキリスト自体がそうであったため、キリスト教は最初から美術と結びついていたのだが、聖母も漠然とした抽象的な概念や理想ではなく、つねに物質となって造形化した具体的なイメージとなってきた。美術品であれ土産物であれ、つねに具体的なイメージと結びついているのが聖母の特色である。同じキリスト教でも、三位一体の神が抽象的すぎて容易に想像できないのと対照的に、人間であった聖母は理想的な女性としてつねに想像しやすいのである。

キリスト教の教義の中では宗派を問わず、マリアはキリストを人間として出産した、つまり受肉の奇蹟に関わった存在にして信者の模範であると認識されており、神の母（生神女）とされてきた。地域によってはマリアへの信仰がキリストを圧倒して見えるようなカトリックにおいてさえも、聖母は決して神ではなく、神への取り次ぎやとりなしを祈願する存在にとどまっている。「はじめに」で書いた通り、二十世紀後半の第二ヴァチカン公会議以降、マリアは神の恵みをもっとも受けた人間として信者の模範であるという見解はあらゆるキリスト教の中で共有されている。そして二十世紀には、社会的に抑圧された者を自由にするための「解放の神学」や、女性解放のための「フェミニスト神学」でも、マリアの存在や意味が焦点の一つになっている。いずれにせよ、聖母崇敬や聖母信心は、キリスト教の本流から逸脱した民間信仰だと断ずることはできない。

キリスト教布教の際、聖母の存在が最大の道具になったことは疑いない。そして、聖母は教義を超えた巨大な存在に成長して全世界に伝播した。それは、人間が世界各地で生み出してきたあらゆる古代の女神や本能的な母性信仰を吸収・統合し、洗練させて美しい形に具現化したのである。西洋ではイシス、キュベレ、アルテミスらと、中南米ではトナンツィンやパチャママと、東アジアでは媽祖や観音と習合し、新たに魅力的な造形を生み出した。マリア観音のようにキリスト教色を排除したただの観音像と同化してしまうことも可能であった。こうした現象はシンクレティズム（諸教混淆）の好例として文化人類学や社会学の恰好のテーマとなるが、美術史にとってもきわめて興味深い。つねに具体的な姿を持っていながら、それを時と地域に応じて融通無碍に変容できるというのが聖母の特質であり、強みであったといえよう。

また、世界でキリスト教に次いで信者の多いイスラム教においても、第六章で述べたように、マリアは徳の化身にして最高の女性として、広く親しまれてきた。マリアが神ではなく、人間であるからこそ、キリストを神と信じなくとも、マリアのことは受け入れられたのだ。

十九世紀以降、キリスト教を避けてあえて聖母マリアではない「自由の女神」のような女性擬人像や一般的な母子の記念碑が増加した。現在なお、日本をはじめとする非西洋圏においても、広島の平和記念公園にある本郷新の彫刻のように、母子像が慰霊や平和といった公共の記念碑となっている。しかし、どのようなものであれ、それらには必ず聖母の記憶が宿っており、すべてその末裔であるといってよい。あらゆる母子像は、聖母子像の巨大な伝統を背負っているがゆえに普遍性を持つのではなかろうか。

†聖母とイメージ

聖母は神ではなく人間であるため、そのイメージ制作への抵抗や障壁が少なかったといえるかもしれない。そのため聖母のイメージは、巨匠の手によって作られ、美術館に展示される芸術から、名もない工匠による街角の祠にいる石像、大量生産によるメダイや置物や複製画、最近ではスマホの待ち受け画面まで、幅広い位相にわたっている。中世に成立した聖母像はルネサンス期に美術作品にもなったが、庶民の間に普及した聖母イメージは美術作品ではなく、つねに宗教的な機能を持つ護符や奉納物として流通した。それはときに庶民の欲望を反映するような奇蹟を起こし、彼らの生活や精神世界に息づいていた。こうした聖母像はあらゆる階層に普及しやすく、すぐに浸透するがゆえに、ときに社会から激しい反発を招き、破壊され、燃やされ、踏みつけられながらも、二千年近くにわたってしぶとく生き抜いてきたのである。

ところで、「ロレートの聖母」「グアダルーペの聖母」「ルルドの聖母」といったように、複数の地と結びついて呼ばれるのは聖母のみである。その場合は、元になる聖母像を指すだけでなく、その地に現れ、今もその地にいて奇蹟を起こす聖母のことを指している。考えてみれば、聖母は一人しかいないはずなのに、こうした複数の聖母が各地域に同時に併存するのは奇妙ではなかろうか。それぞれの聖母も、聖像の見た目はちがっても元の聖母は同一人物のはずである。一方、「～のキリスト」というものはなく、キリストはいつでも普遍的で、特定の場所と結びつくことはない。カトリックでは、聖餐式（ミサ）のときに聖体はキリストの体に変質し、つねにキリストが現れることになっている。また聖人は、「アッシジの聖フランチェスコ」「パドヴァの聖アントニウス」というように、特定の地と結びついても、同じ聖人が複数の地に結びつくことはほとんどない。サンタクロースの起源となったミュラの聖ニコラウスは、イタリアでは聖遺物のある場所からバーリの聖ニコラウスと呼ばれるが、そのような例は少ない。

そもそもキリスト教における聖像は、偶像のように神そのものではなく、神を見る窓であり、超越的な存在への回路であった。それを通して人々は神を思い、見ることができたのである。八世紀と十六世紀の二度のイコノクラスムで聖像の存在が非難されたときに、こうした理論が確立したのだが、民衆レベルでは信仰の過程で聖像そのものに神が宿っているように、つまり偶像のようになっているものも多い。たとえばメキシコの信者が「グアダルーペの聖母」に祈るとき、その信者は天上にいる聖母に祈ると同時に、その表れである聖像に対しても祈っている。両者は混然一体となっており、区別をつけられないのである。目の前にある画像を通じて天上の聖母に祈るはずだが、信者にとっては画像自体が聖母になっているのだ。つまり、聖母は天上にいる唯一の存在でありながら、様々な地に現れてはそこの守護神のようになり、その地にある聖母像と同一視されるという特異な様態となっているといえよう。

第四章でも触れたように、十六世紀初頭のフランシスコ会士ポルトガルのアマデウスの『アポカリプシス・ノヴァ（新黙示録）』では、キリストが聖体となっているように、聖母は地上のどこにでもおり、そのイメージを通して奇蹟を起こすと述べられている。聖母像は、キリストの聖体がキリストそのものであるように聖母そのものではなくとも、聖母が現れる回路であり、奇蹟を起こすメディアとして考えられていたのである。

しかし、たとえ聖像が生きていても、それを動かす神は天上におり、聖像の中にはいないという認識から、聖像は容易に取り換えられたり、上塗りされたりした。天上の聖母は、一つに限らず、複数の窓や回路を通して現れ、目にすることができるものであった。十九世紀になって、聖像が奇蹟を起こすよりも、聖母が直接現れることが増えたのは、社会の世俗化によって聖像や宗教美術の力が衰えたためではなかったろうか。美術や聖像を必要とせず、直接人々の目の前に具体的な姿を現すようになったのだが、こうして直接現れた聖母も、すぐにその姿が画像や彫刻に表現され、複製されて定型化し、「〜の聖母」として信者の間に普及する。その意味で、聖母と聖像はほぼ等しいといってよいのではなかろうか。いずれも神の世界を現世の人間にもたらす役割を担っており、人々の目にその具体的なイメージを与えてくれる。そう考えると、聖母が美術と結びついているのは当然なのだ。聖像を否定するプロテスタントが同時に聖母崇敬を否定したのもそのためであろう。

聖母は紀元後の人類のほとんどの文化史に影を落とし、美術の主要な要素を形作ってきた。母子という、人間社会に見られる最大の愛情を結晶させ、彫琢したのが聖母像だったからである。この世に苦悩や悲嘆のあるかぎり、聖母のイメージは今後も人々の心情と造形の中から消え去ることはないであろう。

あとがき

本書は、聖書では重要でない聖母マリアがなぜかくも広い信仰を集めたのか、またなぜ造形表現と深く結びついたのか、といった問題意識に基づき、聖母マリアと美術について、なるべく広く考えて大まかに時代とテーマに分けて概観したものである。そして、聖母崇敬を促したのが美術にほかならないということをあきらかにしようとした。聖母の美術史とは、中世以降のすべての西洋美術史にほぼ重なり、時代や地域も多岐にわたる。さらにそれは西洋から世界規模に展開し、美術館に展示されるような美術作品にとどまらず、民衆的な像やお守り、置物やアクセサリーなどあらゆるメディアに広がっている。その総体を美術史的にとらえてみたかった。

有名な聖母像の名作や興味深い作例も無数にあるが、話の流れと紙数の都合上、割愛せざるを得なかったものも多い。西洋では聖母についての神学や文化は「マリオロジー」というひとつの学問にまでなっており、ドイツで刊行された大部の『マリエンレキシコン』全六巻をはじめ、古来膨大な文献が蓄積されてきた。本書はこうした先学の研究に全面的に依拠したが、私の力不足で理解の浅い部分や不十分な記述も多々あると思われる。また、聖母の文化史にとって重要な文学や音楽には今回ほとんど触れることができなかった。読者諸賢のご寛恕とご叱正を乞う次第である。

一昨年、筑摩書房の大山悦子氏から聖母についての新書執筆を打診されたとき、このテーマは西洋美術史の本質ともいえるものであまりに広く、すでに類書も多いはずなので躊躇したが、授業で話しているように書いてくれたらよいと言われ、気楽に取り掛かることにした。聖母についての講義は五、六年に一度くらいやっていたが、一年分の講義のスライドを見ながら書いていった。だが、書き始めてみると、知識の不確かなことや思い違いも多く、自分が長年いかにいい加減なことを語ってきたかを思い知らされた。しかし、聖母についての本は数多くとも、聖母と美術についてのまとまった本は内外を通じて意外にも少なく、東洋美術や現代美術も含めた聖母の美術史の全体像について、今まで様々な美術に首をつっこんできた私なりの観点でまとめてみても少しは意義があろうと思い始めた。

おりしも昨年は新型コロナウイルスの流行によって大学も美術館も閉鎖されてしまい、授業はすべてオンラインとなって家にこもる時間が増えた。そのため膨大な関係資料や書籍を読み、執筆するのに多くの時間をあてることができた。おかげで予定よりも早く進み、内容もどんどん増えて当初の予定を大きく超える分量になってしまった。古来、疫病の流行のたびに聖母は強く信仰されてきたが、そのこともつねに念頭に置くことになった。その意味で本書は、不謹慎ながら、まさにコロナ禍の産物にほかならない。ただ、書き終わっても、この分野がいかに広大無辺で、いかに尽きせぬテーマであるかを認識させられるばかりであり、この本もいまだに不完全なものであることを痛感している。

現在いただいている科研費も有効に活用させていただいた。第四章は基盤研究C「カトリック改革における幻視表現の成立と展開に関する研究」、第六章の一部は早稲田大学の児嶋由枝教授を代表者とする基盤研究B「日本における西洋宗教美術受容史再構築の試み――16世紀から19世紀まで」の研究分担者としての調査に基づいている。また一昨年、PHP研究所で五回ほど対談した作家の佐藤優氏からは、ロシアやキリスト教について大いに啓発され、氏と関係者に感謝している。

本書がなったのはすべて筑摩書房の大山悦子氏のおかげである。予定の倍以上に膨れ上がった原稿を丁寧に読み込み、読みやすくするために内容を削るなど、有益な助言と指摘によってよいものにしてくださった。図版も多く、完成までにたいへんな手を煩わせたが、あつく御礼申し上げたい。また、様々な意見や秀逸なレポートや論文によって刺激を与えてくれ、いつも与太話の相手になってくれる神戸大学の教え子たちにも感謝したい。

以下、今まであちこちに書いてきたことと重なる部分もあるが、私自身と聖母について語るのをお許し願いたい。私は四十歳のとき思うところあって、近所にある改革派の西宮中央教会で洗礼を受けた。しかし美術史を生業としている以上、聖像を認めないプロテスタントよりもカトリックにかねてより親近感を抱いており、職場の行き帰りには六甲カトリック教会に立ち寄って祈るのを習慣としてきた。

ところが八年前、大学卒業を控えた一人娘が突然がんにかかり、半年後に逝ってしまった。娘は信者ではなかったが、大きな聖母像の立つ神戸のカトリック系の中学高校に通い、私に促されてクリスマスなどにはいっしょに教会で礼拝していた。闘病中も私の牧師である藤田浩喜先生に励まされ、没後は彼に葬式をしてもらい、私のデザインした十字架と蝶のついた墓に眠っている。自宅の娘の祭壇には、いろいろな聖母像や各地で買ったイコンの複製が飾ってある。

私はそれまで盲目的で狂信的なまでの信仰を持っており、神の力や奇蹟をつゆほども疑ったことはなかったので、娘の闘病中はあちこちの教会に行っては床に額を打ち付けて一心に祈り、多額の献金をし、ルルドの水をはじめあらゆるお守りをかき集め、四六時中加持祈禱に専念した。しかし、娘の病状は悪化する一方であり、祈りが効かないのを痛感させられた。娘の死後、私の信仰は大きくゆらぎ、神に怒りさえ覚えた。罪の汚穢にどす黒くまみれて早く死すべき私ではなく、なぜ罪もない天真爛漫な娘がかくも苦しんで死ななければならなかったのか。同じような問いを扱ったヨブ記に関する書物も改めて読み漁ったが、とうてい納得できなかった。

いちばん問題なのは、死んだ娘がどこにいてどうなっているのか、聖書は何も語ってくれないことである。すぐに天国に行けるのか、最後の審判のときまでただ眠っているのか、煉獄で浄化されるのか、あるいはまったく無になってしまったのか。聖書にわずかに記される「アブラハムの懐」（ルカ一六：十九〜三十一）はどうなっているのか。カトリックではマリアは没後、肉体ごと昇天したとされるが、普通の人間の魂はいつどうなるのか。キリスト教に関する何を読んでも死後の世界のことは明確にならなかった。むしろ一部の仏教やヒンドゥー教、それに新興のスピリチュアリズムの方がよほど明確な回答を与えてくれる。そのため、娘の輪廻転生を願って、妻とインドのバラナシに行ってガンジス河に遺骨の一部を流して正式に祈禱してもらったりもした。死後のことを曖昧にする宗教など、存在価値があるのだろうか。この疑問は今でもぬぐい切れず、一刻も早く死んで確かめたいと願うばかりである。

さらに、私はそれまで家庭もほとんど顧みずに美術史という学問に熱中してきたが、美術も大きな悲嘆の前では無力でまったく意味をなさないのを痛感した。信仰にも仕事にもすっかり絶望した私は、暇つぶしと惰性で細々と美術史を続けることにしたが、冷めた気持ちの一方でどこかまだ美術の力に救いを求め、十冊ほどの本を書いてすべて娘の霊前に捧げたのだった。

五年前、旧知の精神医学者、濱田秀伯先生から「巡回の聖母」という話をいただいた。悲しみに沈む家庭に聖母像を一定期間貸し出すという慈善事業で、その聖母像は置かれた家庭に平安をもたらしてくれるという。今までも死期の近い患者の家などに持って行って効果があったという。半信半疑だったがお願いしたところ、東京からご夫婦で大きな聖母像を抱えてわが家に持って来てくださった。チロル地方で作られたという高さ一メートル弱の「ローザ・ミスティカ」という祈る聖母の民芸風の木彫である。ありがたく半年ほど娘の祭壇の横に花を供えて置かせていただいた。残念ながら、私も妻もそれで悲嘆が軽減したり気分が楽になったりすることはなかったが、娘の祭壇の横に手を合わせる聖母像がいるのは、なにか心温まる光景ではあった。わが子があの世で優しい聖母に迎えられるというのは、第七章で見たヴァン・デル・ジーの写真（7－33）のように、親にとってもっとも心地よい想像であり、それゆえ本書でも論じたように、聖書の沈黙にもかかわらず、古来無数の聖母来迎やピエタのイメージが生み出されたのだろう。

結局、聖母というものは、神学的には神ではなく、人間に作用するような力は持たないし、祈ったところで人間の罪をとりなしてくれるかどうかについても異論がある。しかし、その存在はキリスト教を親しみやすくし、人間の温かい情愛を神の世界に投影するよすがとなり、切実な希求や激しい感情の優しい受け皿となっているのだろう。そして、こうした役割の多くは具体的な造形によってもたらされるのだ。そんなことを、わが家に置かれた素朴な聖母像を見ながらつくづく思ったものである。

本書で論じたように、聖母への信心や崇敬は芸術とともに発展してきたのであり、まさに人間の創造したもっとも偉大な文化なのだ。その意味で、私は今後も聖母像に手を合わせたいと思う。

本書もまた娘の麻耶に捧げる。

子の憩う常世あれかし聖母月

二〇二一年　五月　　宮下規久朗

ちくま新書

1356
闇の日本美術
山本聡美
こ、怖い……目を背けたくなる死、鬼、地獄、怪異、病など世界の暗部が描かれた古代・中世日本絵画。豊富なカラー図版とともに、日本人の生老病死観をあぶり出す。

1441
ゴッホとゴーギャン〈カラー新書〉
——近代絵画の軌跡
木村泰司
美術史のなかで燦然と輝く二つの巨星。二十世紀美術を準備した「後期印象派」を一望し、狂気と理性による創作の秘密を解き明かす。より深く鑑賞するための手引き。

1493
まんが訳 酒呑童子絵巻
大塚英志監修
山本忠宏編
室町時代から日本人に愛されてきた物語が、まんがでよみがえる! 伝説の英雄・源頼光の活躍を描く表題作の他、『道成寺縁起』『土蜘蛛草子』を収録。

1525
ロマネスクとは何か
——石とぶどうの精神史
酒井健
石の怪物、ねじれる柱、修道僧の幻視……天上の神を仰ぎつつ自然の神々や異教の表象を取り込み、過剰なエネルギーを発した、豊穣すぎる中世キリスト教文化。

782
アニメ文化外交
櫻井孝昌
日本のアニメはどのように世界で愛され、憧れの的になっているのかを、現地の声で再現。アニメ文化を外交に活用する意義を論じ、そのための戦略を提示する。

1083
ヨーロッパ思想を読み解く
——何が近代科学を生んだか
古田博司
なぜ西洋にのみ科学的思考が発達したのか。その秘密をカント、ニーチェ、ハイデガーらに探り、西洋独特の思考パターンを対話形式で読み解く。異色の思想史入門。

901
ギリシア哲学入門
岩田靖夫
「いかに生きるべきか」という問題は一個人の幸福から「正義」への問いとなり、共同体=国家像の検討へつながる。ギリシア哲学を通してこの根源的なテーマに迫る。

ちくま新書

1424 キリスト教と日本人 ——宣教史から信仰の本質を問う 石川明人
日本人の99％はなぜキリスト教を信じないのか？　宣教師たちの言動や、日本人のキリスト教に対する複雑な眼差しを糸口に宗教についての固定観念を問い直す。

1450 日本の民俗宗教 松尾恒一
大嘗祭、ねぶた、祇園祭り……。「日本の伝統」はいかに作られたのか。古代から現代まで、外来文化との混淆や対立により形成された日本の民俗信仰の変遷を追う。

1459 女のキリスト教史 ——「もう一つのフェミニズム」の系譜 竹下節子
キリスト教は女性をどのように眼差してきたのか。聖母マリア、ジャンヌ・ダルク、マザー・テレサ……、世界を動かした女性たちの差別と崇敬の歴史を読み解く。

1481 芸術人類学講義 鶴岡真弓編
人類は神とともに生きることを選んだ時、「創造する種」として歩み始めた。詩学、色彩、装飾、祝祭、美術の観点から芸術の根源を問い、新しい学問を眺望する。

1135 ひらく美術 ——地域と人間のつながりを取り戻す 北川フラム
文化で地方を豊かにするためにはどうすればいいのか。約50万人が訪れる「大地の芸術祭 越後妻有アートトリエンナーレ」総合ディレクターによる地域活性化論！

1158 美術館の舞台裏 ——魅せる展覧会を作るには 高橋明也
商業化とグローバル化の波が押し寄せる今、美術館では想像以上のドラマが起きている。展覧会開催から美術品を巡る事件、学芸員の仕事……新しい美術の殿堂の姿！

1349 いちばんやさしい美術鑑賞 青い日記帳
「わからない」にさようなら！　1年に300以上の展覧会を見るカリスマアートブロガーが目からウロコの美術の楽しみ方を教えます。鑑賞の質が変わる画期的入門書。

ちくま新書

1400
ヨーロッパ現代史
松尾秀哉
第二次大戦後の和解の時代が終焉し、大国の時代が復活し、危機にあるヨーロッパ。その現代史の全貌を、国際関係のみならず各国の内政との関わりからも描き出す。

956
キリスト教の真実
――西洋近代をもたらした宗教思想
竹下節子
ギリシャ思想とキリスト教の関係を検討し、近代ヨーロッパが覚醒する歴史を辿る。キリスト教という合せ鏡をとおして、現代世界の設計思想を読み解く探究の書。

1048
ユダヤ教　キリスト教　イスラーム
――一神教の連環を解く
菊地章太
一神教が生まれた時、世界は激変した！「平等」「福祉」「不寛容」などを題材に三宗教のつながりを分析し、現代の底流にある一神教を読み解く宗教学の入門書。

1215
カトリック入門
――日本文化からのアプローチ
稲垣良典
日本文化はカトリックを受け入れられるか。日本的霊性と超越的存在の問題から、カトリシズムの本質に迫る。中世哲学の第一人者による待望のキリスト教思想入門。

1285
イスラーム思想を読みとく
松山洋平
「過激派」と「穏健派」はどこが違うのか？　テロに警鐘を鳴らすのでも、平和な宗教として擁護するのでもない、イスラームの対立構造を浮き彫りにする一冊。

1286
ケルト 再生の思想
――ハロウィンからの生命循環
鶴岡真弓
近年、急速に広まったイヴェント「ハロウィン」。この祭りに封印されたケルト文明の思想を解きあかし、古代ヨーロッパの精霊を現代へよみがえらせる。

1244
江戸東京の聖地を歩く
岡本亮輔
歴史と文化が物語を積み重ね、聖地を次々に生み出してきた江戸東京。神社仏閣から慰霊碑、墓、塔、スカイツリーまで、気鋭の宗教学者が聖地を自在に訪ね歩く。

ちくま新書

1287-1
人類5000年史Ⅰ
——紀元前の世界
出口治明
人類五〇〇〇年の歩みを通読する、新シリーズの第一巻、ついに刊行！　文字の誕生から知の爆発の時代まで紀元前三〇〇〇年の歴史をダイナミックに見通す。

1287-2
人類5000年史Ⅱ
——紀元元年～1000年
出口治明
人類史を一気に見通すシリーズの第二巻。漢とローマ二大帝国の衰退、世界三大宗教の誕生、陸と海のシルクロード時代の幕開け等、激動の1000年が展開される。

1287-3
人類5000年史Ⅲ
——1001年～1500年
出口治明
十字軍の遠征、宋とモンゴル帝国の繁栄など人や物の交流が盛んになるが、気候不順、ペスト流行にも見舞われる。ルネサンスも勃興し、人類は激動の時代を迎える。

1295
集中講義！ギリシア・ローマ
桜井万里子
本村凌二
古代、大いなる発展を遂げたギリシアとローマ。これらの歴史を見比べると、世界史における政治、思想、文化の原点が見えてくる。学びなおしにも最適な一冊。

1335
ヨーロッパ　繁栄の19世紀史
——消費社会・植民地・グローバリゼーション
玉木俊明
第一次世界大戦前のヨーロッパは、イギリスを中心に空前の繁栄を誇っていた。奴隷制、産業革命、蒸気船や電信の発達……その栄華の裏にあるメカニズムに迫る。

1342
世界史序説
——アジア史から一望する
岡本隆司
ユーラシア全域と海洋世界を視野にいれ、古代から現代までを一望。西洋中心的な歴史観を覆し、「世界史の構造」を大胆かつ明快に語る。あらたな通史、ここに誕生！

1377
ヨーロッパ近代史
君塚直隆
なぜヨーロッパは世界を席巻することができたのか。「宗教と科学の相剋」という視点から、ルネサンスに始まり第一次世界大戦に終わる激動の五〇〇年を一望する。

ちくま新書
1578

聖母の美術全史
——信仰を育んだイメージ

二〇二一年六月一〇日　第一刷発行

著　者　宮下規久朗（みやした・きくろう）
発行者　喜入冬子
発行所　株式会社 筑摩書房
東京都台東区蔵前二-五-三　郵便番号一一一-八七五五
電話番号〇三-五六八七-二六〇一（代表）
装幀者　間村俊一
印刷・製本　株式会社 精興社

ISBN978-4-480-07401-0 C0270

主要参考文献（日本語文献とそれ以外に分け、年代順）

全般

上智大学・独逸ヘルデル書肆編『カトリック大辞典』全4巻、冨山房、1940-54年。

矢崎美盛『アヴェマリア――マリアの美術』岩波書店、1953年。

岩波書店編集部編、澤柳大五郎監修『聖母マリア（岩波写真文庫131）』岩波書店、1954年。

H・デンツィンガー編、A・シェーメンツァー増補改訂、A・ジンマーマン監修、浜寛五郎訳『カトリック教会文書資料集――信経および信仰と道徳に関する定義集（改訂版）』エンデルレ書店、1974年（原著1965年）。

ジャン・ダニエルー他、上智大学中世思想研究所編訳・監修『キリスト教史』全11巻、講談社、1980-82年。

植田重雄『聖母マリヤ』岩波書店、1987年。

石井美樹子『聖母マリアの謎』白水社、1988年。

柳宗玄・中森義宗編『キリスト教美術図典』吉川弘文館、1990年。

土屋博『聖書のなかのマリア――伝承の根底と現代』教文館、1992年。

E・モルトマン＝ヴェンデル、H・キュング、J・モルトマン編、内藤道雄訳『マリアとは誰だったのか――その今日的意味』新教出版社、1993年（原著1988年）。

岩下壮一『カトリックの信仰』講談社、1994年（初版1949年）。

上智学院新カトリック大事典編纂委員会編『新カトリック大事典』全4巻・別巻、研究社、1996-2010年。

竹下節子『聖母マリア――〈異端〉から〈女王〉へ』講談社、1998年。

諸川春樹・利倉隆『カラー版 聖母マリアの美術』美術出版社、1998年。

吉山登『マリア（人と思想142）』清水書院、1998年。

ヤロスラフ・ペリカン、関口篤訳『聖母マリア』青土社、1998年（原著1996年）。

中丸明『聖母マリア伝承』文藝春秋、1999年。

クラウス・シュライナー、内藤道雄訳『マリア――処女・母親・女主人』法政大学出版局、2000年（原著1994年）。

内藤道雄『聖母マリアの系譜』八坂書房、2000年。

シルヴィ・バルネイ、船本弘毅監修、遠藤ゆかり訳『聖母マリア（「知の再発見」双書95）』創元社、2001年（原著2000年）。

大貫隆・名取四郎・宮本久雄・百瀬文晃編『岩波キリスト教辞典』岩波書店、2002年。

若月伸一『ヨーロッパ聖母マリアの旅』東京書籍、2004年。

岡田温司『処女懐胎――描かれた「奇跡」と「聖家族」』中央公論新社、2007年。

松本富士男・小杉健『マリアの図像学――マリア検索図鑑』聖公会出版、2008年。

秦剛平『美術で読み解く聖母マリアとキリスト教伝説』筑摩書房、2009年。

山形孝夫『聖母マリア崇拝の謎――「見えない宗教」の人類学』河出書房新社、2010年。

水野千依『イメージの地層――ルネサンスの図像文化における奇跡・分身・予言』名古屋大学出版会、2011年。

稲垣良典『カトリック入門――日本文化からのアプローチ』筑摩書房、2016年。

喜多崎親・川田牧人・水野千依『〈祈ること〉と〈見ること〉――キリスト教の聖像をめぐる文化人類学と美術史の対話』三元社、2018年。

宮下規久朗『聖と俗――分断と架橋の美術史』岩波書店、2018年。

宮下規久朗『そのとき、西洋では――時代で比べる日本美術と西洋美術』小学館、2019年。

下園知弥編『聖母の美――諸教会におけるマリア神学とその芸術的展開』西南学院大学博物館、2019年。

ダニエル・S・レビー、片山美佳子訳『聖母マリア――聖書と遺物から読み解く（ナショナルジオグラフィック別冊）』日経ナショナルジオグラフィック社、2019年（原著2018年）。

Adolfo Venturi, *La Madonna: Svolgimento artistico delle rappresentazioni della vergine,* Milano, 1900.

AA. VV., *Enciclopedia cattolica*, 12vols., Città del Vaticano, 1948-54.

Louis Réau, *Iconographie de l'art chrétien*, 6vols., Paris, 1955-59.

Gertrud Schiller, *Ikonographie der christlichen Kunst,* 7vols., Gütersloh, 1966-91（2vols., London, 1971).

Hans Urs von Balthasar, Joseph Cardinal Ratzinger, *Maria: Kirche im Ursprung*, Freiburg im Breisgau, 1980（*Mary: The Church at the*

Source, San Francisco, 2005).
Hans Belting, *Das Bild und sein Publikum im Mittelalter: Form und Funktion früher Bildtafeln der Passion*, Berlin, 1981 (*The Image and its Public in the Middle Ages: Form and Function of Early Paintings of the Passion*, New York, 1990).
AA. VV., *Dictionary of Mary*, New York, 1985.
Engelbert Kirschbaum SJ., *Lexikon der christlichen Ikonographie*, 8vols., Freiburg, 1968-76 (1994).
Bruce Bernard, *The Queen of Heaven: A Selection of Paintings of the Virgin Mary from the Twelfth to the Eighteenth Centuries*, London and Sydney, 1987.
Remigius Bäumer, Leo Scheffczyk, Istitutum Marianum Regensburg (eds.), *Marienlexikon*, 6vols., Sankt Ottilien, 1988-94.
David Freedberg, *The Power of Images: Studies in the History and Theory of Response*, Chicago and London, 1989.
Hans Belting, *Bild und Kult. Eine Geschichte des Bildes vor dem Zeitalter der Kunst*, München,1990 (*Likeness and Presence: A History of the Image before the Era of Art*, Chicago and London, 1994).
Wolfgang Beinert, Heinrich Petri, *Handbuch der Marienkunde*, 2vols., Regensburg, 1996.
Marion Wheeler, *Mary: Images of the Virgin in Art*, New York, 1998.
Michael O'Carroll, *Theotokos: A Theological Encyclopedia of the Blessed Virgin Mary*, Eugene, Oregon, 2000 (1982).
Melissa R. Katz, ed., *Devine Mirrors: The Virgin Mary in the Visual Arts*, Oxford, 2001.
Erik Thunø and Gerhard Wolf, eds, *The Miraculous Image in the Late Middle Ages and Renaissance*, Roma, 2004.
Timothy Verdon, *Mary in Western Art*, Washington D. C., 2005.
Miri Rubin, *Mother of God: A History of the Virgin Mary*, New Haven and London, 2009.
Michael W. Cole, Rebecca Zorach, eds, *The Idol in the Age of Art: Objects, Devotions and the Early Modern World*, Surrey, Burlington, 2009.
Caroline Walker Bynum, *Christian Materiality: An Essay on Religion in Late Medieval Europe*, New York, 2011.
Jane Garnett and Gervase Rosser, *Spectacular Miracles: Transforming*

Images in Italy from the Renaissance to the Present, London, 2013.
Marina Warner, *Alone of All Her Sex: The Myth & The Cult of the Virgin Mary*, new ed., Oxford, 2016（1976）.

第1章

内村剛介『科学の果ての宗教』講談社、1976年。

鐸木道剛・定村忠士『イコン――ビザンティン世界からロシア、日本へ』毎日新聞社、1993年。

田中仁彦『黒マリアの謎』岩波書店、1993年。

イアン・ベッグ、林睦子訳『黒い聖母崇拝の博物誌』三交社、1994年（原著1985年）。

谷泰『カトリックの文化誌――神・人間・自然をめぐって』日本放送出版協会、1997年。

馬杉宗夫『黒い聖母と悪魔の謎――キリスト教異形の図像学』講談社、1998年。

鼓みどり「マリア・レギナからキリストの花嫁へ――西欧中世における聖母の勝利図像について」田中雅一編『女神――聖と性の人類学』平凡社、1998年、259-298頁。

ジョン・ラウデン、益田朋幸訳『初期キリスト教美術・ビザンティン美術（岩波世界の美術）』岩波書店、2000年（原著1997年）。

若桑みどり『象徴としての女性像――ジェンダー史から見た家父長制社会における女性表象』筑摩書房、2000年。

加藤磨珠枝「ローマの聖母子イコンの起源について」『千葉大学人文研究』第33号、千葉大学文学部、2004年、95-124頁。

石田英一郎『新訂版 桃太郎の母』講談社、2007年（原著1956年）。

水野千依『キリストの顔――イメージ人類学序説』筑摩書房、2014年。

藪田淳子「アルトエッティングのマリア像について――その認識の変遷」『美術史論集』第14号、神戸大学美術史研究会、2014年、80-101頁。

加藤磨珠枝編『教皇庁と美術（ヨーロッパ中世美術論集1）』竹林舎、2015年。

ジャン・クロード・シュミット、小池寿子訳『中世の聖なるイメージと身体――キリスト教における信仰と実践』刀水書房、2015年（原著2002年）。

Victor Lasareff, "Studies in the Iconography of the Virgin", *The Art Bulletin*, Vol. 20, No. 1, 1938, pp. 26-65.

Ioli Kalavrezou, "Images of the Mother: When the Virgin Mary Became "Mater Theou"", *Dumbarton Oaks Papers*, Vol. 44, 1990, pp. 165-172.

Gerhard Wolf, *Salus Populi Romani: Die Geschichte römischer Kultbilder im Mittelalter*, Weinheim, 1990.

Nancy Patterson Ševčenko, "Icons in the Liturgy", *Dumbarton Oaks Papers*, Vol. 45, 1991, pp. 45-57.

Robin Cormack, *Painting the Soul: Icons, Death Masks and Shrouds*, Lodon, 1997.

Akira Akiyama and Kana Tomizawa (Kitazawa), *Miraculous Images in Christian and Buddhist Culture: "Death and Life" and Visual Culture* II (*Bulletin of Death and Life Studies, Vol. 6*), Global COE Program DALS, Graduate School of Humanities and Sociology, The University of Tokyo, 2010.

Elisa A. Foster, "Out of Egypt: Inventing the Black Madonna of Le Puy in Image and Text", *Studies in Iconography*, Vol. 37, 2016, pp. 1-30.

第2章

ミラード・ミース、中森義宗訳『ペスト後のイタリア絵画 ―― 14世紀中頃のフィレンツェとシエナの芸術・宗教・社会』中央大学出版部、1978年（原著1951年）。

石鍋真澄『聖母の都市シエナ ―― 中世イタリアの都市国家と美術』吉川弘文館、1988年。

マイケル・バクサンドール、篠塚二三男、池上公平、石原宏、豊泉尚美訳『ルネサンス絵画の社会史』平凡社、1989年（原著1972年）。

荒井献編、八木誠一他訳『新約聖書外典』講談社、1997年。

エミール・マール、田中仁彦・池田健二・磯見辰典・成瀬駒男・平岡忠・細田直孝訳『中世末期の図像学』上下、国書刊行会、2000年（原著1925年）。

秋山聰『聖遺物崇敬の心性史 ―― 西洋中世の聖性と造形』講談社、2009年。

河田淳「ペスト流行期の慈悲 ――《慈悲の聖母》のイコノロジー」『人間・環境学』第20巻、京都大学大学院人間・環境学研究科、2011年、27-37頁。

シクステン・リングボム、松原知生・内島美奈子・下園知弥訳「祈念像と想像的祈念 ―― 中世末期の私的信心における芸術の場についての覚書」

『西南学院大学国際文化論集』第29巻第2号、2015年（原著1969年）、141-163頁。
加藤磨珠枝・益田朋幸『中世Ⅰ キリスト教美術の誕生とビザンティン世界（西洋美術の歴史2）』中央公論新社、2016年。
田辺幹之助編『祈念像の美術（ヨーロッパ中世美術論集3）』竹林舎、2018年。
高階秀爾『《受胎告知》絵画でみるマリア信仰』PHP研究所、2018年。
杉山美耶子「初期フランドル絵画におけるイメージと宗教的実践──「聖母の七つの悲しみ」信仰とホアン・デ・フォンセカ」『鹿島美術財団年報 別冊』第36号、2019年、1-11頁。
池上俊一『ヨーロッパ中世の想像界』名古屋大学出版会、2020年。
金沢百枝「ジェンティーレ・ダ・ファブリアーノ《受胎告知》における窓ガラスと光の比喩」宮本久雄編『光とカタチ──中世における美と知恵の相生』教友社、2020年、113-126頁。
大塚優美「グエルチーノによる一六四六年制作《受胎告知》に関する一考察」『美術史論集』第21号、神戸大学美術史研究会、2021年、123-146頁。
Sixten Ringbom, *Icon to Narrative: The Rise of the Dramatic Close-up in Fifteenth-century Devotional Painting*, Davaco, 1984.
Susan Solway, "A Numismatic Source of the Madonna of Mercy", *The Art Bulletin*, Vol. 67, No. 3, 1985, pp. 359-368.
Carol M. Schuler, "The Seven Sorrows of the Virgin: Popular Culture and Cultic Imagery in Pre-Reformation Europe", *Simiolus: Netherlands Quarterly for the History of Art*, Vol. 21, No. 1/2, 1992, pp. 5-28.
Louis Marshall, "Manipulating the Sacred: Image and Plague in Renaissance Italy", *Renaissance Quarterly*, Vol. 47, No. 3, 1994, pp. 485-532.
Beth Williamson, "The Virgin Lactans as Second Eve: Image of the "Salvatrix"", *Studies in Iconography*, Vol. 19, 1998, pp. 105-138.
David Morgan, *Visual Piety: A History and Theory of Popular Religious Images*, Berkeley, Los Angeles, London, 1999.
James Elkins, *Pictures & Tears: A History of People Who Have Cried in Front of Paintings*, New York, 2001.
Joanna Cannon, "Kissing the Virgin's Foot: Adoratio before the Madonna and Child Enacted, Depicted, Imagined", *Studies in Iconography*, Vol. 31, 2010, pp. 1-50.

Katherine T. Brown, *Mary of Mercy in Medieval and Renaissance Italian Art: Devotional Image and Civic Emblem,* New York, 2017.

Wendelien van Welie-Vink, *Body Language: The Body in Medieval Art,* Utrecht, 2020.

第3章

塚本博『イタリア・ルネサンス美術の水脈――死せるキリスト図の系譜』三元社、1994年。

P・ティリッヒ、前川道郎訳『芸術と建築について』教文館、1997年(原著1987年)。

石井美樹子『聖母のルネサンス――マリアはどう描かれたか』岩波書店、2004年。

池上英洋『もっと知りたいラファエッロ――生涯と作品』東京美術、2009年。

今井澄子『聖母子への祈り――初期フランドル絵画の祈禱者像』国書刊行会、2015年。

宮下規久朗『ヴェネツィア――美の都の一千年』岩波書店、2016年。

越川倫明・松浦弘明・甲斐教行・深田麻里亜『ラファエロ――作品と時代を読む』河出書房新社、2017年。

藪田淳子「アルトドルファーの《シェーネ・マリア(美しき聖母)》と人文主義」近世美術研究会編『イメージ制作の場と環境――西洋近世・近代美術史における図像学と美術理論』中央公論美術出版、2018年、127-148頁。

深田麻里亜『ラファエロ――ルネサンスの天才芸術家』中央公論新社、2020年。

Carl C. Christensen, *Art and the Reformation in Germany*, Ohio, 1979.

Michael Baxandall, *The Limewood Sculptors of Renaissance Germany,* New Haven and London, 1981.

Sylvia Ferino Pagden "From Cult Images to the Cult of Images: The Case of Raphael's Altarpieces", in Peter Humfrey and Martin Kemp eds., *The Altarpiece in the Renaissance,* Cambridge, 1990, pp. 165-189.

Sergiusz Michalski, *The Reformation and the Visual Arts: The Protestant Image Question in Western and Eastern Europe*, London and New York, 1993.

Marcia B. Hall, *The Sacred Image in the Age of Art: Titian, Tintoretto,*

Barocci, El Greco, Caravaggio, New Haven and London, 2011.
Megan Holmes, *The Miraculous Image in Renaissance Florence*, New Haven and London, 2013.

第4章

ヴィクトル・I・ストイキツァ、岡田温司・松原知生訳『絵画の自意識――初期近代におけるタブローの誕生』ありな書房、2001年（原著1997年）。

宮下規久朗『バロック美術の成立』山川出版社、2003年。

宮下規久朗『カラヴァッジョ――聖性とヴィジョン』名古屋大学出版会、2004年。

宮下規久朗『イタリア・バロック――美術と建築』山川出版社、2006年。

新保淳乃「危機克服の政治学における聖母マリア表象――1632年ローマにおけるペスト危機克服記念行列とピエトロ・ダ・コルトーナ作行列幟」『美術史』第160冊、2006年、260-276頁。

高橋テレサ訳、鈴木宣明監修『アビラの聖テレサ「神の憐みの人生」』上下、聖母の騎士社、2006年。

ヴィクトル・I・ストイキツァ、松井美智子訳『幻視絵画の詩学――スペイン黄金時代の絵画表象と幻視体験』三元社、2009年（原著1995年）。

宇埜直子「グイド・レーニ《ペストの祭壇画》に関する一考察」『美術史論集』第11号、神戸大学美術史研究会、2011年、197-214頁。

木村三郎『フランス近代の図像学』中央公論美術出版、2018年。

フランシスコ・パチェーコ、スペイン・ラテンアメリカ美術史研究会編・訳『絵画芸術　三書概要・抄訳、図像編全訳、論考』スペイン・ラテンアメリカ美術史研究会、2019年。

伊藤邦武・山内志朗・中島隆博・納富信留編『世界哲学史5 中世Ⅲバロックの哲学』筑摩書房、2020年。

松原知生『転生するイコン――ルネサンス末期シエナ絵画と政治・宗教抗争』名古屋大学出版会、2021年。

Émile Mâle, *L'art religieux de la fin du XVIe siècle, du XVIIe siècle et du XVIIIe siècle: étude sur l'iconographie après le concile de Trente*, Paris, 1951.

Mirella Levi D'Ancona, *The Iconography of the Immaculate Conception in the Middle Ages and Early Renaissance*, New York, 1957.
L. Kriss-Rettenbeck, *Ex Voto: Zeichen Bild und Abbild im christlichen*

Votivbrauchtum, Zurich, Freiburg-im-Breisgau, 1972.
Thomas Buser, "The Supernatural in Baroque Religious Art", *Gazette des Beaux-Arts*, 108, 1986, pp. 38–42.
James Clifton, "Mattia Preti's Frescoes for the City Gates of Naples", *The Art Bulletin*, Vol. 76, No. 3, 1994, pp. 479–501.
Steven F. Ostrow, *Art and Spirituality in Counter-Reformation Rome: The Sistine and Pauline Chapels in S. Maria Maggiore*, Cambridge, 1996.
Sheila Barker, "Poussin, Plague, and Early Modern Medicine", *The Art Bulletin*, Vol. 86, No. 4, 2004, pp. 659–689.
Gauvin Alexander Bailey, Pamela M. Jones, Franco Mormand, Thomas W. Worcester eds, *Hope and Healing: Painting in Italy in a Time of Plague, 1500–1800*, Chicago, 2005.
Rodolfo Papa, *Caravaggio pittore di Maria*, Milano, 2005.
Stuart Clark, *Vanities of the Eye: Vision in Early Modern European Culture*, Oxford, 2007.
Pamela M. Jones, *Altarpieces and Their Viewers in the Churches of Rome from Caravaggio to Guido Reni*, Farnham, Surrey, 2008.
Kirstin Noreen, "The High Altar of Santa Maria in Aracoeli: Recontextualizing a Medieval Icon in Post-Tridentine Rome", *Memoirs of the American Academy in Rome*, Vol. 53, 2008, pp. 99–128.
Andrew R. Casper, "Display and Devotion: Exhibiting Icons and their Copies in Counter-Reformation Italy", in Wietse de Boer, Christine Göttler (eds.), *Religion and the Senses in Early Modern Europe*, Leiden and Boston, 2013, pp. 43–62.
Ralph Dekoninck, "Une science expérimentale des images mariales. La *Peritia* de l'*atlas Marianus* de Wilhelm Gumppenberg", *Revue de l'histoire des religions*, Vol. 232, No. 2, 2015, pp. 135–154.
Sheila Barker, "Miraculous Images and the Plagues of Italy, c.590–1656", in Sandra Cardarelli and Laura Finelli (eds.), *Saints, Miracles and the Image: Healing Saints and Miraculous Images in the Renaissance*, Turnhout, 2018, pp. 29–52.
Isabella Augart, *Rahmenbilder: Konfigurationen der Verehrung im Frühneuzeitlichen Italien*, Berlin, 2018.
Rosilie Hernández, *Immaculate Conceptions: The Power of the Religious*

Imagination in Early Modern Spain, Toronto, Buffalo, London, 2019.
Angelo Mazza (a cura di), «Quem genuit adoravit» *La Madonna della Ghiara, immagini, devozione, pellegrinaggi tra Cinque e Seicento,* Palazzo dei Musei, Reggio Emilia, 2020.

第5章

加藤薫『ラテンアメリカ美術史』現代企画室、1987年。
関一敏『聖母の出現――近代フォーク・カトリシズム考』日本エディタースクール出版部、1993年。
シルヴィ・バルネイ、近藤真理訳『マリアの出現』せりか書房、1996年（原著1992年）。
岡田裕成・齋藤晃『南米キリスト教美術とコロニアリズム』名古屋大学出版会、2007年。
エリザベート・クラヴリ、船本弘毅監修、遠藤ゆかり訳『ルルドの奇跡――聖母の出現と病気の治癒（「知の再発見」双書146）』創元社、2010年（原著2008年）。
岡田裕成『ラテンアメリカ 越境する美術』筑摩書房、2014年。
Victor Turner and Edith Turner, *Image and Pilgrimage in Christian Culture,* New York, 1978.
Jeanette Favrot Peterson, "The Virgin of Guadalupe: Symbol of Conquest or Liberation?", *Art Journal,* Vol. 51, No. 4, 1992, pp. 39-47.
Elizabeth Netto Calil Zarur and Charles Muir Lovell (eds.), *Art and Faith in Mexico: The Nineteenth Century Retablo Tradition,* Albuquerque, 2001.
Gauvin Alexander Bailey, *Art of Colonial Latin America,* London, 2005.
John W. O'Malley, Gauvin Alexander Bailey and Giovanni Sale (eds.), *The Jesuits and the Arts 1540-1773,* Philadelphia, PA, 2005.
Catherine M. Odell, *Those Who Saw Her: Apparitions of Mary,* Huntington, 2010 (1986).
James Oles, *Art and Architecture in Mexico,* London, 2013.
Frank Graziano, *Miraculous Images and Votive Offerings in Mexico,* Oxford, 2016.

第6章

レオン・パジェス、クリセル神父校閲、吉田小五郎訳『日本切支丹宗門

史』全3巻、岩波書店、1938-40年（原著1869年）。

アロイジオ・ソーデン編著、深井敬一訳『聖母マリアと日本』中央出版社、1954年。

千澤楨治、西村貞、内山善一『キリシタンの美術』宝文館、1961年。

岡本良知『南蛮美術（日本の美術19）』平凡社、1965年。

平川祐弘『マッテオ・リッチ伝1』平凡社、1969年。

坂本満・菅瀬正・成瀬不二雄『南蛮美術と洋風画（原色日本の美術25）』小学館、1970年。

坂本満『初期洋風画（日本の美術80）』至文堂、1973年。

坂本満・吉村元雄『南蛮美術（ブック・オブ・ブックス日本の美術34）』小学館、1974年。

江口正一『踏絵とロザリオ（日本の美術144）』至文堂、1978年。

五野井隆史『日本キリスト教史』吉川弘文館、1990年。

青木茂・河野実・小林宏光他『「中国の洋風画」展――明末から清時代の絵画・版画・挿絵本』町田市立国際版画美術館、1995年。

ジョナサン・スペンス、古田島洋介訳『マッテオ・リッチ 記憶の宮殿』平凡社、1995年（原著1984年）。

木村三郎『ニコラ・プッサンとイエズス会図像の研究』中央公論美術出版、2007年。

若桑みどり『聖母像の到来』青土社、2008年。

児嶋由枝「聖地ロレートとローマのSalus populi romani――対抗宗教改革期イタリア美術と日本」『上智史学』第56号、2011年、95-114頁。

宇埜直子「《マリア十五玄義図》再考――「神殿奉献」場面を中心に」『美術史論集』第14号、神戸大学美術史研究会、2014年、55-72頁。

児嶋由枝「日本二十六聖人記念館の《雪のサンタ・マリア》とシチリアの聖母像――キリシタン美術とトレント公会議後のイタリアにおける聖像崇敬」『イタリア学会誌』第65号、2015年、167-188頁。

児嶋由枝「トリエント公会議後のイタリアの聖母像と日本、インド――大阪南蛮文化館所蔵《悲しみの聖母》を中心に」『美術史研究』第55冊、早稲田大学美術史学会、2017年、29-41頁。

小林頼子・望月みや『グローバル時代の夜明け――日欧文化の出会い・交錯とその残照 一五四一～一八五三』晃洋書房、2017年。

望月みや、田中零訳「複製技術時代における宗教画――世界の「サルス・ポプリ・ロマーニ聖母像」をめぐって」郭南燕編『キリシタンが拓いた日本語文学』明石書店、2017年、274-297頁。

越川倫明「カトリック長崎大司教区所蔵《聖母マリアの御絵》に関する美術史的考察」『長崎歴史文化博物館研究紀要』第12号、2017年、17-45頁。
上智大学キリスト教文化研究所編『宗教改革期の芸術世界』リトン、2018年。
中園成生『かくれキリシタンの起源――信仰と信者の実相』弦書房、2018年。
齋藤晃編『宣教と適応――グローバル・ミッションの近世』名古屋大学出版会、2020年。
聶琪「『程氏墨苑』におけるキリスト教の受容」『美術史論集』第21号、神戸大学美術史研究会、2021年、147-171頁。
Gauvin Alexander Bailey, *Art on the Jesuit Missions in Asia and Latin America, 1542-1773,* Toronto, Buffalo, London, 2001.
Martin Palmer, *The Jesus Sutras: Rediscovering the Lost Scrolls of Taoist Christianity*, New York, 2001.
César Guillén Nuñez, *Macao's Church of Saint Paul: A Glimmer of the Baroque in China*, Hong Kong, 2009.
Jeremy Clarke, SJ, *The Virgin Mary and Catholic Identities in Chinese History*, Hong Kong, 2013.
Mika Natif, *Mughal Occidentalism: Artistic Encounters between Europe and Asia at the Courts of India, 1580-1630*, Leiden, London, 2018.

第7章

大原まゆみ「「ズラミットとマリア」から「イタリアとゲルマニア」へ――フランツ・プフォルとフリードリヒ・オーヴァーベックの友情図について」『実践女子大美学美術史学』創刊号、1986年、7-72頁。

大原まゆみ「近代の宗教画とその周縁をめぐる一試論」『実践女子大美学美術史学』4号、1989年、54-81頁。

山本敦子『リヨン派画集』トレヴィル、1996年。

若桑みどり『皇后の肖像――昭憲皇太后の表象と女性の国民化』筑摩書房、2001年。

古田亮『狩野芳崖・高橋由一――日本画も西洋画も帰する処は同一の処』ミネルヴァ書房、2006年。

前田富士男「明治時代以降のカトリック美術」神田健次編『講座日本のキリスト教芸術2　美術・建築』日本キリスト教団出版局、2006年、

49-79頁。

『狩野芳崖――悲母観音への軌跡』展カタログ、東京芸術大学大学美術館・下関市立美術館、2008年。

江尻潔・大下智一・浅倉祐一朗編『牧島如鳩展図録』足利市立美術館、北海道立函館美術館、三鷹市美術ギャラリー、2009年。

宮下規久朗『ウォーホルの芸術――20世紀を映した鏡』光文社、2010年。

喜多崎親『聖性の転位――一九世紀フランスに於ける宗教画の変貌』三元社、2011年。

佐藤直樹編『ローマ――外国人芸術家たちの都（西洋近代の都市と芸術1)』竹林舎、2013年。

鐸木道剛『山下りん研究』岡山大学文学部、2013年。

近藤存志『キリストの肖像――ラファエル前派と19世紀イギリスの画家たち』教文館、2013年。

第二バチカン公会議文書公式訳改訂特別委員会監修・翻訳『第二バチカン公会議公文書 改訂公式訳』カトリック中央協議会、2013年。

喜多崎親編『前ラファエッロ主義――過去による19世紀絵画の革新』三元社、2018年。

藪田淳子「原田直次郎《騎龍観音》《素尊斬蛇》における同時代のドイツ美術とベックリンの影響」『美術史論集』第18号、神戸大学美術史研究会、2018年、65-88頁。

増子美穂「ヴァチカンの現代美術コレクション――ルオー作品収蔵経緯から見るカトリック教会と「現代美術」」『観光学研究』第18号、東洋大学国際地域学部、2019年、61-68頁。

君島彩子「現代の『マリア観音』と戦争死者慰霊――硫黄島、レイテ島、グアム島、サイパン島の事例から」第15回涙骨賞受賞論文『中外日報』(ネット版)、2019年5月29日付。

『大原美術館 ＋作品150と建築』大原美術館、2021年。

John Dillenberger, *The Visual Arts and Christianity in America: From the Colonial Period to the Present*, Eugene, Oregon, 1988.

Enrico Castelnuovo (a cura di), *La pittura in Italia: L'Ottocento*, 2vols., Milano, 1990.

Jay Ruby, *Secure the Shadow: Death and Photography in America*, Cambridge, London, 1995,
Thomas Buser, *Religious Art in the Nineteenth Century in Europe and America*, 2vols., New York, Ontario, 2002.

James Elkins, *On the Strange Place of Religion in Contemporary Art*, New York, 2004.
Robert Fleck ed., *Figure in the Garden: Katharina Fritsch at the Museum of Modern Art,* Köln, 2013.
Christian Viveros-Fauné, *Social Forms: A Short History of Political Art*, New York, 2018.